診療放射線

JN025151

医用画像情報学

改訂5版

九州大学大学院医学研究院保健学部門医用量子線科学分野 教授

杜下淳次 編

南 山 堂

編　集

杜下淳次　九州大学大学院医学研究院保健学部門医用量子線科学分野 教授

執　筆　者 (執筆順)

桂川茂彦　元 熊本大学 教授・帝京大学 教授

藤田広志　岐阜大学工学部電気電子・情報工学科 特任教授/名誉教授

杜下淳次　九州大学大学院医学研究院保健学部門医用量子線科学分野 教授

井手口忠光　九州大学大学院医学研究院保健学部門医用量子線科学分野 准教授

田中延和　九州大学大学院医学研究院保健学部門医用量子線科学分野 助教

白石順二　熊本大学大学院生命科学研究部先端生命医療科学部門
医療技術科学分野 教授

近藤世範　新潟大学大学院保健学研究科放射線技術科学分野 教授

田中利恵　金沢大学医薬保健研究域附属 AI ホスピタル・マクロシグナル
ダイナミクス研究開発センター 准教授

寺本篤司　名城大学情報工学部情報工学科 教授

小笠原克彦　北海道大学大学院保健科学研究院保健科学部門健康科学分野 教授

谷川琢海　北海道科学大学保健医療学部診療放射線学科 准教授

改訂5版の序

　「医用画像情報学」は桂川茂彦博士（元，熊本大学教授）が企画され2002年に初版を発行されました．その内容はmedical imagingの理解に必要なフーリエ変換，X線画像の形成，画像の評価を含んでいます．さらに，土井邦雄博士（シカゴ大学名誉教授）を中心に開発研究が進んだコンピュータ支援診断（computer-aided diagnosis, CAD）に長年携わってこられた桂川茂彦博士と藤田広志博士（岐阜大学名誉教授）による像処理の基本技術と続きます．そして最後に近年ますますその重要性が高まっているmedical informaticsまでを扱っていました．初版から20年の間に，医療はあらゆる方面で急速に進化を続けておりmedical imagingを取り巻く状況も大きく変化しました．ディジタルX線画像とほかのモダリティを含めた画像技術を扱う分野は，medical imaging（医用画像）であり，医療現場ではmedical informaticsとmedical imagingを効率よく連携させることが大事な課題です．あらゆる分野でのディジタル化を急速に進めている医療現場では，多くの情報を取り扱い，情報通信技術を駆使します．そのために国際的なガイドラインの深い理解が必要で，すべてを網羅するには独立した本が必要です．そこで桂川茂彦博士から引き継いだ改訂第5版では，medical informaticsは用語解説に留め，詳細は各種ガイドラインや他の専門書に任せることにしました．

　本書は初版から一貫して，診療放射線技師を目指す学生や初学者がmedical imagingの概念と概要を学び，必要に応じてさらに深い知識を得るための契機となることを目指しています．改訂第5版では，いまなお世界で最も頻繁に使用されているX線画像を中心に，medical imagingで用いられている像処理技術，客観的あるいは主観的な画像評価法の基本と最低限必要なmedical informaticsを含めました．CADに関してはその変遷についてと今後ますます普及すると予想される人工知能の

技術とその評価の理解を深める内容を強化しています．今後も診療放射線技師を目指す学生と，医療現場で活躍する診療放射線技師が振り返って学習できる教科書を目指したく，読者からのご指摘，ご批判ならびにご指導をお願いいたします．

 2023 年 8 月

杜 下 淳 次

初版の序

　本書は大綱化カリキュラムで設けられた専門分野の一つである医用画像情報学に対応する教科書として作成した．診療放射線技師カリキュラム等改善検討会報告書（2000年11月）によれば，医用画像情報学に関する教育の目標は，"医用画像の成り立ちに必要な画像情報の理論を理解し，画像解析，評価，処理及び医療情報システムの知識を学習する"となっている．このような目標を達成するために，本書は次のような構成とした．

　1章は医用画像の歴史を振り返り，本書で取り扱う医用画像の範囲を述べた序論である．

　2章では増感紙–フィルム系を受光系とするアナログX線画像と，イメージングプレートや平面検出器などを受光系に含むディジタルX線画像の形成に関して解説している．ディジタル画像がこれからの医用画像の主流になると予測されるので，とくに図や写真を多く取り入れて理解を助けている．

　3章では画像評価や画像処理の際に必要なフーリエ変換の基礎について説明した．ここでは数学的な厳密さを犠牲にして，直感的な理解が得られるように解説している．

　4章では医用画像の評価である画質の物理特性の評価，および，診断の正確さの評価について述べている．前者については入出力特性，解像特性およびノイズ特性に関して詳述し，後者についてはROC解析の基礎と応用について解説している．医用画像の評価は放射線技師として臨床現場で常に直面する問題であるから，その概念を理解することは重要である．

　5章ではディジタル画像処理の基礎技術についてまとめた．とくに，臨床で頻繁に使用されている階調処理およびボケマスク処理について詳

しく記述した．この章はコンピュータプログラミングの知識がなくても理解できるような説明を行っている．

6章は乳房と胸部画像に対するコンピュータ支援診断（CAD）についての解説である．CADはディジタル画像の持つ情報をコンピュータを用いて分析し，その分析結果を“第2の意見”として医師が画像診断に利用する技術であり，これからの大きな発展が予測される分野である．

7章ではHIS，RIS，PACSに代表される医療情報システムに関して解説した．コンピュータやネットワークの発展と共に進歩を続ける医療情報システムは，病院内での業務のみならず患者サービスに直接影響を与えるために重要な技術である．

本書は大学，短大，専門学校の診療放射線技術学科学生の教科書に使用することを目的に企画し，図表や写真を多く使って極力平易な解説になるように心がけた．しかし，新カリキュラムである医用画像情報学に対応する教科書作成は初めての試みであり，読者からの指摘，批評ならびに指導を待ちたい．

2002年7月

桂 川 茂 彦

目　次

1章

フーリエ変換と
ウェーブレット変換

SUMMARY

1. 空間周波数は単位長の中に存在する波の数を意味しているので，単位長が 1 mm の場合，空間周波数の単位は cycles/mm となる．

2. 周期関数はフーリエ級数展開で表すことができる．

3. 周期関数ではない任意の関数の周波数解析にはフーリエ変換を用いる．

4. 実空間領域における畳み込み積分は，空間周波数領域ではフーリエ変換の積で表される．

5. 方形パルスのフーリエ変換はシンク関数になる．

6. 線形システムの出力は，入力とインパルス応答の畳み込み積分で表される．

7. 二次元ディジタル画像の高速フーリエ変換（FFT）から，画像が保有している空間周波数成分の分布（スペクトル）を求めることができる．

8. ウェーブレット変換を用いれば信号や画像の位置情報を含む周波数解析が可能になる．

9. ウェーブレット変換の多重解像度解析は，高い圧縮率で画像データの圧縮を可能とする．

A 実空間領域と空間周波数領域

　画像を取り扱う分野ではフーリエ変換は頻繁に利用されている．たとえば，ディジタル画像の撮像システムの鮮鋭度を表すレスポンス関数や粒状性を表すウイナースペクトルは，フーリエ変換を基礎とした周波数応答特性を示している．さらに，ディジタル画像処理において，特定周波数成分を強調する場合にもフーリエ変換が必要となる．ところで，ここで使う周波数の定義には注意を払う必要がある．電波や音波などのように時間的に変動する波動に対して使われる周波数は，単位時間（たとえば1秒）に通過する正弦波の数を意味するので，単位は cycles/sec である．それに対して，空間的に明暗が変動するような縞模様の波動に対して使われる周波数は，単位長（たとえば1 mm）中に存在する正弦波の数を意味しているので，単位は cycles/mm である．前者の周波数が時間軸で定義されているのに対して，空間周波数は空間軸上で定義されている．フーリエ変換はどちらの周波数に対しても，同じように求めることができるが，2つの周波数の意味の違いは明確に区別しなければならない．本章では画像を扱うために，空間軸上で定義された空間周波数を用いてフーリエ変換の説明を行うが，ここで述べるフーリエ変換の性質は，そのまま時間軸上で定義された周波数に対しても拡張することができる．

　一方，2次元の画像では輝度の変化も2次元に拡がっているので，（図1-1 a）のように2次元正弦波が基本的な波になる．θ 向に進む正弦波の周期（同じ位相間，たとえば山と山の距離）を T とすれば，x 軸上および y 軸上の周期 T_x, T_y とは次のような関係になる．

$$T = T_x \cos\theta = T_y \sin\theta \qquad\qquad 1.1$$

また，周期と空間周波数は逆数の関係にあることから，$f = 1/T$ とすれば，周期 T_x, T_y に対応する x 軸上および y 軸上の空間周波数 u, v は次のように求まる（単位は cycles/mm）．

$$u = 1/T_x = f\cos\theta \qquad\qquad 1.2$$
$$v = 1/T_y = f\sin\theta \qquad\qquad 1.3$$

したがって，図1-1 aの2次元正弦波は横軸を u，縦軸を v とする2次元座標においてQにおける1つの点として表現できる（図1-1 b）．点Qには正弦波

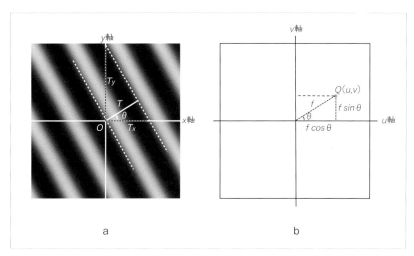

図 1-1. 実空間領域を θ 方向に進む正弦波 (a) とその空間周波数領域における表現 (b)

の強度（振幅）の情報をもたせる必要があり，通常は濃淡で表すことが多い．
図 1-1 a のように x-y 座標で表される空間を実空間領域と呼び，図 1-1 b のように u-v 座標で表される空間を空間周波数領域と呼ぶ．画像そのものは実空間領域で表現されているが，画像のフーリエ変換は空間周波数領域で表されることになる．

　本章ではまず，1 次元周期関数のフーリエ級数展開について述べ，次に一般の関数に対するフーリエ変換を導く．また，フーリエ変換と密接な関係をもつパーシバルの定理と畳み込み積分定理について説明する．さらに，フーリエ変換の最も重要な応用である線形システム応答に関してディジタル撮像系を例として述べる．最後に，位置情報を含む周波数解析を可能にするウェーブレット変換についても概説する．

B ｜ フーリエ級数展開とフーリエ変換

　一般に，関数は周期関数と非周期関数に分類される．周期関数は正弦波や余弦波の重ね合わせ（級数展開）で表すことができる．しかし，われわれが対象

とする画像信号（関数）は，周期性をもたない非周期関数である場合が多く，非周期関数はフーリエ級数展開を拡張した**フーリエ変換**および**フーリエ逆変換**によって関係付けられている．

1 周期関数とフーリエ級数

a 周期関数

　図1-2に示すように，一定の周期L(cm)で繰り返しているような関数を**周期関数**という．距離x(cm)の関数$f(x)$が周期Lをもつ周期関数であれば，次の関係が成立する．

$$f(x) = f(x+nL)$$

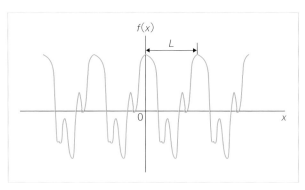

図1-2．周期関数

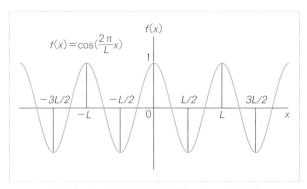

図1-3．最も基礎的な周期関数である余弦関数

ただし, $n = 1,\ 2,\ 3,\ \cdots$ である. 図 1-3 に示す余弦関数 $f(x)$ は, 最も基礎的な周期関数であり, 次式で表される.

$$f(x) = \cos\left(\frac{2\pi}{L}x\right) = \cos(2\pi ux) \tag{1.5}$$

ここで, u(cycles/cm) は空間周波数と呼ばれ, 周期 L(cm) と次のような関係になる.

$$u = 1/L \tag{1.6}$$

また, 角周波数 ω_0(rad/cm) を用いると, 式 1.5 は

$$f(x) = \cos(\omega_0 x) \tag{1.7}$$

と表すことができ, 角周波数 ω_0 と周期 L および空間周波数 u とは次の関係となる.

$$\omega_0 = \frac{2\pi}{L} = 2\pi u \tag{1.8}$$

b 周期関数のフーリエ級数展開

図 1-2 に示したような複雑な関数も含めて, 周期が L である任意の周期関数 $f(x)$ は, 次式に示すように三角関数の級数によって表すことができる. このことを周期関数の**フーリエ級数展開**という.

$$f(x) = \frac{a_0}{2} + \sum_{n=1}^{\infty} \{a_n \cos(n\omega_0 x) + b_n \sin(n\omega_0 x)\} \tag{1.9}$$

ここで, $\omega_0 = 2\pi/L$ であり, フーリエ係数 $a_n(n = 0,\ 1,\ 2,\ 3,\ \cdots)$, $b_n(n = 1,\ 2,\ 3,\ \cdots)$ は次の式から求められる.

$$a_n = \frac{2}{L}\int_{-L/2}^{L/2} f(x)\cos(n\omega_0 x)\,dx \tag{1.10}$$

$$b_n = \frac{2}{L}\int_{-L/2}^{L/2} f(x)\sin(n\omega_0 x)\,dx \tag{1.11}$$

$a_0/2$ は直流成分, $\cos(\omega_0 x)$ と $\sin(\omega_0 x)$ は基本波, $\cos(n\omega_0 x)$ と $\sin(n\omega_0 x)$ は第 n 高調波と呼ばれている.

c 複素フーリエ級数

複素数 z は実部 a, 虚部 b からなり, 次のように表される.

図 1-4. 単位円におけるオイラーの関係

$$z = a + ib \tag{1.12}$$

ただし，i は虚数単位を示しており，$i^2 = -1$ である．また，虚数部分の符号を変えた複素数 $\bar{z}$ を共役複素数と呼ぶ．

$$\bar{z} = a - ib \tag{1.13}$$

また，図 1-4 から明らかのように，複素指数関数 $e^{\pm i\theta}$ と三角関数の間には式 1.14 から 1.17 までのようなオイラーの関係が成立する．

$$e^{i\theta} = \cos\theta + i\sin\theta \tag{1.14}$$

$$e^{-i\theta} = \cos\theta - i\sin\theta \tag{1.15}$$

$$\cos\theta = \frac{e^{i\theta} + e^{-i\theta}}{2} \tag{1.16}$$

$$\sin\theta = \frac{e^{i\theta} - e^{-i\theta}}{2i} \tag{1.17}$$

フーリエ級数の公式 1.9 右辺の高調波を複素指数関数で表せば，

$$
\begin{aligned}
f(x) &= \frac{a_0}{2} + \sum_{n=1}^{\infty} \{a_n \frac{e^{in\omega_0 x} + e^{-in\omega_0 x}}{2} + b_n \frac{e^{in\omega_0 x} - e^{-in\omega_0 x}}{2i}\} \\
&= \frac{a_0}{2} + \sum_{n=1}^{\infty} \{\frac{1}{2}(a_n - ib_n)\} e^{in\omega_0 x} + \frac{1}{2}(a_n + ib_n) e^{-in\omega_0 x}\}
\end{aligned} \tag{1.18}
$$

となる．ここで，複素指数関数の係数を複素フーリエ係数と呼び，

$$c_0 = \frac{a_0}{2} \tag{1.19}$$

$$c_n = \frac{a_n - ib_n}{2} \tag{1.20}$$

$$c_{-n} = \frac{a_n + ib_n}{2} \tag{1.21}$$

と定義すると，式 1.18 から次の式が導かれる．

$$f(x) = \sum_{n=-\infty}^{\infty} c_n e^{in\omega_0 x} \tag{1.22}$$

これを複素フーリエ級数と呼ぶ．また，複素フーリエ係数 c_n は

$$c_n = \frac{1}{L} \int_{-L/2}^{L/2} f(x) e^{-in\omega_0 x} dx \tag{1.23}$$

で求められる．

ただし，c_{-n} は c_n の共役複素数であり，$c_{-n} = \overline{c_n}$ で表される．複素フーリエ級数 1.22 のほうが，三角関数の級数 1.9 よりも構造が単純で計算が簡単となるために，見通しがつきやすいという利点がある．したがって，これからは，式 1.22 と式 1.23 を，それぞれフーリエ級数およびフーリエ係数と呼ぶことにする．

2 フーリエ変換とその性質

a フーリエ変換とは

　式 1.22 のフーリエ級数は，関数 $f(x)$ が周期関数である場合だけに適用が制限されている．しかし，われわれが扱う関数には，画像や線像強度分布などのように，一定の区間だけに信号が存在するような非周期関数が含まれる場合が多い．周期性という制約を取り払い，もっと一般的な関数にフーリエ級数を拡張したのがフーリエ変換である．

　有限な区間で定義された非周期関数 $f(x)$ は，図 1-5 に示すように周期関数 $f_L(x)$ の周期 L を無限大にした場合に相当すると考えることができる．まず，フーリエ係数の式 1.23 を，フーリエ級数の式 1.22 に代入することを考える．このとき，式 1.23 の変数 x を ξ と変えて，式 1.22 の x と区別する．また，式 1.8 から $1/L = \omega_0/2\pi$ であることに注意すれば，式 1.22 は次のようになる．

$$f_L(x) = \sum_{n=-\infty}^{\infty} \left[\frac{1}{2\pi} \int_{-L/2}^{L/2} f(\xi) e^{-in\omega_0 \xi} d\xi \right] \omega_0 e^{in\omega_0 x} \tag{1.24}$$

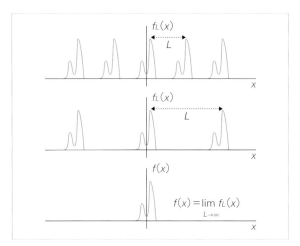

図 1-5. 周期関数 $f_L(x)$ と非周期関数 $f(x)$

ここで $L \to \infty$ の極限をとると $\omega_0 \to d\omega$, $n\omega_0 \to \omega$ となり，次のように収束する．

$$f(x) = \int_{-\infty}^{\infty} \left[\frac{1}{2\pi} \int_{-\infty}^{\infty} f(\xi) e^{-i\omega\xi} d\xi \right] e^{i\omega x} d\omega \qquad 1.25$$

ただし，式 1.25 が成立するには，関数 $f(x)$ が積分可能，つまり，

$$\int_{-\infty}^{\infty} \left| f(x) \right| dx < \infty \qquad 1.26$$

を満足する必要がある．式 1.25 で ［　］の中の積分を

$$F(\omega) = \int_{-\infty}^{\infty} f(x) e^{-i\omega x} dx \qquad 1.27$$

と定義すれば，関数 $f(x)$ は次のようになる．

$$f(x) = \frac{1}{2\pi} \int_{-\infty}^{\infty} F(\omega) e^{i\omega x} d\omega \qquad 1.28$$

　式 1.27 から $F(\omega)$ は関数 $f(x)$ の**フーリエ変換**であると定義され，また逆に，式 1.28 から関数 $f(x)$ はフーリエ変換 $F(\omega)$ の**逆フーリエ変換**であると呼ばれている．これらを角周波数 ω(rad/cm) ではなく，空間周波数 u(cycles/cm) で表すと，$\omega = 2\pi u$ であるから

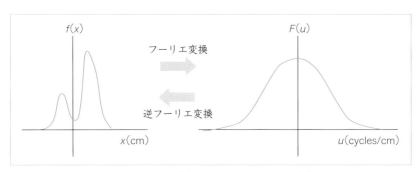

図 1-6.　関数 $f(x)$ と周波数スペクトル $F(u)$

$$F(u) = \int_{-\infty}^{\infty} f(x) e^{-i2\pi ux} dx \qquad\qquad 1.29$$

$$f(x) = \int_{-\infty}^{\infty} F(u) e^{i2\pi ux} du \qquad\qquad 1.30$$

となる．したがって，一般の関数 $f(x)$ は図 1-6 に示すように，式 1.29 によって空間周波数成分の分布（**スペクトル**）$F(u)$ に分解できると考えることが可能であるし，また，一般の関数 $f(x)$ は，式 1.30 によってスペクトル $F(u)$ から合成できると考えることもできる．

b 偶関数および奇関数のフーリエ変換

偶関数 $f(x)$ は図 1-7 a に示すように y 軸に対称な関数で，次のような関係がある．

$$f(-x) = f(x) \qquad\qquad 1.31$$

$$\int_{-\infty}^{\infty} f(x)\, dx = 2 \int_{0}^{\infty} f(x)\, dx \qquad\qquad 1.32$$

また，$f(x)$ を**奇関数**とすれば，図 1-7 b に示すように原点に対称な関数で，次のような関係になる．

$$f(-x) = -f(x) \qquad\qquad 1.33$$

$$\int_{-\infty}^{\infty} f(x)\, dx = 0 \qquad\qquad 1.34$$

式 1.31，1.33 の関係から，$\cos(\omega x)$ は偶関数で，$\sin(\omega x)$ は奇関数であること

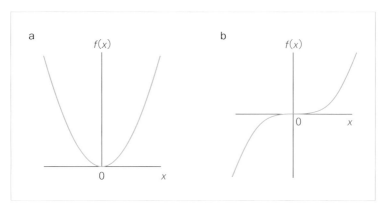

図 1-7．偶関数 a と奇関数 b

も明らかである．また，偶関数と偶関数の積，および奇関数と奇関数の積は偶関数となり，偶関数と奇関数の積は奇関数になることも容易に理解できよう．

そこで $f(x)$ を偶関数としたとき，そのフーリエ変換は式 1.27 から，次のようになる．

$$F(\omega) = \int_{-\infty}^{\infty} f(x) e^{-i\omega x} dx$$
$$= \int_{-\infty}^{\infty} f(x) \cos(\omega x) dx - i \int_{-\infty}^{\infty} f(x) \sin(\omega x) dx$$
$$= 2 \int_{0}^{\infty} f(x) \cos(\omega x) dx \qquad\qquad 1.35$$

同様に，$f(x)$ を奇関数とすれば，そのフーリエ変換は次のようになる．

$$F(\omega) = -2i \int_{0}^{\infty} f(x) \sin(\omega x) dx \qquad\qquad 1.36$$

したがって，**偶関数のフーリエ変換**は実数に，また，奇関数のフーリエ変換は純虚数になることがわかる．

c フーリエ変換の対称性

式 1.28 において，x を $-x$ で置き換えると，次のようになる．

$$f(-x) = \frac{1}{2\pi} \int_{-\infty}^{\infty} F(\omega) e^{-i\omega x} d\omega$$

さらに，x と ω を入れ替えると，次が得られる．

$$f(-\omega) = \frac{1}{2\pi} \int_{-\infty}^{\infty} F(x) e^{-i\omega x} dx$$

これから，関数 $f(x)$ のフーリエ変換 $F(\omega)$ を，式 1.27 の代わりに $F(\omega) = \Im[f(x)]$ で表すことにすると，上の式は $F(\omega) = \Im[f(x)]$ であれば，

$$\Im[F(x)] = f(-\omega) \tag{1.37}$$

になることを意味している．この性質をフーリエ変換の対称性という．

d パーシバルの定理

　関数 $f(x)$ のフーリエ変換 $F(\omega)$ は，一般に複素数となる．$F(\omega)$ の共役複素数を $\overline{F(\omega)}$ とすれば，

$$\frac{1}{2\pi} \int_{-\infty}^{\infty} |F(\omega)|^2 d\omega = \frac{1}{2\pi} \int_{-\infty}^{\infty} F(\omega) \overline{F(\omega)} d\omega$$

$$= \frac{1}{2\pi} \int_{-\infty}^{\infty} F(\omega) \int_{-\infty}^{\infty} f(x) e^{i\omega x} dx d\omega$$

$$= \int_{-\infty}^{\infty} \left[\frac{1}{2\pi} \int_{-\infty}^{\infty} F(\omega) e^{i\omega x} d\omega \right] f(x) dx$$

$$= \int_{-\infty}^{\infty} f(x)^2 dx$$

となり，次のパーシバルの定理が得られる．

$$\int_{-\infty}^{\infty} f(x)^2 dx = \frac{1}{2\pi} \int_{-\infty}^{\infty} |F(\omega)|^2 d\omega \tag{1.38}$$

関数の2乗はパワー（エネルギー）に関係することが多く，パーシバル Parseval の定理は，トータルのパワーは実空間領域でも空間周波数領域で求めても同じであることを示している．これらのことから，$|F(\omega)|^2$ はパワースペクトルと呼ばれている．

e 畳み込み積分定理

　2つの関数 $f(x)$ と $g(x)$ が与えられたとき，$f(x)$ と $g(x)$ の畳み込み積分（あるいは，コンボリューション積分ともいう）は $f(x) * g(x)$ で表され，次のよう

な積分で定義される.

$$f(x) * g(x) = \int_{-\infty}^{\infty} f(\tau)g(x-\tau)d\tau \tag{1.39}$$

畳み込み積分は工学のいろいろな分野で登場する重要な演算で，フーリエ変換と密接な関係を持っている．関数 $f(x)$ のフーリエ変換 $F(\omega)$ を，$F(\omega) = \Im[f(x)]$ で表すことに注意すると，式 1.39 の畳み込み積分のフーリエ変換は次のようになる．

$$\begin{aligned}
\Im[f(x)*g(x)] &= \int_{-\infty}^{\infty}\left[\int_{-\infty}^{\infty} f(\tau)g(x-\tau)d\tau\right]e^{-i\omega x}dx \\
&= \int_{-\infty}^{\infty} f(\tau)e^{-i\omega\tau}d\tau\int_{-\infty}^{\infty} g(x-\tau)e^{-i\omega(x-\tau)}dx \\
&= \int_{-\infty}^{\infty} f(\tau)e^{-i\omega\tau}d\tau\int_{-\infty}^{\infty} g(x)e^{-i\omega x}dx \\
&= F(\omega)G(\omega)
\end{aligned}$$

結局，次のような**畳み込み積分定理**が得られる．

$$\Im[f(x)*g(x)] = F(\omega)G(\omega) \tag{1.40}$$

ただし，$G(\omega) = \Im[g(x)]$ である．式 1.40 は畳み込み積分のフーリエ変換は，それぞれの関数のフーリエ変換の積で表されることを示している．したがって，画像処理では実空間で畳み込み演算がよく行われるが，まったく同等の画像処理が，空間周波数領域では単純な積で行えることを，畳み込み積分定理は示している．

C | フーリエ変換の応用

1 方形パルスのフーリエ変換

　図 1-8 a に示すような**方形パルス** $f(x)$ のフーリエ変換を考えてみよう．方形パルス $f(x)$ は次の式で表される．

$$f(x) = \begin{cases} 1/2d & (|x| \le d) \\ 0 & (|x| > d) \end{cases} \tag{1.41}$$

式 1.27 から

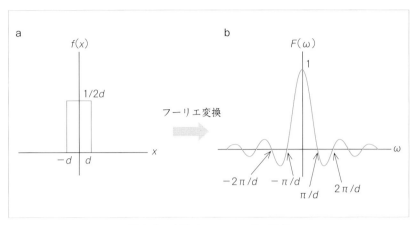

図 1-8.　方形パルスのフーリエ変換

$$F(\omega) = \int_{-\infty}^{\infty} f(x)\, e^{-i\omega x} dx$$

$$= \int_{-d}^{d} \frac{1}{2\,d} e^{-i\omega x} dx = -\frac{1}{2\,d}\frac{1}{i\omega}\left[e^{-i\omega x}\right]_{-d}^{d}$$

$$= \frac{1}{\omega d}\frac{e^{i\omega d} - e^{-i\omega d}}{2\,i}$$

$$= \frac{\sin(\omega d)}{\omega d}$$

一般に，関数 $\sin(ax)/ax$ は $\mathrm{sinc}(ax)$ と表して，**sinc シンク関数**と呼ばれている．したがって，方形パルス 1.41 のフーリエ変換は，図 1-8 b および次式で表されるシンク関数になる．

$$F(\omega) = \mathrm{sinc}(\omega d) = \frac{\sin(\omega d)}{\omega d}$$　　　　　　　1.42

　図 1-8 から，方形パルスの幅 d を狭くすれば，フーリエ変換の幅は大きくなる，つまり，高い周波数成分まで含むようになることがわかる．また，逆に幅 d を広くするにつれてフーリエ変換の幅は狭くなり，低周波成分しか含まないようになることがわかる．また，シンク関数のフーリエ変換は，周波数領域で方形パルスになっている．

2 デルタ関数のフーリエ変換

デルタ関数$\delta(x)$ は，式 **1.41** の方形パルスの幅dを0に近づけたときの極値である．しかし，$x=0$では無限大の値となるので，デルタ関数単独では意味がなく，実際は次のような式を満足するとき，$\delta(x)$ はデルタ関数であると定義される．

$$\int_{-\infty}^{\infty} \delta(x)\,dx = 1 \qquad\qquad 1.43$$

$$\int_{-\infty}^{\infty} f(x)\,\delta(x)\,dx = f(0) \qquad\qquad 1.44$$

デルタ関数は**図 1-9 a** のように矢印で示され，そのフーリエ変換は**図 1-9 b** および次式から示されるように，ωの値にかかわらず常に1である．

$$F(\omega) = \int_{-\infty}^{\infty} \delta(x)\,e^{-i\omega x}dx = e^{-i\omega 0} = 1 \qquad\qquad 1.45$$

図 1-9 b のように値が一定の周波数スペクトルを**白色スペクトル**という．また，$\delta(x-x_0)$ のフーリエ変換$F(\omega)$ は次のようになる．

$$F(\omega) = \int_{-\infty}^{\infty} \delta(x-x_0)\,e^{-i\omega x}dx = e^{-i\omega x_0} \qquad\qquad 1.46$$

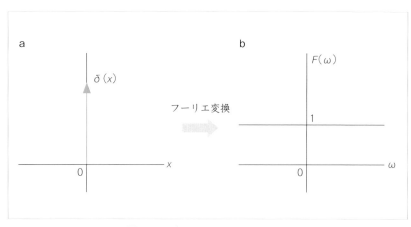

図 1-9．デルタ関数のフーリエ変換

3 デルタ関数列のフーリエ変換

図 1-10 a に示されているように，デルタ関数が周期 x_0 で無限に繰り返される関数 $f(x)$ は**デルタ関数列**あるいは**櫛関数**（comb function）と呼ばれ，次のように表される．

$$f(x) = \sum_{n=-\infty}^{\infty} \delta(x - nx_0) \tag{1.47}$$

フーリエ級数展開 1.22 から，周期関数 $f(x)$ は，次のように表すことができる．

$$f(x) = \sum_{n=-\infty}^{\infty} c_n e^{i2\pi nu_0 x}$$

ただし，$u_0 = 1/x_0$ である．

係数 c_n は次式で求められる．

$$c_n = \frac{1}{x_0} \int_{-x_0/2}^{x_0/2} f(x) e^{-i2\pi nu_0 x} dx$$
$$= \frac{1}{x_0} \int_{-x_0/2}^{x_0/2} \delta(x) e^{-i2\pi nu_0 x} dx$$

デルタ関数の性質である式 1.44 から，次が導かれる．

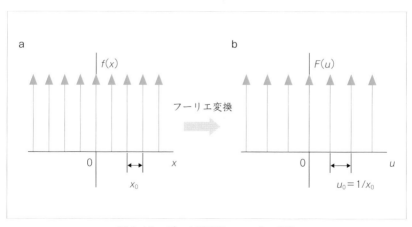

図 1-10．デルタ関数列のフーリエ変換

$$c_n = \frac{1}{x_0} = u_0 \tag{1.48}$$

結局，式 1.47 で表されるデルタ関数列 $f(x)$ は，次のようにも表現できることになる．

$$f(x) = u_0 \sum_{n=-\infty}^{\infty} e^{i2\pi n u_0 x} \tag{1.49}$$

したがって，デルタ関数列 $f(x)$ のフーリエ変換 $F(u)$ は，次のようになる．

$$F(u) = \mathfrak{F}[u_0 \sum_{n=-\infty}^{\infty} e^{i2\pi n u_0 x}]$$

$$= u_0 \sum_{n=-\infty}^{\infty} \mathfrak{F}[e^{i2\pi n u_0 x}]$$

ところが，式 1.46 から $\mathfrak{F}[\delta(x+nu_0)] = e^{i2\pi n u_0 u}$ となる．したがって，$g(x) = \delta(x+nu_0)$，$G(u) = e^{i2\pi n u_0 u}$ とすれば，フーリエ変換の対称性の式 1.37 $\mathfrak{F}[G(x)] = g(-u)$ から，次が導かれる．

$$\mathfrak{F}[G(x)] = \mathfrak{F}[e^{i2\pi n u_0 x}]$$

$$= g(-u)$$

$$= \delta(-u+nu_0) = \delta(u-nu_0)$$

つまり，$\mathfrak{F}[e^{i2\pi n u_0 x}] = \delta(u-nu_0)$ の関係が得られ，デルタ関数列 $f(x)$ のフーリエ変換 $F(u)$ は，次のように変形される．

$$F(u) = u_0 \sum_{n=-\infty}^{\infty} \delta(u-nu_0)$$

したがって，デルタ関数列とそのフーリエ変換は次の関係になる．

$$\mathfrak{F}[\sum_{n=-\infty}^{\infty} \delta(x-nx_0)] = u_0 \sum_{n=-\infty}^{\infty} \delta(u-nu_0) \tag{1.50}$$

ただし，$u_0 = 1/x_0$ である．結局，デルタ関数列のフーリエ変換も図 1-10 b に示すように周期 u_0 のデルタ関数列となる．

4 線形システム応答

　一般に，図 1-11 に示すようなシステムを考えたときに，そのシステムの入力 $f(x)$ と出力 $g(x)$ の関係は次式で表される．

$$g(x) = L[f(x)] \tag{1.51}$$

図 1-11. システムの入力と出力

ここで, 記号 L は入力 $f(x)$ から出力 $g(x)$ への変換を表す演算子である. たとえば, ディジタルX線撮像系を一つのシステムと考えたとき, X線撮像系に入射する前のX線像強度分布 (入力) と, 出力画像上での濃度分布 (出力) の関係を示すことは, X線撮像系の特性を示したことになる. しかし, 一般に, 入力 $f(x)$ と出力 $g(x)$ を関連付ける規則 L を見つけることはかなり困難である. ところが, 線形システムに限定すれば L を決定することは比較的容易になる.

システムが次に示すような①加法性と②定常性をもっているときに, そのシステムは**線形システム**であるといわれる.

①加法性: $f_1(x)$ に対する出力を $g_1(x)$, $f_2(x)$ に対する出力を $g_2(x)$ とし, a_1 と a_2 を任意の定数とするとき, 次の式が成立すれば, システムは加法性をもつといわれる.

$$L[a_1 f_1(x) + a_2 f_2(x)] = a_1 g_1(x) + a_2 g_2(x) \qquad \text{1.52}$$

②定常性: x_1 を任意の定数とするとき, 次の式が成立すれば, システムは定常性をもつといわれる.

$$L[f(x - x_1)] = g(x - x_1) \qquad \text{1.53}$$

X線撮像系は, X線検出器が加法性を満足しない場合には, そのままでは線形システムではないが, X線検出器の特性曲線を用いて濃度からX線強度に変換することにより, 線形システムとして取り扱うことができる.

線形システムの入力 $f(x)$ は, デルタ関数 $\delta(x)$ を用いれば, 式 **1.44** から, 次のように表される.

$$f(x) = \int_{-\infty}^{\infty} f(\tau)\delta(x - \tau)d\tau \qquad \text{1.54}$$

また, 図 1-12 に示すように, デルタ関数 $\delta(x)$ を線形システムの入力としたときの, 出力を $h(x)$ とすれば, 次の関係が得られる.

$$h(x) = L[\delta(x)] \qquad \text{1.55}$$

図 1-12．インパルス応答

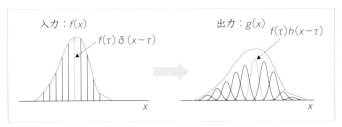

図 1-13．インパルス応答の重ね合わせによる線形システムの出力

このようなデルタ関数に対する応答 $h(x)$ は，**インパルス応答**と呼ばれる．したがって，線形システムの性質 1.52 と 1.53 から，入力 $f(x)$ に対する出力（応答）は次式のようになる．

$$g(x) = L\left[\int_{-\infty}^{\infty} f(\tau)\,\delta(x-\tau)\,d\tau\right]$$

$$= \int_{-\infty}^{\infty} f(\tau)\,L[\delta(x-\tau)]\,d\tau$$

$$= \int_{-\infty}^{\infty} f(\tau)\,h(x-\tau)\,d\tau$$

$$= f(x) * h(x) \qquad\qquad 1.56$$

結局，線形システムの入力 $f(x)$ に対する出力 $g(x)$ は，入力とインパルス応答の畳み込み積分で表されることになる．図 1-13 は式 1.56 の導出過程を図示したものである．入力 $f(x)$ は多数のデルタ関数の集まりと考えられ，また，出力はそれぞれのインパルス応答の重ね合わせから得られると考えればわかりやすい．

　　線形システムの入力と出力の関係は，式 1.40 から空間周波数領域では次のようになる．

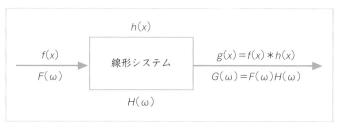

図 1-14. インパルス応答 $h(x)$ とシステム関数 $H(\omega)$

$$G(\omega) = F(\omega)H(\omega) \qquad\qquad 1.57$$

ここで，$F(\omega)$，$G(\omega)$，$H(\omega)$ は，それぞれ，$f(x)$，$g(x)$，$h(x)$ のフーリエ変換である．インパルス応答のフーリエ変換 $H(\omega)$ は，一般にシステム関数，あるいは周波数応答関数と呼ばれており，線形システムの特性を表すうえで非常に重要な役割を果たしている（図 1-14）．X 線撮像系ではインパルス応答として，幅が非常に狭いスリット像（線広がり関数，line spread function）を用いている．この場合，第 3 章で述べるように，システム関数の絶対値を modulation transfer function（MTF），あるいは，レスポンス関数と呼んで，X 線撮像系におけるコントラストの周波数応答特性を表すためによく使われている．

5 二次元ディジタル画像の離散フーリエ変換

二次元画像を考えるとき，二次元フーリエ変換が必要になる．画像 $f(x, y)$ の二次元フーリエ変換 $F(u, v)$ は，一次元フーリエ変換の式 1.29 を二次元に拡張することで次のように求められる．

$$F(u, v) = \int_{-\infty}^{\infty} \int_{-\infty}^{\infty} f(x, y) e^{-i2\pi(ux + vy)} dxdy \qquad\qquad 1.58$$

ここで，u と v は，それぞれ x 方向と y 方向の空間周波数である．また逆フーリエ逆換は，式 1.30 を二次元に拡張して次式のようになる．

$$f(x, y) = \int_{-\infty}^{\infty} \int_{-\infty}^{\infty} F(u, v) e^{i2\pi(ux + vy)} dudv \qquad\qquad 1.59$$

いま，図 1-15 に示すように画素が x 方向に M 個，また y 方向に N 個並んでいるような画像を考える．このとき画像は $M \times N$ のマトリックスサイズをもっているという．このようなディジタル画像 $f(x, y)$ のフーリエ変換 $F(u, v)$ は，

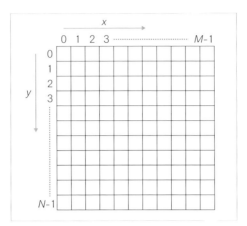

図 1-15. 二次元ディジタル画像の画素による構成

次式で定義される離散フーリエ変換 discrete Fourier transform（DFT）が用いられる.

$$F(u, \ v) = \sum_{x=0}^{M-1} \sum_{y=0}^{N-1} f(x, \ y) e^{-i2\pi(\frac{ux}{M} + \frac{vy}{N})} \qquad 1.60$$

$$f(x, \ y) = \sum_{u=0}^{M-1} \sum_{v=0}^{N-1} F(u, \ v) e^{i2\pi(\frac{ux}{M} + \frac{vy}{N})} \qquad 1.61$$

ただし，実空間の距離に対応する x, y と，空間周波数に対応する u, v は離散値であり，x と u は 0, 1, $\cdots$, $M{-}1$ を，また，y と v は 0, 1, $\cdots$, $N{-}1$ の値を取る．また，オイラーの関係 1.14 と 1.15 から，

$$e^{i2\pi k} = 1, \quad (k = \pm 1, \ \pm 2, \ \pm 3, \ \cdots\cdots)$$

であるから，

$$f(x + k_x M, \ y + k_y N) = f(x, \ y) \qquad 1.62$$

となり（k_x, $k_y = \pm 1$, ± 2, ± 3, $\cdots\cdots$），ディジタル画像 $f(x, \ y)$ は，x 方向の周期 M，y 方向の周期 N をもつ周期関数として考えなければならない.

　離散フーリエ変換は高速のアルゴリズムが考案されており，高速フーリエ変換 fast Fourier transform（FFT）として知られている．一般の FFT は画像の左上端を原点と考えてフーリエ変換が計算されているため，画像の中心を原点と考える場合には，図 1-16 に示すようにフーリエ変換のデータを並べ替え

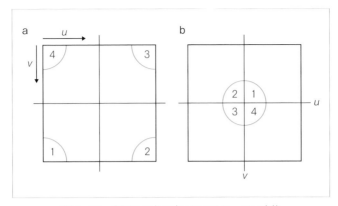

図 1-16. 座標の原点の違いによるフーリエ変換
a：画像の左上端を原点としたフーリエ変換
b：画像の中心を原点としたフーリエ変換

る必要がある．また，逆フーリエ変換でも同様な並べ替えをしなければならない．ディジタル胸部画像と，その離散フーリエ変換から求めたパワースペクトルの具体的な例は第 5 章で示している．

D ウェーブレット変換

1 窓フーリエ変換

位置によって周波数が変化する信号や画像の周波数分析について考える．図 1-17 は位置 x の増大に従い周波数が徐々に減少しているような信号である．このような信号に対してフーリエ変換を行うと信号全体に含まれている周波数の分布は知ることができるが，どの位置がどのような周波数分布なのかを知ることはできない．つまり，フーリエ変換を行うと位置情報が消失してしまう．そこで，位置情報を含んだ周波数分析を行うために考えられたのが窓フーリエ変換である．窓フーリエ変換ではたとえば図 1-17 に示す矩形の窓で信号を切り取り，その窓を x 軸に沿って平行移動させながら，切り取られた信号だけで

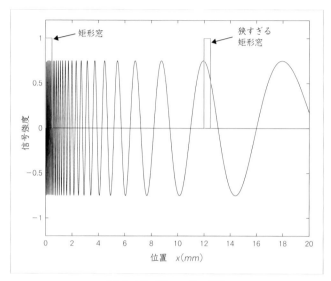

図 1-17. 窓フーリエ変換

フーリエ変換を行う方法である．窓は矩形以外にもガウス関数などが使われている．なお，横軸が位置ではなく時間の場合には，短時間フーリエ変換ともいわれる．このような窓フーリエ変換を行えば窓の位置 x に対する周波数成分の分布を知ることができる．しかし，窓フーリエ変換では窓の幅を一定にして分析を行っているので，次のように分析精度に問題があることが知られている．簡単にいえば，変動の激しい位置ではある幅の窓で複数の波動を切り取れるが，変動の緩やかな位置ではその窓幅を使っては波動の一部分しか切り取れない．したがって，変動の激しさの程度によって分析結果の精度に違いが生じる．窓フーリエ変換のこのような欠点をなくした位置情報を含む周波数特性の分析を可能にしたのが，ここで述べるウェーブレット変換である．

2 ウェーブレットとは

前節 B．で述べた信号 $f(x)$ のフーリエ変換の式 1.27 は，$e^{i\omega x}$ の共役複素数を $\overline{e^{i\omega x}}$ とすれば，次のようにも表すことができる．

$$F(\omega) = \int_{-\infty}^{\infty} f(x)\overline{e^{i\omega x}}dx \qquad\qquad 1.63$$

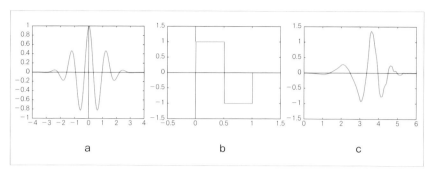

図 1-18. 代表的なマザーウェーブレット
a：モルレ（Morlet），b：ハール（Haar），c：ドベシィ（Daubechies）

$e^{i\omega x} = \cos\omega x + i\sin\omega x$ なので，フーリエ変換は信号と無限に続く正弦波との類似性を求めていると解釈することができる．それに対して，**ウェーブレット変換**では信号と局在した波との類似性を求める．実際には x 軸上に局在する波の幅を変えながら（波を相似的に拡大しながら）類似性を求める．この局在した波のことをウェーブレット（wavelet）といい，小さな波の意味をもっている．ウェーブレット変換に使うことができるウェーブレットには，ここでは述べないが数学的な制約がある．代表的なウェーブレットとして，図 1-18 にモルレ（Morlet），ハール（Haar），ドベシィ（Daubechies）のマザーウェーブレットを示す．マザーウェーブレットとは拡大していない基本的なウェーブレットのことである．いずれも原点付近に局在していることと，局在範囲におけるウェーブレットの平均値が 0 であることが特徴である．

　ウェーブレットの拡大とシフト（平行移動）を伴いながら信号との類似性を求めるのがウェーブレット変換である．マザーウェーブレットを $\psi(x)$ としたとき（伝統的にギリシャ文字プサイが使われる），拡大率 $a(>0)$，シフト b のウェーブレット $\psi_{a,b}(x)$ は次のように表される．

$$\psi_{a,b}(x) = \frac{1}{\sqrt{a}}\psi\left(\frac{x-b}{a}\right)$$

1.64

図 1-19 に拡大およびシフトされた（$a=2$，$b=10$）モルレのウェーブレットを示す．局在範囲を 2 倍に拡大したウェーブレットの振幅が小さくなっているのは，相似形を保つためにウェーブレットの 2 乗積分が 1 になるように正規化さ

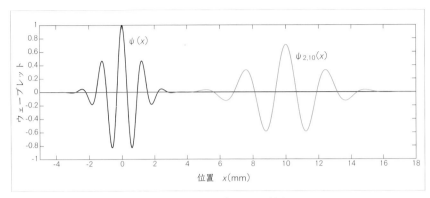

図 1-19．モルレウェーブレットの拡大とシフト
右は左のマザーウェーブレットを 2 倍に拡大し，10 右にシフト

れているためである．

3 連続および離散ウェーブレット変換

a 連続ウェーブレット変換

　信号 $f(x)$ の連続ウェーブレット変換は，次式で定義される．

$$W(a,\ b) = \int_{-\infty}^{\infty} f(x)\,\overline{\psi_{a,b}(x)}\,dx \qquad\qquad 1.65$$

フーリエ変換の式 1.63 と比べると，正弦波 $e^{i\omega x}$ がウェーブレット $\psi_{a,b}(x)$ に置き換わっていることがわかる．また，連続ウェーブレット変換では，変数が拡大率 a とシフト b の 2 変量になるので，1 次元信号のウェーブレット変換を図示するときには，横軸をシフト b，縦軸を拡大率 a にして，ウェーブレット変換の値をその点の明るさで表すなどの工夫が必要となる．その場合，横軸 b は信号の位置 x と同じになる．図 1-20 に周波数と振幅が位置によって変化する 1 次元信号と，モルレウェーブレットを用いた連続ウェーブレット変換を示している．図の連続ウェーブレット変換では拡大率 a を，拡大されたウェーブレットの中心周波数に変換して表示しているので，周波数が低くなるほど，拡大率は大きい値に対応している．連続ウェーブレット変換の結果から，x が大きくなるほど低周波成分に移行していることがわかり，ウェーブレット変換には位

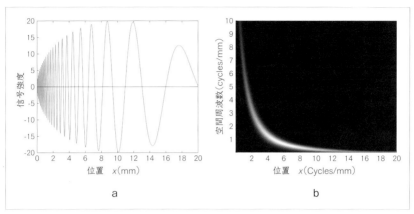

図1-20. 空間周波数と振幅が変化する信号（a）とその連続ウェーブレット変換（b）
ウェーブレットの拡大率が大きいほど低周波数に対応していることに注意

置情報が保存されていることが理解できる.

b 離散ウェーブレット変換

　信号がデジタル化されているときには, 離散フーリエ変換を用いる必要がある. そのためには, ウェーブレットの拡大率 a とシフト b を次のように離散化する必要がある.

$$a = 2^j (j = 0, 1, 2....) \tag{1.66}$$
$$b = 2^j k (k = 0, 1, 2....) \tag{1.67}$$

離散化後の拡大率 2^j のことをレベル j といい, シフトはそのままシフト k という. シフト点が 2^j 個ごとにジャンプするので, データ点の数は $1/2^j$ 個に減少している. しかし, ウェーブレットの拡大率が 2^j であることは, 解像度が $1/2^j$ に低下することを意味するので, データ点が減少しても情報量は変化しない. 離散ウェーブレット $\psi_{j,k}(x)$ は, 式 1.64 から次のように表される.

$$\psi_{j,k}(x) = 2^{-j/2} \psi(2^{-j}x - k) \tag{1.68}$$

レベル j, シフト k の離散ウェーブレット変換 $w_k^{(j)}$ は次式で表される.

$$w_k^{(j)} = \int_{-\infty}^{\infty} f(x) \overline{\psi_{j,k}(x)} \, dx \tag{1.69}$$

また, 信号 $f(x)$ は離散ウェーブレット変換を係数として次のように展開される.

$$f(x) = \sum_j \sum_k w_k^{(j)} \psi_{j,k}(x) \tag{1.70}$$

離散ウェーブレット変換には高速計算アルゴリズムが考案されていて，フーリエ変換と同様に，ソフトウェアツールを用いて計算するのが一般的である．

4 多重解像度解析

　離散ウェーブレット変換の最も重要な性質である多重解像度解析の基本的な考え方について述べる．まず，ディジタル信号 $f(x)$ の隣り合う 2 つのデータを移動平均して得られる関数を $f_1(x)$，また，$f(x)$ と $f_1(x)$ の差を $g_1(x)$ とすれば，次の関係が得られる．

$$f(x) = f_1(x) + g_1(x) \tag{1.71}$$

$f_1(x)$ は $f(x)$ の解像度を 1 レベル下げた近似関数であり，$g_1(x)$ は解像度を下げたために生じた近似誤差関数と考えて良い．さらに，$f_1(x)$ を同じようにして解像度を下げると次のようになる．

$$f_1(x) = f_2(x) + g_2(x) \tag{1.72}$$

一般化すれば，レベル $j-1$ の近似関数は次のように解像度の低いレベル j の近似関数とレベル j の近似誤差関数に分解される．このとき，レベル j の値が大きいほど，ウェーブレットの幅は広くなり解像度は低くなることに注意する必要がある．

$$f_{j-1}(x) = f_j(x) + g_j(x) \tag{1.73}$$

近似関数はウェーブレットと関係したスケーリング（scaling）関数で表されるので，レベル j のウェーブレットとレベル j のスケーリング関数は常にペアで求めることができる．また，近似誤差関数 $g_j(x)$ は次のようにウェーブレット変換 $w_k^{(j)}$ を係数とするウェーブレット $\psi_{j,k}(x)$ の線形和で表すことができる．

$$g_j(x) = \sum_k w_k^{(j)} \psi_{j,k}(x) \tag{1.74}$$

　次に，信号 $f(x)$ をかなり解像度の低いレベル J の近似関数で表すことを考えると，次のような関係になる．

$$f(x) = f_1(x) + g_1(x)$$
$$f_1(x) = f_2(x) + g_2(x)$$
$$f_2(x) = f_3(x) + g_3(x)$$
$$\cdots\cdots\cdots\cdots\cdots\cdots$$
$$f_{J-1}(x) = f_J(x) + g_J(x) \hspace{3cm} 1.75$$

上の関係式群の右辺と左辺をすべて加算すれば，元の信号 $f(x)$ はレベル J の近似関数とレベル J までの近似誤差関数の和で表すことができる．

$$f(x) = g_1(x) + g_2(x)\cdots + g_J(x) + f_J(x)$$
$$= +f_J(x) + \sum_{j=1}^{J} g_j(x) \hspace{3cm} 1.76$$

近似誤差関数 $g_j(x)$ は式 1.74 のようにレベル j のウェーブレットで求まるので，信号 $f(x)$ は解像度をかなり低下させたレベル J の近似関数と，1 から J までのレベルでのウェーブレットの和で表現できることになる．つまり，信号を 1 から J レベルまでの多重の解像度をもつウェーブレットで表しているといえる．この解析のことを**多重解像度解析**といい，信号や画像の効果的なノイズ除去やデータ圧縮に利用されている．

5 画像の多重解像度解析

　これまでは一次元のウェーブレット変換について述べてきたが，画像を対象とする場合には 2 次元ウェーブレット変換が必要となる．2 次元ウェーブレット変換では 2 次元に拡張したマザーウェーブレットを拡大およびシフトしながら 2 次元画像との類似性を求める．ただ，1 次元と異なり類似性を水平，垂直，対角と 3 つの方向について求める．したがって，2 次元のウェーブレット変換ではそれぞれの 3 方向に対する結果が得られる．また，画像 A に対するレベル 1 から J までの多重解像度解析では次のような関係となる．

$$A = \sum_{j=1}^{J} (H_j + V_j + D_j) + A_J \hspace{3cm} 1.77$$

ここで，A_J はレベル J の近似画像を，また，H_j，V_j，D_j はそれぞれレベル j の水平，垂直，対角方向の近似誤差画像を示している．図 1-21 にドベシィウェーブレットを用いた CT 画像のレベル 2 までの多重解像度解析を示す．シフト方向のデータが間引きされているために，レベルが 1 つ増大（解像度は 1 レベル

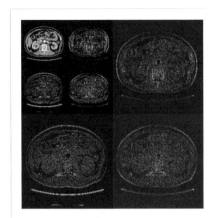 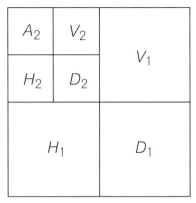

図 1-21．ドベシィウェーブレットを用いた CT 画像の多重解像度解析
数字はレベルを，H，V，D はそれぞれ水平，垂直，対角方向の近似誤差（ウェーブレット変換）画像を，A は近似画像を示す．

低下）するたびに分解された画像のデータ量は 1/4 になっている．分解された画像を見ると，画像のほとんどの情報は近似画像 A_2 に含まれていて，近似誤差画像には大きな値をもっている画素数はわずかであることがわかる．したがって，近似誤差画像を構成するウェーブレット変換の値が小さい画素値を 0 とした画像再構成，つまり，式 1.77 において右辺から左辺を計算する再構成によって，ノイズ除去やデータ圧縮が可能となる．とくに，主要な画像情報が近似画像に集中していることから，20 倍以上の高い圧縮率で画像データの圧縮が臨床の場では行われている．

（桂川茂彦）

2章

X線画像の形成

SUMMARY

1. 画像形成に大きな影響を与える物理特性には，コントラスト，鮮鋭度，粒状性の3つがあり，これらにより画質が評価される．また，画質と患者被ばく線量は相互に影響しあう．医師による画像の読影過程は，撮影，記録，表示，検出，認知の5つの要素に分けられる．

2. X線管に起因する画質に影響する重要な因子には，X線エネルギー（スペクトルで評価），幾何学的不鋭，ヒール効果がある．また，被写体（患者）からの散乱X線はコントラストを低下させる．

3. 画像のディジタル化（A/D変換）の過程は，標本化と量子化の2段階で実行される．標本化と量子化は，それぞれ空間分解能と濃度（コントラスト）分解能を決定する．動画像では，時間分解能も考慮が必要である．標本化におけるサンプリング間隔は，サンプリング定理で計算でき，この定理の条件を満たさないアンダーサンプリングのときには，エリアシングエラーが発生する．

4. 二次元ディジタル画像は，画素（三次元画像ではボクセル）がたくさん規則的に配列された構造で，画素はサンプリング間隔とアパーチャの大きさと形状（画素の有効な受光面積）で規定される．画素の数は，縦×横で表現される場合には，マトリックスサイズ（$M \times N$）と表現する．

5. ディジタル画像を生成するCRやフラットパネルディテクタ（FPD）の画質は，それぞれの装置の構造に大きく依存し，後者には間接変換型と直接変換型の2つのタイプがある．

6. 撮像されたディジタル画像には，診断に有益な画質改善のための適切な画像処理が施され，表示のためにもさらに画像が処理（加工）される．このような処理を経た最終画像がディスプレイに表示され，これが医師により読影される．

　本章では，X 線画像の形成に関するテーマを取り上げる．最初に，画像形成の基礎として，X 線が発生し，被検体（患者）を透過し，アナログ（増感紙-フィルム）受光系により画像情報が形成・記録され，その画像が読影・診断されるまでの過程を説明する．この初期の過程において画質に影響するいくつかの因子についても説明する．これは，ディジタル系にも共通な項目である．

　21 世紀に入り，約 100 年間続いたアナログ X 線画像（フィルム）の時代はそろそろ終わりを告げようとしており，ディジタル撮像系の導入が当たり前となっている．とくに近年のフラットパネルディテクタ flat-panel detector（FPD）の開発は，本格的なディジタルラジオグラフィ時代の幕開けとなった．

　そこで，本章のおよそ 2/3 の内容は，ディジタル画像の形成に関する話題に主眼を置いている．この解説には，図面や写真をできるだけ多く用いた．ディジタル化の過程の知識は重要で，最終的な診断画像の画質に大きく影響するパラメータが多く存在するので，十分な理解が望まれる．

　高性能な CT や MR などの撮影装置の普及により，三次元 X 線画像が多く用いられるようになっているが，本章では三次元画像の形成過程にまでは言及していない．この方面に興味ある読者は，専門誌などの最新の解説記事を参照されたい．

A ▌画像形成と診断

1 ▌画像形成

　図 2-1 に画像形成過程の概略図を示す．画像はさまざまな情報キャリアによって形成される．医療の世界では，この情報キャリアとして，可視光線はもちろんであるが，X 線，γ 線，超音波，赤外線などが利用されている．このような各種の情報キャリアによって，被検体（患者）の情報が二次元的，あるいは三次元的，ときには四次元的な画像として形成される．画像形成過程は複数の形成処理過程が組み合わさった画像情報の伝達路としてその中身を考えることができるが，この伝達路の中では入出力間に非線形的な伝達現象も起きている．画像形成の最終段階では，コンピュータに接続されているディスプレイ上

図 2-1. 画像形成過程の概略図

に画像情報が表示され，さらには電子的な記録媒体に記録・保管される．なお，画像形成過程では，像の歪みが生じたり，ボケが生じたり，あるいはノイズ（雑音，粒状性）が発生するため，像の品質（**画質** image quality）は劣化する．被検体からの**散乱線** scattered radiation もその一因であり，これは画像のコントラストを悪くする．理想的なシステムにおけるある入力像から出力されるボケ画像の形成については，**図 1-13** のインパルス応答の重ね合わせによる線形システムの出力（p.18）で説明している．

　このように形成された画像を観察者（読影者，医師）が見る（診る）ことにより，被検体の生体情報（形態，機能など）が取得（読影，診断）される．ここで重要な点は，X 線画像を中心とする医用放射線画像では，診断に必要な最高の情報量を獲得するために，画質とのバランスを考慮しながら必要最低限の患者被ばく線量で撮影が行われ，画像が形成されることである．

2 X 線画像診断

　元シカゴ大学の故 Rossmann 教授は，X 線画像の診断過程を**図 2-2** のように表現した．ここでは，「撮影」，「記録」，「表示」，「検出」，「認知」の 5 つの要素に分けて説明がされている．前者の 3 つは，前項で説明した内容に該当する．後者の 2 つは，画像の観察者（読影者）である医師の視知覚による認識のプロセスである．ここでは，観察者の視覚系の特性はもちろんのこと，その学習や経験などに判断・決定が大きく委ねられる．

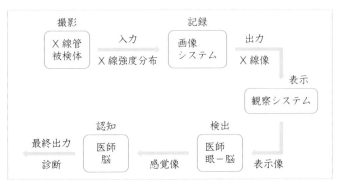

図 2-2.　X 線画像診断の過程
（Rossmann 教授の資料を参考に作成）

B アナログ画像の形成

1 画像形成過程

　アナログ画像における二次元画像形成として，すでに古典的になりつつもあるが，理解をより深める意図もあり，X 線を情報キャリアとした**増感紙-フィルム系**について考えてみよう*．ここでは，山下らの著述による複数の伝達路の組み合わせの考え方を参考にし，**図 2-3** を参照しながら説明する．画質に関する用語とその意味は，**第 3 章**を参照されたい．

　情報源は，被検体（患者）であり，三次元形状（時間軸を考慮すると四次元）の複合的な物質分布である．伝達路 1 では，空気中における被検体への「X 線ばく射」（ばく射時間はきわめて小）により，三次元情報が二次元情報にいわば圧縮されたかたち（影絵状態）で被検体情報の X 線強度分布が得られる．ここでは，情報キャリアである "均一に" 入射した X 線が，被検体を構成する物質

---

　*　ディジタル系の具体例については，次の文献を参照されたい．藤田広志・山下一也：診療放射線技術 上巻，改訂第 14 版，p.32，南江堂，2019．ディジタル系では，**図 2-3** の「伝達路 2」以降が，大きく書き換わることになる．後述の「ディジタル画像の形成」の説明を参考に，**図 2-3** をディジタル系として理解できるように，興味ある読者は自身で変更を試みられたい．

図2-3. 増感紙-フィルム系における画像情報の
　　　形成
（「山下一也，滝川　厚：画像論の基礎，診療放射
線技術　上巻，改訂第9版（立入　弘，稲邑清也
監修），p.262, 1996, 南江堂」より許諾を得て抜
粋改変し転載．）

と相互作用をした結果の透過X線として情報伝達される．画質劣化の要因は，
ボケに関係する被検体の動きやX線管焦点の大きさがあり，また，コントラス
トを劣化させる散乱線がある．なお，影絵として三次元情報が二次元情報に圧
縮されてしまうために，胸部単純X線写真に見るように，人体内部構造の重な
りにより，診断を難しくしている要因がすでにここで起きている．なお，ここ
のX線強度分布は，被検体の二次元投影情報をもった三次元X線強度分布に
なっているといえる．

　伝達路2では「増感紙」により二次元光強度分布が得られる．ここでは，X
線像の光像への線形的な信号変換が起きる．このとき，増感紙による像のボケ

が起こり，また，**X線量子モトル**や**増感紙の構造モトル**と呼ばれる**粒状性**が発生する．

伝達路3では「フィルム」により像面上の二次元光強度分布（潜像）になる．ここでは，増感紙で発光した二次元光強度分布がフィルムを感光し，フィルム面上における二次元光強度分布に線形に伝達される．増感紙に起因するボケに比べて無視できるが，ここでもフィルム自身によるボケが発生し，また，フィルムの乳剤構造に起因する粒状性が発生する．

続いて，伝達路4では「写真処理」が行われ，像面上の二次元濃度分布に信号変換される．ここは非線形な伝達であるが，特性曲線によって線形化することができる．現像効果による画質の変化や，フィルムの粒状が加わる．

最後に，伝達路5では写真濃度で提示される画像を観察者が「観察」（読影）を行う過程であり，濃度情報が診断（読影）結果という最終出力となる（非線形）．観察者の視力，観察装置の明るさ，環境などが，最終結果に影響する．

このように，それぞれの伝達路では，情報の伝達または信号変換が行われ，線形な伝達路もあれば，非線形な伝達路も存在するので，定量的な処理を行うときには，取り扱いに注意が必要である．また，それぞれの箇所で発生する固有な画質を劣化させる要因があり，これらは第3章で説明される画像評価法で定量化し，検討される．伝達路4までの評価は，一般に物理的な評価法であり，伝達路5までを含んだものが心理的な評価法である．

2 画質に影響する因子

前項で説明したように，画像形成過程の中には，X線写真の画質に影響する多くの因子があり，これらについては第3章で詳しく記述されているので，詳細はそちらを参照されたい．

ここでは，X線管に起因するものとしてX線エネルギー成分，幾何学的不鋭，ヒール効果を取り上げる．また，被検体に起因するものとして散乱X線を取り上げ，これらについて簡単に説明する．なお，これらの内容はディジタル画像にも共通に適用される．

a X線スペクトル

X線が物質を透過する能力は，入射するX線の種類やそのエネルギーに依存

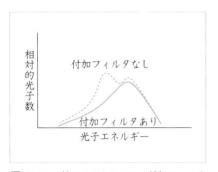

図 2-4.　X線スペクトルでみる付加フィルタ
　　　　の効果

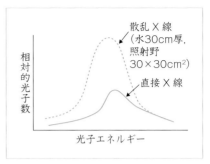

図 2-5.　直接 X 線（一次 X 線）と散乱 X 線
　　　　の X 線スペクトルの比較

する．通常の撮影で使用される X 線は連続 X 線スペクトルであり，X 線スペクトルの知識や測定結果を利用することにより，画質について検討することは重要である．

　図 2-4 に模式的に示すように，**付加フィルタ**を X 線管の出力部に挿入することにより，低エネルギー側の X 線成分を取り除くことができる．このような成分は人体の表面で吸収されるので，単に被ばくするだけであり，診断には何ら寄与しないものである．

　被検体からの散乱 X 線は，被検体の厚さが大きくなるにつれて，また，基本的には X 線照射野の大きさにも比例して，画像のコントラストを著しく低下させる．通常は，X 線グリッドで効果的に除去される．図 2-5 に模式的に示すように，散乱 X 線のエネルギーは大きく（直接 X 線に比べて，スペクトルのピークエネルギーが少し小さくなる程度），被検体の厚さによっては，直接 X 線の成分よりも大きくなる（スペクトルの面積の比較）．

　マンモグラフィ*撮影では，陽極の材質と付加フィルタの組み合わせにより，単色 X 線に近いスペクトルを持つ X 線を発生させることによって，被ばく線量を低減させ，また被写体コントラストをよくすることによって，画質の改善が図られている．

---

*　英語表記は mammography．発音はマモグラフィが正しい．

b 幾何学的不鋭

幾何学的不鋭 geometric unsharpness は，X線管焦点が点光源ではなくある有限な大きさを有していることと，被検体の撮影を行うときは拡大効果が起きることが原因で発生するものであり，画像の鮮鋭性を損なう．詳細は，第3章（p.74）で説明される．

c ヒール効果

ヒール効果 heel effect は X線管の陽極のターゲットの構造に起因するもので，X線の照射分布に不均一性を発生させる．このため，画質の評価を行うときには，とくに注意が必要である．基本的には，X線管焦点と被検体の距離が大きくなるほど，その影響は小さくなる．一般に，X線管の長軸方向が短軸方向に比べて，その影響が大きい．

C ディジタル画像の形成

1 ディジタル系における画像形成装置

X線画像の領域においてディジタル画像を形成するための撮像装置には，X線照射ビームの形状で分類すると，点ビーム撮像法，扇ビーム撮像法，錐ビーム撮像法の3つがあげられる．点ビームや扇ビームの方式では，散乱X線を減少できるので，コントラストのよい画像が得られる．そのことは，X線CTで最初に証明された．しかし，撮像時間が長くなるという欠点があり，歴史的に試作機なども製作されたが，結局は，X線画像では広く使われるようにはなっていない．錐ビーム方式は増感紙-フィルムと同じであり，X線グリッドで散乱X線を取り除くことが一般的な利用法である．検出器にフィルムをそのまま用いるフィルムディジタル法，イメージインテンシファイア image intensifier（I.I.）を利用するディジタル透視法，輝尽性蛍光体板（イメージングプレート）を用いるいわゆるコンピューテッドラジオグラフィ computed radiography（CR）やフラットパネルディテクタによるプレートディジタル法がある．なお，フィ

図 2-6．DR システムの基本的な構成図

ルムディジタル法は過渡的なものであり，また，I.I. は動画対応のフラットパ
ネルディテクタに置き換わっている．

　このようなディジタルラジオグラフィ digital radiography（DR）システムの
基本的なシステム構成を図 2-6 に示す（図 3-6 も参照のこと）．被検体を透過
した X 線は X 線検出器で受光されるが，この部分には上記のようなさまざまな
方式がある．ここでは，X 線信号が直接的あるいは間接的に電気信号に変換さ
れる．この電気信号はアナログ（連続的な）信号であるが，**A/D**（analog-to-
digital）**変換器**によってディジタル（離散的な）信号に変換され，コンピュー
タへ入力される．ここでは画像処理がなされ，コンピュータの中かその周辺装
置にディジタル的に画像が記録され，また，**D/A**（digital-to-analog）**変換器**
でアナログ信号に変換後，画像がディスプレイに表示される．

　なお，興味ある読者は，アナログ系において説明した伝達路特性（図 2-3）
の考え方を，ディジタル系へ適用することを試みられたい．

2 ディジタル化

a A/D 変換

　自然界はアナログの世界であるが，コンピュータが理解できる信号値はディ
ジタル値であり，そのために上記した A/D 変換器を用いて，アナログデータ
を**ディジタル化** digitization する必要がある．ディジタル化は**A/D 変換** analog-

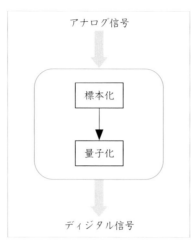

図 2-7. アナログ信号のディジタル化
（A/D 変換）

to-digital conversion とも呼ばれる．その過程は，図 2-7 に示すように，**標本化** sampling と**量子化** quantization という 2 段階で成立するものであり，この順番で実行される．

　なお，アナログとディジタルの相違は，歯車を使った昔からのアナログ時計（針が連続的に動く）と電子技術によるディジタル時計（表示時間が飛び飛びである）で考えるとわかりやすい．ディジタルの利点の 1 つは，ディジタル信号を取り扱う回路は，アナログ信号を取り扱うアナログ回路に比べて，ノイズに強いことである．たとえば，アナログ的な画像のコピー法（VHS ビデオ）では情報の劣化が生じるが，ディジタル的な画像のコピー法（DVD プレーヤー）では情報の劣化がなく，まったく同じものが複製できる．ディジタルデータの特徴には，このほかにデータ圧縮が可能なことや，暗号化が可能なことがあげられる．

b 標本化

　標本化（サンプリング）とは，画像における位置のアナログ情報を適切な間隔ごとに読み取る操作である．できるだけこの間隔は小さいほうがアナログ情報に近くなるが，情報量も多くなるので，計算処理時間やデータ保管にとっては不利になる．これは，画像の空間分解能という画質特性に大きく関係する因子である．

c 量子化

量子化とは，振幅のアナログ情報（濃度，輝度）を適切な間隔で，連続的な実数値ではなく，離散的な整数値で読み取る操作である．この間隔もできるだけ小さいほうが画像の濃淡の微妙な表現力がよくなる．これは，画像の濃度分解能という画質特性に大きく関係する因子である．整数値は 10 進数から，コンピュータが理解できる 2 進数に変換される．

d 時間情報のディジタル化

前述は静止画像を念頭に置いて説明しているが，動画像の場合には，時間というアナログ情報を適切な間隔ごとに読み取ることも必要である．これは，画像の時間分解能という画質特性にかかわることである．

心臓部位の撮影や血管造影検査のように動きのある撮像については，できるだけ小さな時間間隔が要求されることは容易に想像できる．これが満たされないと，動きで像がボケてしまい，情報を失うことになる．また，人間の目にとってちらつき（フリッカと呼ばれる）のない画像として観察されることも考慮する必要がある．そこで，テレビジョン標準方式では，フィールドと呼ぶ画面の繰り返し周波数を 60 Hz としている．

3 標本化

a サンプリング間隔

図 2-8 a に示すようなアナログ信号のディジタル化（A/D 変換）は，まず標本化によって，図 2-8 b のように横軸の情報（電気信号なら時間情報，画像信号なら位置情報）が離散的になる．このときの間隔を Δx とすると，これはサンプリング間隔 sampling distance（標本化間隔）と呼ばれる．どのような間隔が適切かは，サンプリング定理によって求めることができる．

b サンプリング定理

Δx はどのような値であるべきかを示すものに，サンプリング定理 sampling theorem（標本化定理）がある．すなわち，サンプリング定理は，アナログ信

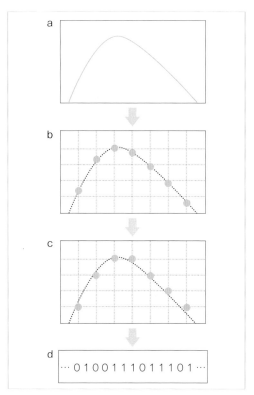

図 2-8.　一次元アナログ信号のディジタル化（A/D
　　　　　変換）の例
　　　a：アナログ信号入力，b：標本化，c：量子化，
　　　d：ディジタル信号出力

号の情報をどのような間隔でサンプリングすれば，ディジタル信号の情報に
なっても情報の損失や歪みがないかを与える．

　「サンプリング間隔は元のアナログ信号に含まれる周波数成分によって決ま
り，最高周波数成分を u_{max} とすると，$1/(2u_{max})$ 以下の間隔（Δx）で信号をサ
ンプリングする必要がある．」

というものである．元信号の周波数成分は，信号のフーリエ変換から求まる
フーリエスペクトルで見ることができる．たとえば，$u_{max} = 10$ cycles/mm であ

るならば，$\Delta x = 1/20 = 0.05$ mm となる．このように計算された Δx よりも小さいサンプリング間隔で標本化が行われるとき，これを**オーバーサンプリング**といい，その逆を**アンダーサンプリング**という．

逆に，Δx で標本化が行われるとき，このようなディジタル系で表現でき得る最高の周波数（限界周波数）として u_N を考えると，$u_N = 1/(2\Delta x)$ で計算される．このときの周波数を**ナイキスト周波数** Nyquist frequency と呼ぶ．たとえば，$\Delta x = 0.2$ mm であるならば，$u_N = 1/(2 \times 0.2) = 2.5$ cycles/mm となる．

サンプリング定理の証明に興味ある読者は，専門の書籍を参照されたい．

c エリアシングエラー

サンプリング定理を満足しない間隔でサンプリングを行うと，**エリアシングエラー** aliasing error という誤差を生ずる．エリアシングエラーは，折返し歪みや折返し雑音とも呼ばれる．

画像では，エリアシングエラーは無意味なパターン（雑音）として現れ，画像の画質を損なう．このパターンは，モアレと呼ばれる．散乱線除去用の X 線グリッドなどがあると，モアレが観察されることがあるので，注意が必要である（図 2-14，p.47 参照）．

一度発生したモアレは，あとで取り除くことができない．このため，設定可能な Δx に合わせるように，アンチエリアシングフィルタで高空間周波数成分を除去して，逆に u_{max} を小さくする対策を取ることがしばしばである．

4 量子化

a 量子化間隔

図 2-8 b の標本化の後の信号は，横軸の情報は離散的であるが，縦軸の振幅情報（濃度や輝度）がまだアナログのままである．そこで，図 2-8 c のように，ある一定間隔で離散的な値に変換する処理（量子化）を行う．この間隔を**量子化間隔**と呼ぶ．量子化間隔がすべて等しい場合を線形量子化，等しくない場合を非線形量子化という．元の画像の明るさの分布が一様でないときには，非線形量子化を行うと誤差を小さくできる．代表的な非線形量子化として，入力信号の対数値に比例して量子化を行う対数量子化法がある．

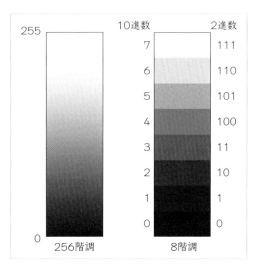

図 2-9. 階調数の変化

　量子化された値は整数値であり，これを量子化レベルといい，とくに画像で
は階調やグレーレベルと呼ぶ．単に，画素値（ピクセル値）や濃度値というこ
ともある．量子化後の取り得る数値が 256（2^8）種類であるとすると，これを
256 階調とか，階調が 8 ビットであるとも表現する．

　図 2-9 は 256 階調（左）と 8 階調（右）の濃度階段（グレースケール）であ
る．階調数が大きいほうが，アナログ濃度分布に近くなる．

　図 2-8 d のように，アナログ信号のディジタル化の出力値は，最終的には 0
と 1 だけの 2 進数での数値列となる．10 進数で 8 階調（3 ビット）の濃度値は，
0〜7 の整数値を取り，これを 2 進数に変換すると 0〜111 の数値になり 3 桁（＝
3 ビット）必要である（図 2-9）．

b 量子化誤差

　アナログ信号とその量子化後のディジタル信号の両者の振幅情報には，差を
生じるのが一般的であり，これを量子化誤差 quantization error や量子化雑音
quantization noise と呼ぶ．図 2-8 で，b と c のサンプリング点における縦軸方
向の振幅値の差がこれに相当する．

5 画像のディジタル化と画質

以上については，一次元信号で説明してきた．しかし，画像は基本的に二次元である．そこで，さらなる説明の追加が必要になる．

a 画　素

図 2-10 a は，胸部単純 X 線画像の一部を切り出したものである．このようなアナログ画像から得られるディジタル画像は，標本化によって**画素 pixel**（ピクセル）と呼ばれる画像の最小単位の集まりで構成されている．すなわち，図2-10 b〜d に示すように，方眼紙のマス目のように縦と横に画素がびっしりと整列して並んでいる．

横に M 個，縦に N 個の画素があるとき，全体的には MN 個の画素が存在する．たとえば，ディジタルカメラでは「撮像素子の総画素数が 500 万画素である」と表現している．また，X 線画像などでは，「画像が 1800×2500 のマトリックスサイズである」という表現をする．一般のイメージスキャナでは，1 インチ（1 inch＝25.4 mm）当たりのドット（画素）数で定義された dot per inch（dpi）を用いる．

図 2-10 b は**マトリックスサイズ**が 64×64，c は同 32×32，d は同 16×16 である．マトリックスサイズが小さくなるほど，画素の寸法は大きくなる．

走査 scanning とは，二次元の画像から，一次元情報として画像情報を取り出すことである．テレビジョンの撮影では，左端から右端方向に，そして上から下に向かって順番に一次元アナログ情報を収得する．水平方向に分けられた細かい線を，走査線という．画像中におけるこの走査線の数が，縦方向の解像特性を決定する．この段階では，縦方向にはディジタル化が行われることになる．この走査線の各々に対して，A/D 変換が行われる．

b アパーチャ効果

標本化におけるサンプリング時には，図 2-8 c のように理想的に 1 点の位置における濃度情報のみを取り出すのではなく，ある一定範囲の領域のデータを平均したものが使われる．これを**アパーチャ（開口）効果 aperture effect** と呼んでいる．これは二次元画像では，画素は 1 点ではなくある大きさをもってい

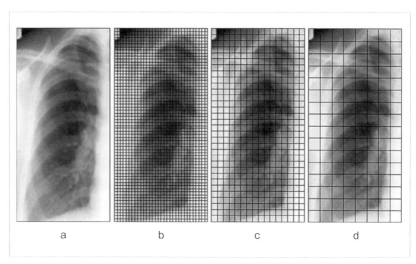

図 2-10. 画像のサンプリング（1）
アパーチャ効果を含まない.
a：アナログ画像, b：64×64 の画素配列, c：32×32 の画素配列,
d：16×16 の画素配列

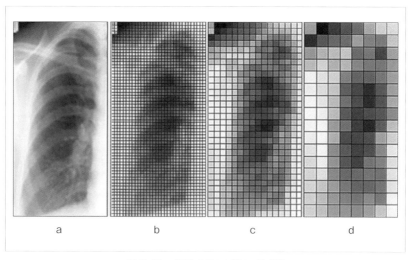

図 2-11. 画像のサンプリング（2）
アパーチャ効果を含む.
a：アナログ画像, b：64×64 の画素配列, c：32×32 の画素配列,
d：16×16 の画素配列

34	87	28	92	82	86	01	13	17	63	82	19	27	48	15	18
76	68	68	58	35	02	35	35	97	86	52	53	42	31	24	35
12	34	45	57	68	97	08	86	64	43	32	31	34	46	57	68
46	86	79	08	80	75	53	25	75	94	97	53	53	24	14	75
75	75	35	86	74	53	75	43	85	63	86	64	53	86	86	36
63	87	64	52	85	07	96	74	96	74	12	45	68	97	08	08
12	12	43	41	12	43	42	79	79	29	79	69	98	47	76	65
79	12	19	79	60	60	97	09	09	08	71	64	21	87	65	98
21	87	28	92	82	86	01	13	17	63	82	19	27	48	15	18
34	68	68	58	35	02	35	35	97	86	23	53	42	31	24	35
76	34	45	57	68	97	08	86	64	43	32	31	34	46	57	68
12	86	79	08	80	75	53	25	75	94	97	53	53	24	14	75
46	75	35	86	74	53	75	43	85	63	86	64	53	86	86	36
75	87	64	52	85	07	96	74	96	74	12	45	68	97	08	08
63	12	43	41	12	43	42	79	79	29	79	69	98	47	76	65
12	12	19	79	60	60	97	09	09	08	71	64	21	87	65	98
79	87	28	92	82	86	01	13	17	63	82	19	27	48	15	18
21	68	68	58	35	02	35	35	97	86	12	53	42	31	24	35
10	34	45	57	68	97	08	86	64	43	32	31	34	46	57	68
11	86	79	08	80	75	53	25	75	94	97	53	53	24	14	75
21	75	35	86	74	53	75	43	85	63	86	64	53	86	86	36
22	87	64	52	85	07	96	74	96	74	12	45	68	97	08	08
23	12	43	41	12	43	42	79	79	29	79	69	98	47	76	65
24	12	19	79	60	60	97	09	09	08	71	64	21	87	65	98
25	87	28	92	82	86	01	13	17	63	82	19	27	48	15	18
26	68	68	58	35	02	35	35	97	86	23	53	42	31	24	35
27	34	45	57	68	97	08	86	64	43	32	31	34	46	57	68
28	86	79	08	80	75	53	25	75	94	97	53	53	24	14	75
29	75	35	86	74	53	75	43	85	63	86	64	53	86	86	36
30	87	64	52	85	07	96	74	96	74	12	45	68	97	08	08
31	12	43	41	12	43	42	79	79	29	79	69	98	47	76	65
32	12	19	79	60	60	97	09	09	08	71	64	21	87	65	98

図 2-12. 整数値の集合体であるディジタル画像
図 2-11 c に対応

るということである．この画素の大きさはサンプリングアパーチャとも呼ぶことができ，画像にボケを与える．図 2-10 b～d の画像に対して，このようなアパーチャ効果を含んだ標本化の結果を，図 2-11 b～d にそれぞれ示す．画素（アパーチャ）の寸法が大きくなるほど，ボケは大きくなり，被写体の詳細な構造の認識は難しくなる．ただし，逆に検出器としての感度は大きくなり，ノイズの効果も減少する．なお，図 2-11 c を例にすると，ディジタル画像とは，図 2-12 のように，画素値がびっしりと詰まったものである．

サンプリングアパーチャの大きさは画素の大きさと同じとは限らない．図 2-13 で説明しているように，サンプリングアパーチャの大きさは，サンプリング間隔（画素の間隔）よりも大きいこともあれば，小さいこともある．すなわち，図 2-10 や図 2-11 のように，画素がびっしりといつも詰まっているとは限らないのである．また，その形状は正方形とは限らない．円であったり，楕円であったりもする．

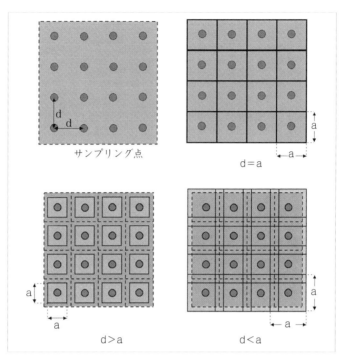

サンプリング点

d＝a

d＞a

d＜a

図 2-13．サンプリングアパーチャとサンプリング間隔の関係
a：サンプリングアパーチャ，d：サンプリング間隔

c サンプリング格子

　画素の中心位置を**サンプリング点**という（図 2-13）．図 2-11 のディジタル画像では，画素が格子状配列で並んでおり，これを正方形格子によるサンプリングと呼ぶ．正方形格子が一般的であるが，正三角形格子や正六角形格子が考えられ，後者の 2 つでは隣接する画素同士の距離がすべて等しいという特徴がある．

d 画質への影響

　標本化の画質への影響は，サンプリング間隔とサンプリングアパーチャ効果による解像特性の劣化である．

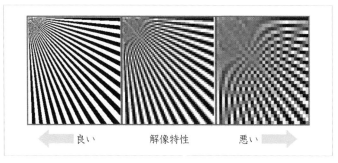

図 2-14. サンプリング間隔の相違と解像特性の変化

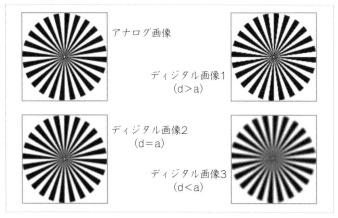

図 2-15. サンプリングアパーチャの解像特性への影響
a：サンプリングアパーチャ，d：サンプリング間隔

　画素の大きさが大きくなると単に詳細な情報が見えなくなるのみならず，画素がブロック状にも見えるようになる（図 2-14）．この現象はチェッカーボード効果 checker-board effect と呼ばれる．サンプリング間隔はエリアシング（モアレ）にも影響する．図 2-14 で，解像特性が悪いときに観察できるくさびパターンとはまったく関係のない円弧状の模様がモアレである．

　また，サンプリングアパーチャの大きさと解像特性への効果を，図 2-15 に示す．サンプリング間隔が同じでも，アパーチャの大きさによって解像特性が大きく変化する様子がわかる．サンプリングアパーチャの大きさはノイズ特性

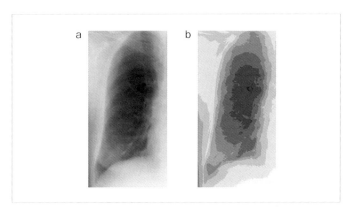

図 2-16.　量子化の影響で等高線状の偽輪郭が発生したディジタル画像
a：原画像，b：16 階調で量子化

やシステムの感度にも影響する.

　量子化の画質への影響の例として，ゆるやかに変化する分布の画像を大きな量子化間隔で量子化したとき，階段状の輪郭が発生することがあり，これは**偽輪郭** false contour と呼ばれる（図 2-16）. 微妙な濃淡の変化の情報を失わないためには，一般の画像では 7 ビット以上あれば影響がないといわれているが，医療用画像では最低 10 ビットが望ましい. 動画像の場合には，粒状雑音というザラザラした現象が量子化雑音により発生する. また，画像のエッジ部分などで，量子化誤差が画像間で変化して，エッジの位置が変動するように見えることがあり，これはエッジビジネスと呼ばれる.

　ディジタル画像ではコンピュータを用いて画像処理ができるという大きな利点がある. ただし，画像処理の利用では，画質への影響を絶えず考慮する必要がある. ボケた画像でも，ある程度の鮮鋭化処理によって解像特性を改善できるが，このときノイズ特性は逆に悪くなるので，これら両者の特性のバランスを考慮しなければならない. 画像処理法については，第 5 章で解説する（p.175）.

　ディジタル画像を表示するときには，D/A 変換を行うことによりアナログ画像情報にしてモニターなどに表示させるが，すでに A/D 変換の過程で失われた画像情報は再現されない. また，表示系における画質の劣化も加わることになる.

　なお，三次元画像では，二次元画像の画素に対して，横・縦・奥行き（体軸方向）をもった**ボクセル** voxel という画像の最小単位で画像が構成される．三次元画像のディジタル化における画質への影響は，もっと複雑になる．詳細はその方面の専門書を参照されたい．

6 画像のデータ量

　画像のデータ量の計算は難しくない．横の画素数 M 個，縦の画素数 N 個，そして，階調をビットで表現した値 k ビットとすると（たとえば，256 階調では，$256 = 2^8$ であり，$k = 8$ ビットとなる），このディジタル画像のデータ量は，

$$M \times N \times k [ビット] \tag{2.1}$$

である．一例として，1024×1024 画素で 12 ビットの画像では，1024×1024×12 = 12582912［ビット］= 1572864［バイト］= 1536［キロバイト］= 1.5［メガバイト］となる．なお，このように計算される画像データ量は，画像ファイルとして取り扱われるときには，k は 16 ビット単位で扱われるため，この例の画像容量は 1024×1024×16 = 2［メガバイト］となるので注意が必要である．また，「キロ」という単位は通常は 1000 を意味するが，ここで示した例のように，コンピュータでは 2 進数に基づいているために，慣習的に 2 の 10 乗（1024）を単位として計算される．詳細は，**5 章**でも説明される（p.175）．

　通常のカラー画像では，赤（R）・緑（G）・青（B）の 3 原色がそれぞれ k ビットとすると，トータルで $3k$ ビットとなるので，式 2.1 の k を $3k$ に置き換える．よって，上の例のような画像がカラーならば，1.5×3 = 4.5［メガバイト］になる．

　このように画像情報は少なくとも二次元であるため，一次元データに比べるとデータ量は非常に大きくなる．このことは，画像のディジタル保存（記録）や通信のときには，経済的な負担が大きくなる．そこで，**画像圧縮**（符号化）の処理が必要になる（p.188 第 5 章 B 参照）．

7 CR における画像形成

　CR の画像読み取り部の代表的な構造を図 2-17 a に示す．CR では，輝尽性蛍光体を塗布した二次元プレート状の X 線検出器（イメージングプレート）において，被検体を透過した X 線強度分布が一時的に潜像として保存される（結

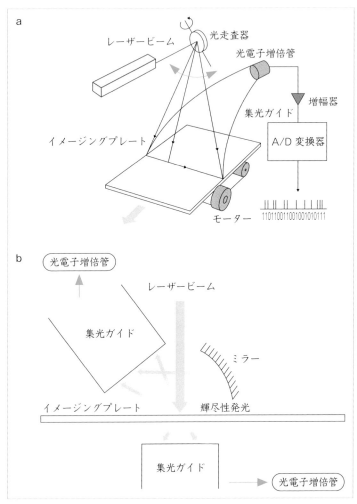

図 2-17. 代表的な CR の画像読み取り部の概略図
a：片面読み取り，b：両面読み取り
（富士フイルムの資料より転載）

晶内に捕獲電子として蓄積）．この段階は，増感紙-フィルム系と同様であり，
アナログ画像情報である．

　次に，レーザービームをイメージングプレートに照射し，順次走査すること

によって（垂直方向の標本化），潜像となっている X 線強度分布を，それに比例した光の強度分布として取り出す（**輝尽性発光**）．このときの照射レーザービームが蛍光体層で大きく広がるために，CR の解像特性のおもな劣化はここで生じる．この段階は，テレビジョン撮影と同じであり，水平方向にはまだ一次元アナログ画像情報であるが，垂直方向は飛び飛びのディジタルになっている．画素配列は，走査レーザービームのプレート内での広がりを考慮すると，サンプリング間隔より大きいサンプリングアパーチャとなり，図 2-13 の右下図（d＜a）に近いものである．

この一次元的なアナログ画像情報は，光電子増倍管で光→電子へのアナログ的に信号変換が行われ，対数増幅器によって信号増幅処理が行われる．

このアナログ電気信号は，A/D 変換器でディジタル化され（水平方向の標本化），コンピュータに入力される．コンピュータ内では，画像処理などが行われ，この画像は一次元的に D/A 変換器を通じて一次元アナログ信号に変換後，二次元的にディスプレイに表示される．

システムの感度（あるいは画質）を向上させる目的で，図 2-17 b のように，イメージングプレートの両面から読み取る方式も考案されている．

このように複雑な構造のため，画質を劣化されるさまざまな要因があるので，注意が必要である．詳細は，第 3 章を参照されたい．

8 FPD における画像形成

フラットパネルディテクタ flat panel detector（**FPD**）の概略図を図 2-18 に示す．その主要な構造要素は，X 線受光面，画素，半導体スイッチ，信号読み出し回路などである．X 線受光面の機構には 2 種類の受光処理の方式があり，**間接変換型**と**直接変換型**である．両者に共通する半導体スイッチには，薄膜トランジスタ thin film transistor（TFT）が利用されている．画素配列は，図 2-13 の左下図（d＞a）にほぼ相当する．

間接変換型では，シンチレータ（CsI や Gd_2O_2S など）で X 線→可視光への信号変換が一度なされるため，増感紙でも見られたような蛍光体内での光の散乱が原因となるボケが生じる．そして，この光信号がフォトダイオード（a-Si など）で電子信号に変換される．なお，解像特性の向上のためには，シンチレータに柱状（針）結晶の採用などがある．このほかには，シンチレータでの光

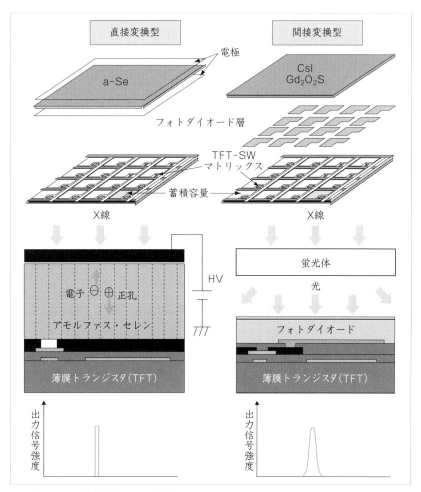

図2-18. 直接変換型と間接変換型の2つの方式のFPDの構造図とレスポンス

変換効率,シンチレータとフォトダイオードの間の透明な膜（電極や保護膜）の光透過率,フォトダイオードの光変換効率,1画素内に占めるフォトダイオードの面積比率(fill factor)などいくつかの特性を考慮して設計されている.

　これに対して,直接変換型では,X線画像情報は直接的に光導電体内（a-Seなど）で電子信号に変換されるので,ボケが非常に少なく,アパーチャによる開口幅の矩形のフーリエ変換（図1-8の方形パルスのフーリエ変換の絶対値,

p.13）によってそのレスポンスが容易に予測できる．一般的に，直接変換型の解像特性は間接変換型の解像特性より優れており，理論値に近い特性が得られる（図3-28，p.97）．

　FPDでは，個々の画素からの出力信号を均一にするために，① あらかじめ均一に照射して収集した画像から画素ごとに補正係数を求めておき，X線照射で収集した画像に補正係数を乗ずるゲイン補正，② X線照射を行わないときに検出される信号をあらかじめ収集しておき，X線照射後にこれを減算して補正するオフセット補正，③ TFTアレイの画素の欠損に対する補正なども行われている．

　FPDに限らずCRによるディジタル画像でも例外ではないが，アナログ（フィルム）では不可能であった画像処理による画質の改善が可能という大きな利点が存在している．ただし，画像処理はオールマイティではなく，できるだけ最高の原画像を作るということが重要である（元の画像生成を決しておろそかにしてはならない）．

　さらにFPDの応用により，増感紙–フィルム系やCRでは実現が必ずしも容易ではなかった画像形成ができるようになってきている．たとえば，静止画と動画の両用可能なイメージングによる画像形成，**エネルギーサブトラクション** energy subtraction と呼ばれる2種類の異なるエネルギーのX線画像の差分処理による画像形成（軟部組織画像と骨画像の2種類の画像），フォトンカウンティング技術の利用によるスペクトル画像形成，**トモシンセシス**と呼ばれる断層画像，およびそれによる三次元画像形成，ボリュームCTによる三次元（あるいは四次元）立体画像形成である．

　本章で解説したように生成された画像に対して，さらに読影に対してより診断能が高まることを目的とした画質改善のために（単に"きれいな画像"を作るのではなく），第5章で後述する各種のディジタル画像処理が施される．これはディジタル画像の大きな利点でもあり，診断領域，モダリティ，病変の種類などに依存して，手法やパラメータが異なる．

　また，最終的な医師による読影のためには，アナログ系のフィルムとは異なり，画像表示系が独立に存在することになるが，膨大な情報量を有するディジタル画像を読影に適するように，さらに画像に"加工"（たとえば，アンシャープマスク処理）が加えられる．

（藤田広志）

3章

画像の評価

SUMMARY

1. 画像の評価には，画質の物理特性の評価と，ヒトの視覚を用いた主観的な画質の評価があり，主観的評価には，医師による病変の検出や鑑別といった診断の正確さを評価するための receiver operating characteristic（ROC）解析が含まれる．

2. 画質の基本的な物理特性には，入出力特性，解像特性，ノイズ特性があり，それぞれ，入出力の変換特性，レスポンス関数 modulation transfer function（MTF），RMS 粒状度や noise power spectrum〔医用画像ではウィーナースペクトル（Wiener spectrum）ともいう〕を用いてそれぞれ独立に評価できる．

3. ディジタル X 線画像の画質評価は，アナログ X 線画像（増感紙‒フィルム系）の時代に確立された考え方と方法を拡張して適応しており，エリアシングエラーなどをよく理解したうえで，注意深く解析を行う必要がある．

4. ディジタル，アナログを問わず X 線画像の物理特性の評価および視覚による画像の評価は，それらの開発を行う研究者，診断医だけではなく，画像のもつ基本的な特性を正しく理解して適切に取り扱う必要がある診療放射線技師にとっても重要である．

5. 本章ではディジタル X 線画像を中心に記述している．内容を理解するには，増感紙‒フィルム系で系統的にまとめられてきた評価の知識も必要である．

6. ディジタル X 線画像の画質を理解するには X 線検出器としての特性に加えて，次々と新しい画像処理技術が実装されているのでそれらの理解も大切である．基本となる画像処理技術については第 5 章を参照されたい．

　ディジタルX線画像 digital radiography（**DR**）は，以前はI.I.*-TVシステムによるディジタル透視撮影装置 digital fluorography（DF），輝尽性蛍光体をX線検出器に用いたコンピューテッドラジオグラフィ computed radiography（CR），平面検出器 flat panel detector（FPD），X線CTなどを含むディジタル方式のX線画像全体を指した．しかし，最近はFPDによるディジタルX線画像をDRと呼び，FPDより先に実現したディジタルX線画像であるCRやX線CTとは区別して用いている．

　1980年代初頭から普及した digital subtraction angiography（DSA）は，透視画像のディジタル化に伴い実現した差分処理画像で，造影X線検査ならびにinterventional radiology（IVR）にとって必要不可欠な技術である．一方，従来のアナログX線写真（増感紙-フィルム系）に置き換えることを念頭に1980年初頭に日本で開発されたCRは，世界で最初に成功したディジタルX線画像システムであり放射線画像診断とX線撮影検査に大きなインパクトを与えた．21世紀に入り実用的なFPDが商品化され，最近では大型の検出器（17インチ×17インチ）や無線通信対応のFPDシステムが市販されるようになり，臨床ではこれらのFPDシステムが占める割合が増加している．

　放射線診療に用いるすべての画像は日々改良が加えられており，次々と新しい技術が導入され，二次元だけではなく画像の三次元表示や，疑似的にカラーで表示した画像も増えている．これらの状況において，将来の診療放射線技師を目指す学生は，幅広く新しい技術を理解することと，グレースケール画像だけではなく色の特性も含めてカラー画像に対する知識なども必要となる．

　本章では，おもにグレースケールのディジタルX線画像を対象とした画質評価について述べる．X線写真の画質は，アナログX線写真について系統的な多くの研究成果により，画質の改善と被ばく線量の低減を実現してきた．ディジタルX線画像の時代においても過去の系統的な成果を知っておくことは大切である．本章ではアナログX線写真に関する重要な事項はできる限り脚注に残したので，学習の参考にしていただきたい．

---

* I.I.：イメージインテンシファイア image intensifier の略

A 入出力特性

　入出力特性は，システム全体，または，システムの各構成要素における入力と出力の変換特性を示すもので階調特性とも呼ばれている．とくに撮像素子では入出力特性を光電変換特性と呼んでいる．入出力特性は，入力の対数を横軸にとり，出力の対数を縦軸にとってプロットすることが一般的である（図3-1）．システムへの入力と出力の関係を示す入出力特性は，最も基本的な特性で評価の第1ステップである．ディジタル画像システムの入出力特性からは，①システムのダイナミックレンジ，②入出力直線性，③システムコントラストなどを知ることができ，複雑なシステムの理解の手助けとなる．このほかにもMTF測定時に系の線形化の手段としての利用（後述）や，定期的に繰り返して測定することで日常の機器管理にも利用することができる．本章では，ディジタルX線画像システムのさまざまな入出力特性の曲線と区別するために，アナログシステムである増感紙–フィルム系で測定した特性曲線を"H & D曲線"*と呼んでいる（次頁脚注参照）．H & D曲線の形状とX線収録幅は，X線写真のコントラストを決める主要因であった．一方，ディジタルX線画像システムでは，階調の傾きと形状，白黒反転など，画像のコントラストと階調を自由にコントロールできるようになった．

　ここでコントラストcontrastについて触れておきたい．コントラストとは，

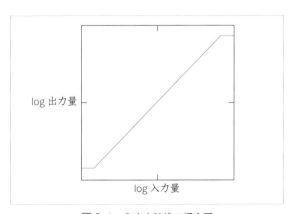

図3-1．入出力特性の概念図

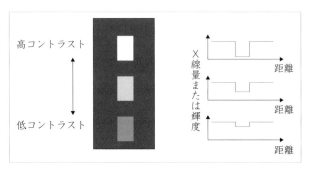

図 3-2．コントラストの違い

　隣り合う 2 点の X 線量，輝度，またはフィルムでは写真濃度（黒化度）の差
（または比）と定義され，その差（または比）が大きいほどコントラストが高い
という（図 3-2）．画像を観察する人間には，コントラストが高く，辺縁が
シャープで，かつ対象物の大きさがある程度大きいほうが認識しやすい．しか
し，これら因子の組み合わせと，画像の明るさと画像を観察する部屋の明るさ
の違い，電子的な画像表示装置（液晶ディスプレイなど）の特性により，観察
する画像のコントラストが変化し，その結果，眼の明るさの感じ方が変わるた
め，画像の見やすさ（視認性）や検出能にも影響を受ける場合があるので注意

　＊　フィルムの入出力特性
　　　Hurter and Driffield（H & D）曲線は，横軸に入射した相対 X 線量（または相対露光
　　量）の常用対数を，縦軸に X 線フィルムに記録された写真濃度をプロットして表示する
　　（脚注図 3-1）．H & D 曲線の縦軸は，黒化した X 線フィルムに入射した光（I_0）と透過
　　した光（I）の比（透過度）の逆数の常用対数，すなわち写真濃度（OD）として定義さ
　　れ，H & D 曲線の縦軸もやはり対数で表示していることになる．
　　　$OD = \log_{10}(I_0/I)$
　　　H & D 曲線の横軸は，相対 X 線量または相対露光量と標記している．増感紙で吸収し
　　た X 線量と増感紙から発光する蛍光量との間には比例関係があるため，両者とも増感
　　紙-フィルム系の入力量を示していると考えてよい．
　　　写真濃度（または黒化度）は拡散光と平行光で測定するものがあり，それぞれ拡散光
　　濃度，平行光濃度という．増感紙-フィルム系の MTF や Wiener spectrum の測定では
　　マイクロデンシトメータで平行光濃度を測定したが，それは装置に固有な値を示す．ま
　　た，拡散光濃度に対する平行光濃度の関係をプロットした曲線の傾きを Callier 係数（Q）
　　といい，1 以上の値を示す．
　　　H & D 曲線は S 字型（シグモイド型）の形状で，①X 線フィルムのコントラスト特
　　性，②ベース＋カブリの写真濃度，③X 線収録幅（ダイナミックレンジ，X 線フィルム
　　では数百倍程度），などの情報が得られる．

が必要である.

　被写体を透過したX線のコントラストを**被写体コントラスト**（subject contrast またはX線コントラスト）という. X線フィルムのコントラスト特性をフィルムコントラストといい, これが高ければ被写体を透過したX線量差を大きな写真濃度の差で表現できた(高い写真コントラスト). フィルムコントラスト特性を数字で表す場合, **ガンマ**（γ）, グラジェント（gradient, G）や平均グラジェント（$\bar{G}$）*が使われてきた. ガンマは入出力特性の傾きを示す用語として広く用いられている. アナログ写真では, H & D曲線の直線部分の入力範囲を**寛容度**（latitude）といい, その傾き $\tan\theta$ をガンマという. しかし, 実際のH & D曲線には広い範囲にわたって厳密な直線は存在しなかったので, 特性曲線の一次微分から求めたグラジェントを用いる.

$$G = \frac{dD}{d \log RE}$$

3.1

H & D曲線（脚注図3-1）とそのグラジェント曲線の一例を脚注図3-2にグラ

＊　平均グラジェント $\bar{G}$（average gradient）：平均グラジェントとは, （ベース＋カブリの写真濃度）プラス（0.25）から, （ベース＋カブリの写真濃度）プラス（2.0）の写真濃度域におけるフィルム特性曲線の傾きを表したものである. これは, 診断上重要な写真濃度域におけるX線フィルムのコントラストを1つの数値として示してきた.

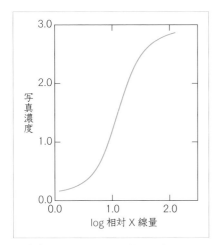

脚注図 3-1. フィルム特性曲線の一例

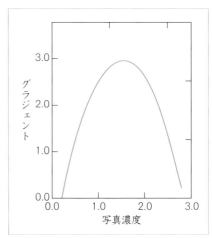

脚注図 3-2. 左図のグラジェント曲線

ジェントを示す．H & D 曲線の形状はＳ字型を示し，システムに入射したＸ線量に応じて表現する写真濃度が変化し画像のコントラストが異なる．ディジタルＸ線画像システムでも同様にグラジェントの特性を調べることがある．ディジタルＸ線画像システムでは，入射したＸ線量とそれを検出してディジタル値として表現した値の関係が線形となるように設計してあるシステムと，H & D 曲線と同じように非線形の場合があり，線形なシステムではグラジェントが一定の値を示す．

　ダイナミックレンジ dynamic range は，そのシステムが許容できる入力Ｘ線量の幅（Ｘ線画像の場合はＸ線収録幅）を意味する．Ｘ線フィルムでは寛容度（latitude）といい，H & D 曲線の直線部分のＸ線収録幅を指した．増感紙-フィルム系では最大の写真濃度が同じとき，ダイナミックレンジの幅は，フィルムコントラストの影響を受けフィルムコントラストが高いほどダイナミックレンジが狭い．Ｘ線フィルムのダイナミックレンジは，最大でも数百倍程度で，これは輝尽性蛍光体などディジタルシステムのＸ線検出器のダイナミックレンジ（10000 倍程度〜）と比べるとかなり狭い．

　増感紙-フィルム系では，目的に応じたダイナミックレンジとフィルムのコントラスト特性を考慮して，フィルムの種類を選択することが重要であった．一方，ディジタルＸ線画像システムでは，感度，コントラスト，ダイナミックレンジ，鮮鋭性，粒状性などをある程度自由にコントロールでき，各社の製品では診断に必要な最適な画像を提供するように工夫している．その結果，Ｘ線撮影時に診療放射線技師が，最適な撮影条件〔管電圧，管電流，撮影時間，増感紙やＸ線フィルムの選択，使用する散乱線除去格子（グリッド）〕の選択をしなくても，ディジタルＸ線画像システムが被写体に応じたある程度満足のいく画質（コントラスト・鮮鋭度・粒状度）の画像を作成し表示することを実現している．このような時代の流れの中で，なぜ画像の質に着目する必要があるのかを考えてほしい．診療放射線技師はできる限り少ない患者（被検者）被ばく線量で，しかも診断に役立つ人体内部の画像を提供することが使命である．そのためには，人体の正常構造や病巣が画質によってどのような影響を受けるのかを詳しく分析し診断目的に応じた画像に改善する努力が求められる．したがって診療放射線技師はディジタルＸ線画像システム任せで撮影するのではなく，使用するＸ線検出器の種類，被写体の整位（ポジショニング），撮影条件（管電圧，管電流，撮影時間），使用する散乱線除去格子（グリッド），画像

処理のパラメータの選択などの最適化を図る必要がある．その判断を誤らないためにも画像の質を十分に理解し，画質と患者の被ばく線量とのバランスを考えることが大切となる．実際には，個々の被写体の変化に加えて撮影する診療放射線技師や読影医の判断にはバリエーションがあるため，撮影した画像の主観的な評価には曖昧性を含んでいる．一方，画像の質や病巣（病変）の検出能などの定量的で客観的な評価は，複雑な技術が組み込まれているディジタル X 線画像の特性を理解しようとするときに重要なヒントを与えてくれる．

　ディジタル X 線画像システムの基本的な評価項目には入出力特性，解像特性，ノイズ特性がある．本章ではこれらの評価項目を中心に述べる．このほか，システムの感度を知ることも大切である．ディジタル X 線画像システムは，X 線に対する感度を増感紙-フィルム系よりも容易に変更できるため，X 線に対する感度の指標が必要である．各社から発売されるようになった製品には独自の呼び方の感度の指標（S，EI，IgM，S value，REX，EXI など）を使用しているため，ユーザーにとっては理解しにくい状況となっている．そこで IEC（国際電気標準会議）は 2008 年に IEC62494-1 として各種の感度指標を統一する線量指標である exposure index（EI）を定義した．これは，IEC61267 の RQA5*に近い線質（21 mm のアルミニウム，または，0.5 mm の銅と 2 mm のアルミニウムの付加フィルタを組み合わせたときのアルミニウム半価層が 6.8±0.3 mm になるように管電圧を 66 kV から 74 kV の範囲で調整した線質）で X 線検出器に照射し，検出器面上での空気カーマ（μGy）に係数（$100\,\mu\mathrm{Gy}^{-1}$）を掛けて計算されるものを EI と定義し，各メーカーの共通の指標とするものである．ユーザー側からみても興味深い指標の提案であるが，IEC は製造業者に対して推奨するものである．また，ほかの線質（すなわち他の部位を想定した線質）には適応していないことにも注意が必要である．最近では，身体各部位撮影後にコンソール上に EI 値を表示する機能も製品化されており，目標とする target EI（EIt）を決めることで線量の多少を判断することが可能となりうる．しかし，EI 値を決定する代表画素値の抽出法はメーカーごとに異なっているため，運用にはこれらの理解と検討が必要である．

＊　RQA5：X 線質の定義に関するレポート IEC61267 ed. 2（2005 年）以降，管電圧を 70 kV に固定したとき，アルミニウム半価層が 6.8 mm となるように，アルミニウムの付加フィルタを約 21 mm 前後で調整した X 線質と再定義した．

1 X線TV系の入出力特性

　長い歴史があり現在でもよく用いられるX線画像にX線透視画像がある。初期のX線透視画像は，蛍光板に写し出された人体の透過X線像を人間の目で直接観察していたが，X線の利用効率が高く術者への被ばくの心配がないX線TV系〔イメージインテンシファイア image intensifier（I.I.）-TV系〕へ，そしてパルス透視の普及により患者被ばく線量の軽減も図られ，最近では動画が撮影可能なFPDシステムへと置き換わる傾向にある。これらのX線透視画像は，消化管，循環器，整形外科，泌尿器，産婦人科など多くの領域で活用されている。interventional radiology（IVR）では切り離すことができない digital subtraction angiography（DSA）にもこれを利用している。I.I.を用いたX線TV系の概略図を図3-3に示す。X線は，I.I.の入力蛍光面で吸収され発光する。撮像部は，従来から用いられてきた撮像管に代わって，広いダイナミックレンジ（約10^3倍以上）と，優れた解像特性をもった電荷結合素子 charge coupled device（CCD）が用いられるようになった。X線TV系の撮像素子の性能〔感度，光電変換特性，ダイナミックレンジ，残像特性，解像特性，ノイズ特性，信号対雑音比 signal-to-noise ratio（S/N比）など〕は，システム全体の感度や画質に大きく影響する。

　X線TV系では，被写体を透過したX線画像のコントラストを正しく再現するために，撮像素子，信号処理・伝送系，受像デバイスを含めて，入射光量と

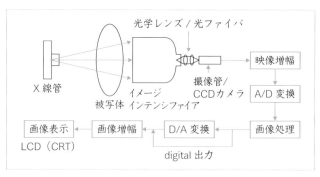

図3-3．X線TV系の構成概略図

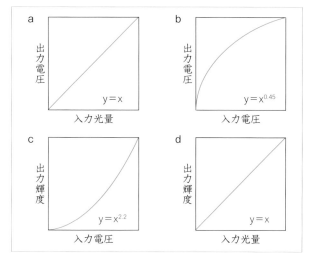

図 3-4．撮像系から出力デバイスまでの入出力特性（リニアス
　　　　ケール）
　　a：光電変換特性，b：ガンマ補正曲線，c：CRT の変換特性，
　　d：撮像系全体の入出力特性

出力光量が比例関係となることが望ましく，これらの入出力特性を知ることは
重要である．撮像素子の入出力特性は光電変換特性と呼ばれ，入力に光量，出
力に出力信号（CCD では電圧，撮像管では電流）の関係をプロットしている
（図 3-4 a）．CCD の光電変換特性はガンマが 1 である．一方，陰極線管（cathode
ray tube：CRT）ディスプレイの変換特性（図 3-4 c）はガンマ 2.2 であるの
で，この特性を補正するために，ガンマ補正曲線（図 3-4 b）を用いて最終的
な系全体の入出力特性（図 3-4 d）が，直線となるように設計されてきた．な
ぜなら，画像表示装置は画像の階調を変調しないことが基本となるからであ
る．歴史的には，増感紙−フィルムの時代にはシャウカステンと呼ばれた光源の
前に X 線フィルムを掛けて表示した．しかしディジタル X 線画像の時代にな
り，CRT への移行，そして最近は完全に液晶ディスプレイ装置 liquid crystal
display（LCD）に置き換わった．
　CRT では，すべての表示装置を同じガンマに設定することやそのガンマの値
を維持することが困難であり，前述したようなガンマ補正を行ったとしても，

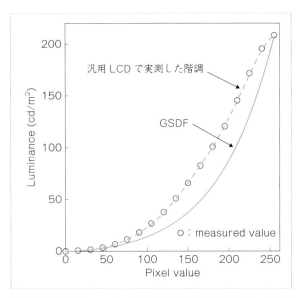

図 3-5. 液晶ディスプレイの階調特性の比較〔実測した汎用
LCD のガンマカーブ（ガンマ約 2.2, 点線）と GSDF
にキャリブレーションした階調（実線）〕
(田中延和, 中 健太郎, 末岡正輝, 他：汎用液晶ディスプレイ
モニタの臨床使用におけるグレースケール標準表示関数の適
用. 日本放射線技術学会雑誌 66（1）：25-32, 2010. Fig. 2 より
改変.)

経年劣化し（劣化による最高輝度の低下と最低輝度の上昇, 色の変化），その変
化の程度は使用時間の影響を受ける. また, 厳密にいうと画像表示装置は 1 台
ずつ異なる輝度の特性を持っている. そうなると, 同じ画像を異なる表示装置
で表示すると画像の見え方が変化することが問題となる. そこで, 画像を観察
する人間の視覚特性を考慮して, 最高輝度と最低輝度が変化しても一貫性のあ
る画像を表示するために階調をガンマ 2.2 ではなく, **グレースケール標準表示**
関数 grayscale standerd display function（GSDF）を用いるようになった. 画
像表示装置の階調に GSDF を用いると低輝度部分でガンマ 2.2 よりコントラス
トは低いものの（**図 3-5**）, 輝度の異なる電子的な画像表示装置でモノクロの医
用画像を表示しても人間には同じコントラストで観察できるようになった.

2 ディジタル X 線画像システムの入出力特性

　被写体を透過した X 線の検出は，アナログ系では，蛍光体〔タングステン酸カルシウム（CaWO$_4$）〕，酸硫化ガドリニウム・テルビウム（Gd$_2$O$_2$S：Tb，GOS）が用いられてきた．一方，ディジタル X 線画像システムでは，CR の場合，輝尽性蛍光体（フッ化ハロゲン化バリウム，臭化セシウムなど），FPD の場合，GOS，ヨウ化セシウム（CsI：Tl）やアモルファスセレン（a-Se，非晶質セレン）などが利用されてきた．

　ディジタル X 線画像システムの構成概略図を図 3-6 に示す．増感紙-フィルム系では，X 線像の検出，表示および保管をフィルムだけで行っていた．しかし，CR や DR では，X 線の検出，表示，保管をそれぞれ異なる構成要素（コンポーネント）が受け持つため，システムの構成が増感紙-フィルム系より複雑である．また，システム全体の入出力特性だけではなく，システムの各コンポーネントに入出力特性が存在するために，どのコンポーネントを評価するのかによって，測定方法や測定する対象が異なる．ディジタル X 線画像システムの入出力特性評価の基本は，増感紙-フィルム系で確立された方法を利用する

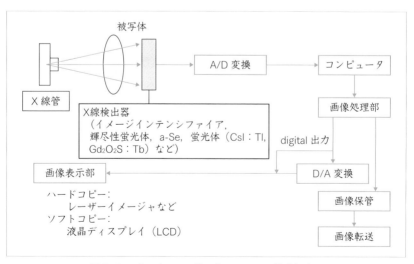

図 3-6．ディジタル X 線画像システムの構成概略図

ことができる．さらに，入出力特性の測定の対象とするコンポーネントが異なれば違う呼び方をしている（カッコ内は入力と出力）．

・**X線検出器自体の入出力特性**（X線量 vs 発光量や電圧など）
・**ディジタル特性曲線**（X線量 vs ピクセル値）
・**ディスプレイ部の特性曲線**（ピクセル値 vs 輝度またはフィルム出力では写真濃度）
・**オーバーオール特性曲線**（X線量 vs 輝度またはフィルム出力では写真濃度）

　初期のCRシステムで測定した各種の入出力特性を図3-7に示す．輝尽性蛍光体は，ダイナミックレンジが（10^4倍以上，第1象限），フィルム（数百倍程度）と比べるとかなり広い．X線検出器からA/D変換器 analog-to-digital converter（ADC）までを1つのコンポーネントと考えると，入力はX線量で出力はピクセル値*である．この入出力特性は，ディジタル特性曲線**と呼ばれ，ディジタル画像の解析ではピクセル値そのものを扱うことが多いためにその重要度も高い（第2象限，図3-7）．この例では，収録パラメータの設定により，相対光強度の最大幅よりもわずかに狭い範囲をディジタル化していることを示している．ディジタル特性曲線は，システム構成に応じて変化する画像表示部の入出力特性を含まないが，かえって都合がよい場合が多い．なぜなら，ディジタル系の画像評価や定量的な解析では，ピクセル値そのものを扱うことが多いからである．ディジタル特性曲線は，システムのなかでもとくに重要なコンポーネントであるX線検出器から信号増幅系，ADCまでの変換特性を含んでいることからディジタル画像システムに固有な入出力特性である．さらに，

---

　* ピクセル値は，ディジタルX線画像システムが検出した信号の最小値から最大値までを整数で表現したディジタルの値である．これは，ディジタル画像が表現できる最小の領域すなわち個々のピクセル（画素）または個々のボクセルのもつ値である．連続的な階調変化のアナログ信号からディジタル信号である整数値に変換する過程を量子化 quantization といい，グレイレベル数（階調数）は，画像システムの設計によって変化する．その表示はビット数で表し（2のべき乗のべき数）たとえば，2の10乗を10ビットといい，1画素が表現できるピクセル値は，0〜1023までの1024の階調数をもつ（12ビットの場合，2の12乗で，0〜4095までの4096階調）．ビット数が少ないときにはディジタル化する前の連続的に変化した信号との誤差が大きくなる（量子化誤差）．多くの医用画像では10ビット以上のビット数を採用している．一方，画像表示は8ビットの場合が一般的である．
　** ディジタルシステムの代表的な入出力変換特性で単に"特性曲線"と呼ぶこともある．

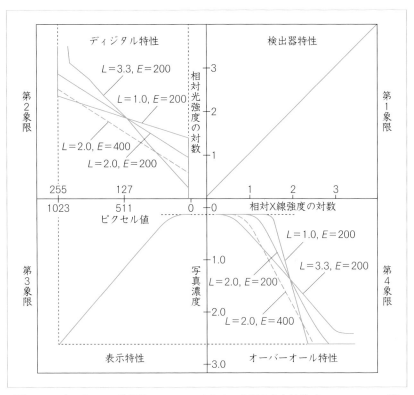

図 3-7. ディジタル X 線画像システムに存在する各種入出力特性（CR システムの例）
第 1 象限：検出器（輝尽性蛍光体）特性，第 2 象限：ディジタル特性，第 3 象限：ディス
プレイ部特性，第 4 象限：オーバーオール特性
（Fujita H, Ueda K, Morishita J, et al：Basic imaging properties of a computed radio-
graphic system with photostimulable phosphors. Medical Physics 16（1）：52-59, 1989.）

ディジタル特性曲線は，後述する "プリサンプリング MTF presampled MTF"
を測定するときに系の線形化の手段として用いたり，"ディジタルウィーナー
スペクトル" を測定する際に相対 X 線量への変換に用いたりするため，ディジ
タル X 線画像システムの画質の評価には，とくに基本的で重要な特性の 1 つで
ある．CR システムで測定したディジタル特性曲線を**図 3-8 a** に，そのグラジュ
ント曲線を**図 3-8b** に示す．ディジタル特性曲線は，異なった撮像パラメータ
で画像を収録したときのダイナミックレンジの変化（図中では L 値の変化）や，

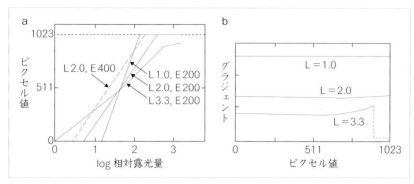

図 3-8. CR システムのディジタル特性曲線 a とそのグラジェント曲線 b の例
（Fujita H, Ueda K, Morishita J, et al：Basic imaging properties of a computed radiographic system with photostimulable phosphors. Medical Physics 16（1）：52-59, 1989.）

これに伴うコントラストの変化の理解にも役立つ．図では，感度を変化させても〔図中では E 値の変化（いまは E 値ではなく S 値と呼ぶ）〕，ディジタル特性曲線の形状は変わらず横軸に対して平行移動していることもわかる．ここに示した例では，入出力の関係は，増感紙-フィルム系とは異なり直線的で，かつ，ダイナミックレンジを変えて設定することが可能であることを示している．縦軸のピクセル値は，システムによって表現する階調数が異なるので，縦軸の範囲もそれに応じて変化する．また，ルックアップテーブルの設定によって小さなピクセル値が，高 X 線量に対応するようにも設計できる．

　このほか，画像表示部（ディスプレイ部）では，たとえばレーザーイメージャなどでフィルムに出力した場合（ハードコピー），入力はピクセル値で出力は写真濃度となり（**図 3-7** の第 3 象限，これをキャリブレーションカーブという場合もある），LCD（以前は CRT が用いられていた）に表示する場合（ソフトコピー）は，出力に輝度をとった入出力特性を測定する．ここに示したキャリブレーションカーブでは，画像を記録するための CR フィルムの特性曲線（**図 3-9**）の足部の特性が残っているために，一部で直線性が崩れているが，ピクセル値と写真濃度の関係は，ほぼリニアに補正されていることがわかる．また，ディジタル X 線画像システム全体の入出力特性（オーバーオール特性曲線）は，フィルムで出力する場合，入力が X 線量で出力は写真濃度である．**図 3-7** の第 4 象限には，CR システムにおいて 4 つの異なる撮像パラメータで得たオーバー

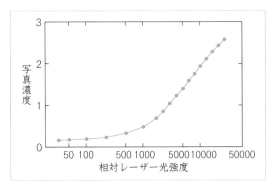

図 3-9. レーザーイメージャ用フィルムの特性曲線
(Fujita H, Ueda K, Morishita J, et al：Basic imaging properties of a computed radiographic system with photostimulable phosphors. Medical Physics 16（1）：52-59, 1989 より改変.）

オール特性曲線だけを示すが，実際には画像出力部で出力する階調を自由に調整できる．これは，増感紙-フィルム系とは大きく異なる特徴である．

B 入出力特性の測定法

　ディジタルX線画像システムの入出力特性の中でとくに大切な"ディジタル特性曲線"やH＆D曲線の測定に有効な方法の分類を表3-1に示す．これらの手法は，横軸である相対X線量をどのように変化させるのかによって分類される．
　代表的な測定は，X線を用いるX線センシトメトリと，X線を用いずに光を直接フィルムに露光する光センシトメトリ*（H＆D曲線だけが対象）に分類

---

* 光センシトメトリは，X線を用いずに簡便に行える方法である．しかし，この方法では，光センシトメトリ装置（光センシトメータ）から発光する光の波長が，増感紙から発光する光の波長と厳密に一致しない場合があることや，横軸を正確に決定できないので，H＆D曲線の正確な測定には不向きである．しかし，これらの問題点を知ったうえで用いれば役立つことも多く，光センシトメータで露光したフィルムを現像することで，自動現像機までを含めた日常の写真濃度管理，すなわち濃度変動によるX線写真の安定性の管理には大いに役立った．

表 3-1. 特性曲線のいろいろな測定法

分類	横軸の決定方法
フィルム特性曲線	
X 線センシトメトリ	
・強度スケール法	
┌ 距離法	距離の変化
└ bootstrap 法	X 線吸収体（アルミニウム）の厚さの変化
・タイムスケール法	露光時間の変化
光センシトメトリ	
ディジタル特性曲線	
X 線センシトメトリ	
・距離法	距離の変化による X 線量の決定
・タイムスケール法	露光時間を変えることによる X 線量の変化
・アルミニウム階段法	X 線吸収体（アルミニウム）の厚さの変化による X 線量の変化（I.I.-TV 系などに適応あり）
ND フィルタ法	ニュートラルデンシティ（ND）フィルタによる光量の変化（I.I.-TV 系）

できる．X 線センシトメトリは，特性曲線の横軸の決定方法の違いにより，①距離法，② bootstrap 法（ブートストラップ法），③ タイムスケール法などに細分される．距離法や bootstrap 法では，撮影時間が一定であるが，X 線量を距離またはアルミニウムなどの吸収体で X 線強度を変化させるため，強度スケール法と呼ばれている．一方，タイムスケール法では，撮影時間を変化させて，横軸を決定している．これらの方法の中で，ディジタルシステムにもそのまま応用できるのは，距離法とタイムスケール法である．ただし，ディジタルシステムではダイナミックレンジが増感紙–フィルム系より広いので，露光量を変えて，複数の特性曲線からダイナミックレンジ全体を含んだ 1 本の特性曲線を合成する工夫も必要である．

　距離法は，X 線強度 I が距離の逆二乗則に従って減弱する性質を利用している（$I \propto (1/R^2)$）（図 3-10 a）．しかし，現実には空気による減弱が測定誤差とならないように，X 線管の放射口側に，銅やアルミニウムなどの付加フィルタを装着することで，X 線管から放出された連続 X 線の低エネルギー成分をカットし，空気による減弱がほとんど無視できるように工夫している．

　図 3-10 b に，撮影距離を 400～40 cm まで変化させたときの距離法の一例を

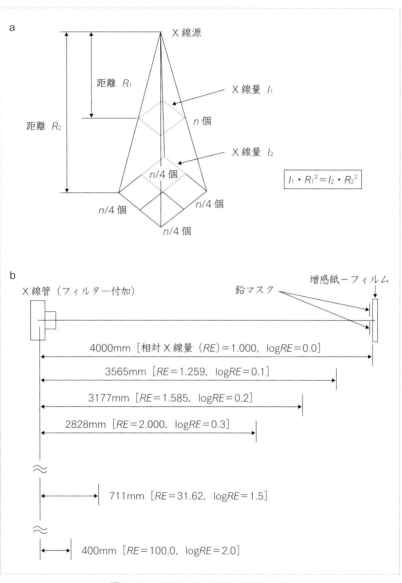

図 3-10. 距離の逆二乗則と距離法の例
a：距離の逆二乗則（点光源，真空中の場合），$R_1 : R_2 = 1 : 2$
b：距離法の一例（400～40 cm）

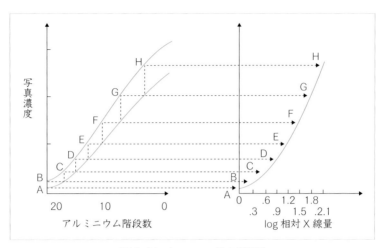

図 3-11．bootstrap 法の概略図

示す．この場合，相対 X 線量の対数で 0.1 ずつ変化するように距離を変化させると，21 回の露光が必要となる．したがって，正確で再現性の高い特性曲線の測定のためには，X 線出力の再現性が高い X 線発生装置を用いることが必須で，さらに，正確に距離を変化させることも重要である．これらの 2 つの条件を満たせば，かなり精度の高い測定が可能である．しかし，X 線出力の再現性が悪いと入出力特性曲線の縦軸の誤差につながり，距離が正確でないと横軸（相対 X 線量）の誤差につながる．また，距離を長く変化させる（3 m 以上）ので，広い部屋が必要となる．

　bootstrap 法は，吸収体（アルミニウム）の厚さを変化させて放射線受光系に入射する X 線量を変化させている．図 3-11 は，アルミニウム階段を 1 倍と 2 倍の X 線量で撮影し，得られた写真濃度の分布曲線をつなぎ合わせて（図では，A〜H）1 本の H & D 曲線を作成する様子を示している．この場合，作図した特性曲線の横軸の間隔は 0.3（$\log_{10} 2 = 0.3$）となる．bootstrap 法は，距離法のように長い撮影距離を確保する必要もなく，さらに，2 回の異なった X 線量（必ずしも 2 倍でなくてもよい）で撮影すればいいので比較的簡単に測定できる．一方，作図による誤差に注意することや，隣り合うアルミニウム階段からの散乱 X 線の影響，各アルミニウム階段を透過した X 線の線質が変化することなどが測定の誤差につながる因子として知られている．

　タイムスケール法は，撮影時間を大きく変化させるために**相反則不軌** reciprocity-law failure*が問題で，増感紙-フィルム系の測定では正確な測定法としてあまり用いられなかった．しかし，ディジタル X 線画像システムでは，X 線検出器にフィルムを用いていないので，相反則不軌が問題とならない．したがって，タイムスケール法も距離法とならんで有効な測定方法である．ただし，タイムスケール法では，正確な相対 X 線量を決めるために，表示撮影時間と出力 X 線量との関係を事前に調べて，もしも直線性が崩れている場合にはこれを補正した撮影時間にする必要がある．

　女性の乳がんの罹患率が増加するに従い，乳房 X 線撮影（マンモグラフィ）の重要性が高まった．乳房は，おもに乳腺と脂肪などの軟部組織で構成され，乳腺組織と乳がんの腫瘍の X 線吸収差は小さく（0.8 cm^{-1} vs. 0.85 cm^{-1}, 20 keV）被写体コントラストは低い．そこで画像コントラストを高くするために，増感紙-フィルム系ではコントラストの高い X 線フィルムが選択された．また，乳腺構造や病巣を鮮鋭に写しだすために，感度よりも鮮鋭度を重視して片面増感紙と片面乳剤フィルムの組み合わせを使用してきた．また，被ばく線量を軽減するためには X 線に対する感度が高い X 線検出器も必要となる．さらに，X 線管の陽極の材質にモリブデンやロジウムを用いた専用の X 線管を使用し，これから発生する特性 X 線を利用している．X 線の放射口にモリブデンやロジウムのフィルタを付加して，被写体コントラストを低下させる高いエネルギーをもつ X 線と，被ばくに影響する低いエネルギーの X 線を吸収させるなどの工夫がなされている．最近では，被ばく線量低減を目的として，一般撮影に使用する装置と同様に陽極の材質にタングステンを用いたフルフィールドディジタルマンモグラフィ装置が製品化されている．マンモグラフィの装置の入出力特性曲線を測定する場合，低いエネルギーの X 線を利用するために空気による X 線の減弱が大きく正確な測定は困難である．しかし蛍光体からの発光スペクトル

---

*　フィルムに光を露光するとき，露光量（E）を強度（I）と照射時間（t）で表すと $E = I \cdot t$ となる．E を一定としたとき，どのような I と t の組み合わせに対しても一定の写真濃度が得られることを相反則といい，これが成り立たないことを相反則不軌という．X 線画像での相反則不軌は，ある露光量を得るために大電流と短時間を組み合わせたときと，小電流と長時間を組み合わせたときに，写真濃度が変化する（感度が変化する）ことをいい，増感紙で X 線を吸収して発光したフィルムを感光する系では重要な特性の一つであった．また，低照度でフィルムを感光させたときに感度が低い性質（低照度不軌）を利用したものには，暗室の安全光がある．

は，X線エネルギーが変わっても測定誤差の範囲内でしか変化しないことを利用すれば，距離法などの測定法で通常の診断領域で用いるX線エネルギーを利用して測定できることが知られている．

C 解像特性

解像特性 resolution property は画像の鮮鋭さ（sharpness）を示す特性で，光学伝達関数 optical transfer function（OTF）を用いて完全に表すことができる．解像特性が優れているとは，画像のボケが少なく鮮鋭であることを意味する．これとは逆に，解像特性が劣っているとは，画像がボケて非鮮鋭であることを意味する．X線画像の形成過程で画像がボケる原因は，X線管の焦点寸法による半影，被写体からの散乱X線，撮影中の被写体の動きによる不鋭，X線検出器のボケ，信号伝達・処理系，画像処理の効果，画像表示系のボケなど多くの因子が関係している．

X線の検出器としてこれまで使われてきた増感紙-フィルム系の解像特性の劣化は，増感紙で吸収されたX線により発光した光の散乱がおもな原因で，X線フィルム自身の非鮮鋭はこれに比べるとはるかに少なかった．このことは，増感紙-フィルム系の解像特性の評価では，増感紙による光の拡散を調べればいいことを示している．

一方，ディジタルX線画像システムでは，X線像の検出，記録，表示などの基本的なコンポーネントがそれぞれ独立しており，さらにA/D変換器や信号処理系などが組み合わされている．このような複雑なシステムの解像特性を調べるときには，各コンポーネントの解像特性を調べることが重要である．つまりシステムの設計者にとっては，どのコンポーネントの解像特性を向上すれば，システム全体を効率よく解像特性の優れたシステムにできるかを知ることができるからである．ディジタルX線画像システムのユーザーである診療放射線技師は，一般的に最終的な画像の解像特性に注目する傾向がある．しかし，前述したように最終的に表示された画像には，多くの因子が解像特性に影響を及ぼす．したがって画質を改善するためには個々のコンポーネントの解像特性を調べる必要がある．また，ディジタルX線画像システムの解像特性の評価

に，レスポンス関数を適応するには，その前提条件や，エリアシングエラー aliasing error などいくつかの問題点を考慮することも大切である．ここでは，まず，増感紙-フィルム系の解像特性の概念を学習し，ディジタルX線画像システムの評価について述べる．

1 空間領域における評価

　第1章で述べたように，空間領域と空間周波数領域は，同じものを異なる領域で表現したもので，両者はフーリエ変換対によって，一方が求まれば他方に変換できる．2つの領域の単位は，前者が長さの単位（mm）であり，後者は，正弦波の場合 C/mm（cycles/mm），矩形波の場合 LP/mm（line pairs/mm）で表される．空間領域での物体の大きさと空間周波数は逆相関の関係があり，たとえば，1 mm の大きさの物体は 0.5 cycle/mm の空間周波数，5 mm の大きさの物体は 0.1 cycle/mm の空間周波数に相当する．つまり，空間領域で小さな物体は高い空間周波数成分，これとは逆に，空間領域で大きな物体は低い空間周波数成分に対応する．X線画像では，x, y 平面上は空間領域である．これを空間周波数領域で表示した場合，u, v 軸上の各空間周波数でどれくらいの成分をもつかを示すことになる（スペクトル分布）．

　増感紙-フィルム系，ディジタルX線画像システムともに解像特性のおもな劣化の原因は，X線検出器のボケであるが，その他の因子も大切なことはいうまでもない．たとえば，X線管の焦点寸法（F）は，幾何学的な半影（P）として画像の不鋭に影響する（**図3-12**）．被写体の拡大率を M とすれば画像上に現れる半影の大きさは式 3.2 で計算できる．

$$P = F \times (M-1) \hspace{3cm} 3.2$$

半影は，画像の鮮鋭さを低下させる要因となるため，用いるX線管の焦点寸法の大きさを考慮して，拡大率を決定する必要がある．

　解像特性を空間領域で評価する方法の一例を**表3-2**に示す．現在では，これらの空間領域による評価法よりも，定量的かつ客観的に空間周波数領域で詳細に解像特性を評価できる MTF（後述）による評価が主流である．

2 広がり関数

　広がり関数 spread function とは，非常に小さな領域の信号をシステムに入力

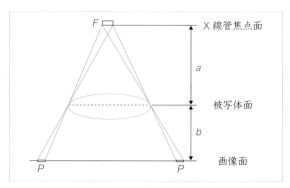

図 3-12. X 線管の焦点寸法（F）による幾何学的な半影（P）
拡大率 $= (a+b)/a$

表 3-2. 空間領域での解像特性の評価法

評価法	概要
並列細線法	並列に細線を配置したテストパターンを撮影し，識別可能な解像限界の細線（幅 d mm）から解像力（R＝1/(2d)）を求める
Rudinger-Spiegler 法	スリット像がないときの濃度分布の高さ（Imax）に対する，スリット像があるときの濃度分布の高さ（I）の比を鮮鋭度指数として評価する
Nitka 法	エッジを撮影し，得られたエッジ像の濃度分布曲線と，理想的にボケのないエッジ像に囲まれた面積の大きさで評価する

したとき，その信号がどの程度広がって出力されるのかを示すもので，それ自体がシステムの解像特性を表す．δ（デルタ）関数で表されるようなインパルスをシステムへ入力したとき，得られた広がり関数を二次元で表現したものを point spread function（PSF：点広がり関数，または点像強度分布）という．PSF が等方的なシステムでは，これを一次元で表すことが可能で，これを line spread function（LSF：線広がり関数，または線像強度分布）という．

PSF と LSF および両者の関係を図 3-13 に示す．ここで注意したいのは，PSF の中心を通る断面が LSF ではないことである．LSF のある位置での値は，PSF の原点から x 軸方向に同じ距離だけ離れた位置における y 軸に平行な面の断面積に一致する．これを式で表すと，

$$LSF(x) = \int_{-\infty}^{\infty} PSF(x, y)\, dy$$

3.3

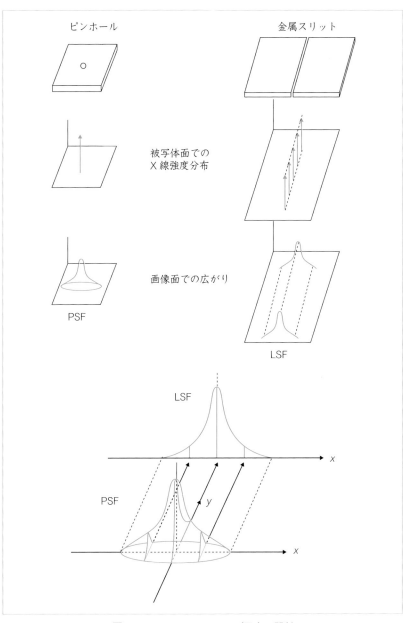

図 3-13. PSF と LSF および両者の関係

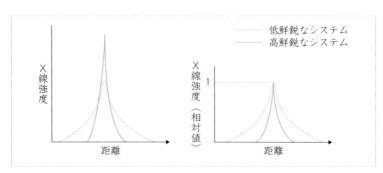

図 3-14. 相対的に高鮮鋭なシステム（実線）と低鮮鋭なシステム（破線）で
得られた LSF の様子
右図は，ピーク値が 1.0 になるように正規化した LSF.

となる．しかし，LSF から PSF は求まらない．

図 3-14 に，相対的に鮮鋭なシステムと非鮮鋭なシステムで得られた LSF の
様子を示す．高鮮鋭なシステムほど LSF の広がりが少ない．

また，$x \geqq 0$ に X 線吸収体（エッジ）を配置して撮影した一次元のエッジレス
ポンス edge response（ER）は，下式のように，LSF を積分することで求めら
れる．

$$ER(x) = \int_{-\infty}^{x} LSF(x')\,dx' \qquad\qquad 3.4$$

PSF の空間的な広がりの程度は，画像の最小な構成単位である点がどの程度
ボケるのかを表す．**線形で位置不変なシステム***（次頁脚注参照）では，点広が

分解能：分解能とは，識別限界を表す用語である．目的に応じて，**空間分解能**，**濃度分解能**，**密度分解能**，**時間分解能**，**距離分解能**，**方位分解能**などいくつかの用語が用いられている．空間分解能とは空間的に分解できる識別限界を示すもので，空間分解能が高いとは，小さな寸法まで識別できることを意味し，X 線 CT では高コントラスト分解能がこれに相当する．密度分解能は X 線 CT でいう低コントラスト分解能に相当する．また，時間分解能は，単位時間当たりに取り込む（あるいは表示する）画像の数（フレームレート）を表現している．濃度分解能とは，増感紙-フィルム系では写真濃度のわずかな差，ディジタル X 線画像ではピクセル値のわずかな差を画像として表現したときの識別限界を表す用語である．DSA の場合，一定の血管の太さに対してどの程度の造影剤濃度が識別できるかを表す．また，超音波では，距離や方位に関係した分解能をそれぞれ距離分解能，方位分解能と呼んでいる．このように，分解能という用語は，多くの意味を表すので，注意して用いなければならない．

り関数（$PSF(x, y)$）とシステムへの入力信号分布（$f(x, y)$）がわかっていれば，両者の重畳積分（convolution）により，画像の出力分布（$g(x, y)$）を知ることができる．

$$g(x, y) = f(x, y) * PSF(x, y)$$
$$= \iint_{-\infty}^{\infty} f(x', y') \cdot PSF(x-x', y-y')dx'dy' \qquad \boxed{3.5}$$

これとは逆に，システムの広がり関数が既知のとき，画像の出力分布から入力 X 線分布を求める演算は，deconvolution と呼ばれている．広がり関数は，空間領域における解像特性であり，前述の convolution や deconvolution を行うときには煩雑な計算を必要とする．しかし，広がり関数に代わって空間周波数領域で解像特性を評価すれば解析が容易になる．たとえば，前述した空間領域における 2 つの関数の convolution は，空間周波数領域では 2 つの関数をそれぞれフーリエ変換した結果の掛け算で表すことが可能で，convolution 演算よりも計算が容易となる．これとは逆に，空間領域で掛け算の関係にある 2 つの関数は，空間周波数領域では convolution で計算する．

　PSF の二次元フーリエ変換を行った結果は，空間周波数領域における信号伝達特性（レスポンス関数）を表すもので，これを optical transfer function

---

*　線形で位置不変な画像システム：レスポンス関数を適応するために必要な前提条件．線形性 linerarity とは，式に示すように，入力の線形和が出力の線形和に等しい性質を表す．また，入力と出力をリニアスケールで表示したとき直線で示される．

$$f_o(x) + g_o(x) = f_i(x) + g_i(x)$$
$$a_1 f_o(x) + a_2 g_o(x) = a_1 f_i(x) + a_2 g_i(x) \qquad （脚注式 3.1 ）$$

　多くの画像システムは非線形であり，増感紙-フィルム系においても，X 線から光に変換される過程は線形であるが，光が X 線フィルムを露光して黒化銀になる過程は非線形である．したがって，X 線から写真濃度に変換される系全体は非線形で，入出力の関係は直線では表されない．増感紙-フィルム系において，システムのレスポンス関数，すなわち MTF を調べるときには，フィルム特性曲線を用いて，非線形な写真濃度から線形な X 線量の領域に変換（線形化，linearization）している．一方，位置不変性 shift invariance とは，画像上のどの場所においても同じ PSF が得られる性質をいう（下式）．

$$PSF(x, y) = PSF(x-x', y-y') \qquad （脚注式 3.2 ）$$

　増感紙-フィルム系では，PSF は等方的であり，かつ，位置不変性も成り立つと考えている（isoplanatizm patches）が，ディジタル画像系では，離散的にデータを取り込むために，厳密な意味では位置不変性が成り立たない．

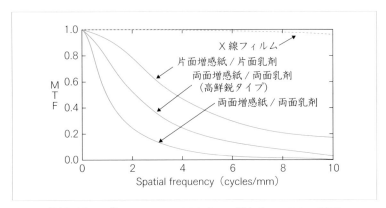

図 3-15．X 線フィルムの MTF と 3 つの異なるシステムの MTF

（OTF）：光学伝達関数と呼んでいる．OTF は，複素関数*で，その絶対値を modulation transfer function（MTF）：振幅伝達関数，位相成分を phase transfer function（PTF）：位相伝達関数という．MTF は電気系の周波数特性と同様に振幅の伝達特性を示すものである．電気系では入力信号より先に出力信号が生じず，必ず位相のズレを伴うために MTF と PTF を考慮して評価する．一方，多くの画像システムは，等方的な広がり関数（PSF では原点対象，LSF では左右対称）を示し，位相成分はゼロであるため*PTF は考慮せず，MTF だけで解像特性を評価できる．しかし，広がり関数が等方的ではない画像システムでは，OTF で評価を行う必要がある．

　図 3-15 に，X 線フィルムの MTF，片面増感紙と片面乳剤フィルムを組み合わせたシステムの MTF，および，2 つの異なった解像特性をもつ両面増感紙と両面乳剤フィルムを組み合わせたシステムの MTF を示す．MTF は空間周波数の関数であり，さまざまな空間周波数において解像特性がどのように変化するかを詳細に知ることができる．X 線フィルム自体の MTF は，空間周波数が 10 cycles/mm 付近までは 1 に近い値を示し，高い解像特性をもっている．しかし，増感紙と X 線フィルムを組み合わせた場合，増感紙で散乱した X 線の影響

---

　* 　複素関数 $z = a + ib$ は，絶対値 $|z|$ と位相 θ で表すと $z = |z|e^{i\theta}$ となり，$|z| = \sqrt{a^2 + b^2}$，$\theta = \tan^{-1} b/a$ で求められる．第 1 章で述べたように，左右対称な LSF のような偶関数のフーリエ変換は，虚数部 b が 0 となるので，位相 θ も 0 となる．

や，増感紙から発光した光の散乱がおもな原因で解像特性が劣化する．この影響は，片面だけに増感紙を用いるシステムより，両面に増感紙を配置するシステムのほうが顕著である．同様に間接変換型 FPD においても蛍光体内での X 線と光の散乱で解像特性は劣化する．この影響を減らすために柱状結晶構造の蛍光体が用いられている．

　MTF は，解像力による評価に代表されるような空間領域における評価と比べると，客観的でしかも詳しい解像特性を評価できることが利点である．また，直列結合したシステム全体の MTF は，各構成要素の MTF が求まればそれらの掛け算**によって求めることができるために，構成要素の多いシステムの解像特性の解析に便利である．

3 MTF の定義と測定法

　MTF には 2 つの定義がある．1 つは，PSF のフーリエ変換である．しかし，PSF を実験的に正確に測定することは技術的に難しいので，金属スリットを撮影して得た LSF のフーリエ変換を行う方法が一般的であり，これをスリット法と呼んでいる．もう 1 つは，いろいろな周期をもつ正弦波の入力に対する，出力側の正弦波のコントラストの比を調べる定義である．実際には，異なる周期をもつ正弦波を X 線分布で再現することが技術的に困難であることから，いろいろな周期をもつ矩形波テストパターンを撮影して測定を行っている．この手法は，矩形波レスポンス関数 square wave response function（SWRF）法，または，矩形波チャート法と呼ばれている．2 つの定義に基づく MTF は理論的に一致する．また，スリット法と矩形波チャート法で測定した結果は，異なる施設間で測定した変動の範囲内でよく対応することが実験的に確かめられている．スリット法は，おもに米国で用いられており，矩形波チャート法はおもにヨーロッパ（ドイツ規格協会，Deutsches Institut für Normung, DIN）や日本でよく用いられてきた．いずれの測定方法も高い正確度と再現性のある結果を出すには，多くの経験を必要とする．スリット法や矩形波チャート法以外の測

** 増感紙–フィルム系システムでは，X 線管焦点の幾何学的なボケと増感紙–フィルム系のボケは直列結合である．一方，両面に増感紙を用いるシステムにおいて，前面と後面の増感紙の特性は並列である．この場合には，掛け算ではなく和で考える．

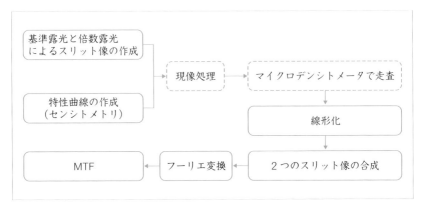

図 3-16.　スリット法の測定手順（点線部分は増感紙-フィルム系の場合のみ）

定法として，エッジを撮影して得られたエッジ像の微分をとって LSF を求め，これから MTF を測定する手法（**エッジ法**）もある*．IEC 62220-1-1：2015 ではエッジ法を採用しており，1.5 度から 3 度のわずかに角度をつけて撮影したエッジ像から得られる複数のエッジスプレッド関数を平均化してスムーズなエッジスプレッド関数（ESF）を得て，この ESF を微分して LSF を求め MTF を算出する方法について述べている．

a スリット法

　スリット法による MTF の測定手順の概略を図 3-16 に示す．ディジタル X 線撮影システムでは，増感紙-フィルム系で必要であった現像処理が不要で，さらに X 線に対するダイナミックレンジが広いことから撮影条件を適切に選択すれば，基準露光と倍数露光が必ずしも必要ではない．増感紙-フィルム系の場合には，LSF は左右対称（偶関数）であるため，MTF は式 3.6 に示すように，LSF の半分のフーリエコサイン変換で求めることができる．

---

* 　MTF ではなく，contrast transfer function（CTF）で評価することもあった．CTF は，MTF にシステムの入出力特性の傾き（G）を掛け算したものと定義している．
　　$CTF(u) = MTF(u) \cdot G$　　　　　　　　　　　　　　　　　　脚注式 3.3
　　CTF は空間周波数と X 線量の関数であることに注意して用いる必要がある．

$$MTF(u) = \frac{\displaystyle\int_0^\infty LSF(x)\cos 2\pi ux\,dx}{\displaystyle\int_0^\infty LSF(x)\,dx}$$ 　　　　3.6

ここで，x と u はそれぞれ距離と空間周波数を表す．一方，ディジタル X 線システムでは，小さいものでも約 50〜200 μm 程度と，フィルムの銀粒子と比べて大きい寸法の画素（ピクセル）で離散的に構成されている．さらに LSF の中心がピクセルのどの位置に重なるかによって信号は変化する．すなわちセンターアライメントとシフテッドアライメントでディジタル信号が変化する．CR のようにレーザービームでスキャンして画像を読み取る方式では，走査方向における LSF は左右非対称な形状を示す．そこで，ディジタル X 線撮影システムでは，LSF 全体を離散フーリエ変換して MTF を求める必要がある．

1）スリット

スリット法による MTF 測定の正確度や再現性に影響を及ぼすおもな技術的因子には，用いる**金属スリットの幅**，**トランケーションエラー** truncation error，**エリアシングエラー** aliasing error などがある．これらの内容を以下に述べる．

使用する金属スリットは，タングステンなど X 線吸収の高い材質で作られており，金属スリットに対して垂直な方向に入射する X 線だけを通過させるように，スリットの幅と高さ（厚さ）との比は，1：100 以上となるように十分に大きくしている．

金属スリットの幅は，できるだけ狭いことが望ましい．スリットの幅による線像の広がり（**図 3-17 d** の斜線部分）は，システム自体のボケによる広がりに加わるために，測定した MTF（$MTF_{measured}$）は，X 線検出器によるボケ（$MTF_{detector}$）だけではなく，有限の大きさをもつスリット幅によるボケ（MTF_{slit}）を含んだものとなる（式 3.7）．

$$MTF_{measured}(u) = MTF_{screen-film}(u) \times MTF_{slit}(u)$$ 　　　　3.7

このようなスリット幅の MTF の影響は，スリット幅が 10 μm 程度であればほとんど無視できるくらいに小さいが，これよりも幅の広いスリットを用いたときには，測定した MTF（$MTF_{measured}$）を sinc 関数で近似したスリットの MTF（MTF_{slit}）で割り算して補正することができる．実際の測定ではあまりにもス

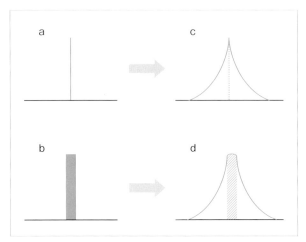

図 3-17. 幅が十分に狭い金属スリットを透過した X 線分布（a）
と, 幅の広い金属スリットを透過した X 線分布（b），
および得られた線像（c と d）

リットの幅が狭いと，X 線ビームの中心を金属スリットの間に正確に通過させ
るような幾何学的な配置を得ることが難しいだけではなく，線像を得るのに十
分な X 線量を透過させることができない．そこで，MTF 測定では，10〜数十
μm 程度のスリット幅を用いている．

2）トランケーションエラー

LSF は，その中心から無限遠まで続くと考えられる．ディジタル X 線画像シ
ステムの検出器はダイナミックレンジが広いが，X 線フィルムではダイナミッ
クレンジが狭い．さらに，スリット像のピークの写真濃度が，撮影に用いた X
線フィルムで表現できる最大の写真濃度となるように撮影を行ったとしても，
X 線フィルムで表現できる最も低い写真濃度（ベース＋カブリ）より低い値を
もつ LSF は求めることができず，LSF の裾野が裁断（トランケーション）され
たことになる．このように裾野が欠如した LSF をフーリエ変換して求めた
MTF はおもに低周波領域で振動し，正しい解像特性を示さない．このような
誤差を**トランケーションエラー**という．

トランケーションエラーを防ぐために 2 つの方法が有効である．1 つは**倍数
露光法**と呼ばれる方法で，もう 1 つは指数関数による LSF の外挿である．

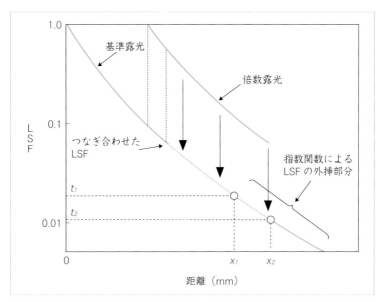

図 3-18. 基準露光と倍数露光による LSF の合成と，指数関数による LSF の外挿

　図 3-18 に倍数露光法と指数関数による LSF の合成と外挿の概略図を示す．基準露光では LSF のピーク付近を求め，倍数露光法では，基準露光で測定できなかった LSF の裾野部分を求める．基準露光のスリット像の作成では，写真濃度から相対 X 線量への変換の誤差を小さくするために，スリット像のピークの写真濃度がフィルム特性曲線の直線域に含まれるようにする．倍数露光の線量は，おもに管電流を変化させて，基準露光の 3〜5 倍となるように撮影条件を調整する．基準露光と倍数露光で撮影した X 線フィルムを現像し，系の線形化を行って得られた 2 つの LSF を片対数グラフにプロットする．次に，両者の重なりの部分（図中，▨▨▨部）の露光量比（blast factor）を求め，これを利用して倍数露光で得た LSF をスケールダウンして基準露光で得た LSF に合成する．このようにすれば，LSF のピークからみておよそ 1% 程度までを実験的に求めることができる．これ以遠の実験で求めることはできない LSF を次式に示すように指数関数で近似すれば，

$$h_T(x) = a \cdot \exp(-|x|/b) \tag{3.8}$$

と表せる．ここで $h_T(x)$ は，実験で求めることができなかった LSF で，x のと

る範囲は，実験的に求めた LSF の端 d（図 3-18 の場合，x_2）から無限遠まで
とする．

式 3.8 をフーリエ変換すると，

$$H_T(u) = 2\,ab \cdot \exp(-d/b)\frac{\cos(2\pi du + \phi)}{\sqrt{1 + (2\pi bu)^2}} \qquad 3.9$$

が得られる．ここで，ϕ は下式で表される．

$$\phi = \tan^{-1}(2\pi bu) \qquad 3.10$$

係数 a と b は，実験的に求めた LSF の端点 (x_2, t_2) と，x_2 の 3/4 または 5/6 の
点 $(x_1,\ t_1)$ の 2 点（図 3-18 参照）から求める．

$$b = \frac{(x_2 - x_1)}{\ln(t_1/t_2)}, \quad a = t_2 \exp(x_2/b) \qquad 3.11$$

式 3.9 を，実測した MTF 式 3.6 の補正項として加えると，

$$MTF(u) = \frac{\displaystyle\int_0^\infty LSF(x)\cos 2\pi ux dx + \frac{bt_2\cos(2\pi x_2 u + \phi)}{\sqrt{1 + (2\pi bu)^2}}}{\displaystyle\int_0^\infty LSF(x)dx + bt_2} \qquad 3.12$$

が得られる．この式は ICRU レポート 41 に書かれているもので，無限遠まで求
めた LSF を用いて MTF を計算することで，トランケーションエラーを含まな
い MTF を求めることができる．またこの考え方は，ディジタル X 線システム
の LSF の測定においても大切なことである．たとえばスリット像のピークの強
度が，ディジタル値で表現できる何パーセントであるかを考えてスリットの撮
影条件を決める必要がある．さらに実測不能な値の小さい LSF（原点から離れ
た位置での LSF）は，指数関数などを利用して外挿することも必要である．

3）エリアシングエラー

エリアシングエラーとは，金属スリットを撮影して得られた LSF を読み取る
間隔（サンプリング間隔）が粗いことが原因で発生する MTF の誤差である．
言い換えれば，標本化定理を忠実に実行しないことが原因で生じる誤差であ
る．図 3-19 にエリアシングエラーの発生についての概略図を示す．図の左に
は，2 つの異なるサンプリング間隔（Δx）で離散的に信号（ここでは LSF）を
標本した空間領域を示し，右にはそれらをフーリエ変換して得た空間周波数ス
ペクトルを示す．標本化定理を満足するサンプリング間隔の場合（上の図），

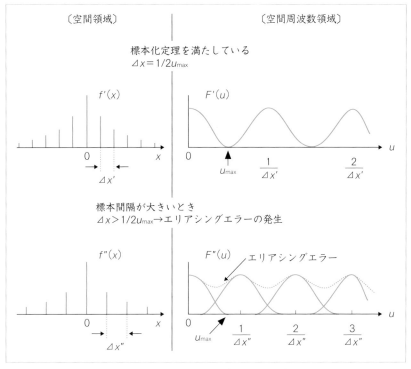

〔空間領域〕　　　　　　　　　　　　　　〔空間周波数領域〕

標本化定理を満たしている
$\Delta x = 1/2u_{max}$

$f'(x)$　　　　　　　　　　$F'(u)$

図 3-19．エリアシングエラーの発生

$1/\Delta x'$ の空間周波数で繰り返される高い空間周波数側のエリアス成分は，低い空間周波数側と重ならずエリアシングエラーは発生しない．しかし，サンプリング間隔が標本化定理で求められる間隔を超えて大きい場合（図 3-19 の下段）には，エリアス成分が低い空間周波数側と重なり，エリアシングエラーが発生する．その結果，計算した MTF（図では，最も低い空間周波数にあるスペクトル）の高い空間周波数において正しい値を示さない．MTF にエリアシングエラーの影響が含まれないようにするには，サンプリングする間隔を十分に小さくし，標本化定理を満足する必要がある．具体的には，高鮮鋭な増感紙-フィルム系の MTF 測定では，サンプリング間隔を 5 μm，これと比べて低鮮鋭なシステムでは 10 μm 程度でサンプリングを行えば，計算した MTF にエリアシングエラーが含まれることはない．ディジタル X 線画像システムでは，サンプリ

ング間隔が十分に小さいとはいえない（アンダーサンプリング）．そこで，エリアシングエラーを含まないプリサンプリング MTF を測定して解像特性を評価する必要がある．

b　矩形波チャート法

矩形波チャート法の測定手順の概略を図 3-20 に示す．使用する矩形波テストパターンは，薄い鉛箔（50〜200 μm）が精巧に細工されて，いろいろな周期をもつ格子が並べられており，これを 1 mm 程度の厚みをもつ 2 枚のプラスチック板で挟みこんだ構造をしている．

1）矩形波レスポンス関数の測定

各空間周波数における矩形波レスポンスは，矩形波の入力コントラストに対する出力コントラストの比と定義される．増感紙-フィルム系で撮影した矩形波テストパターンをマイクロデンシトメータで走査して得た写真濃度の分布を図 3-21 に示す．

ここで，特定の空間周波数（u）において測定した最大の写真濃度（窓の部分）を a_u，最低の写真濃度（鉛の部分）を b_u とし，それぞれを X 線量に変換した値，$I_{max}(u)$ と $I_{min}(u)$ を得る．これらの値を平均値に対する振幅の大きさで定義されるコントラストを求める式 3.13 に代入して得られた結果が，その空間周波数（u）における矩形波テストパターンの出力コントラスト $C_{out}(u)$ である．この計算を，矩形波テストパターンに含まれるすべての空間周波数について行う．

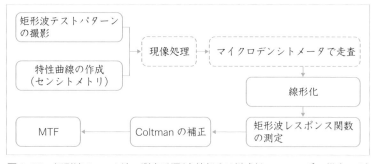

図 3-20．矩形波チャート法の測定手順（点線部分は増感紙-フィルム系の場合のみ）

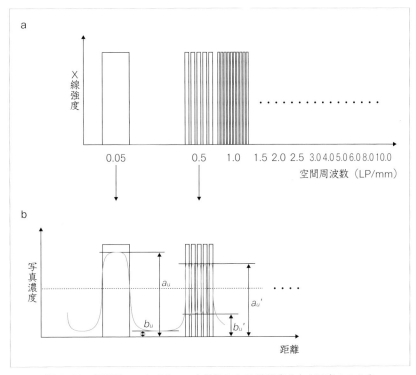

図 3-21. 矩形波テストパターンを透過したX線強度分布と写真上の分布
　　　a：矩形波テストパターンを透過したX線強度分布
　　　b：写真濃度分布（赤）（0.05 LP/mm と 0.5 LP/mm のみ図示）

$$C_{out}(u) = \frac{\frac{1}{2}\left(I_{max}(u) - I_{min}(u)\right)}{\frac{1}{2}\left(I_{max}(u) + I_{min}(u)\right)} = \frac{I_{max}(u) - I_{min}(u)}{I_{max}(u) + I_{min}(u)} \qquad 3.13$$

　X 線が矩形波テストパターンの鉛の部分を透過しない理想的な状況では，入力コントラストは，すべての空間周波数において1である．したがって，各空間周波数について，式 3.13 で出力のコントラストだけを求めれば，入力コントラストに対する出力コントラストの比を求めたことになる．

　しかし実際には，X 線が鉛の部分を透過するので入力コントラストが1にはならない．そこで，矩形波テストパターンに含まれる最も低い空間周波数の

コントラストを入力コントラスト C_{in} とし，

$$C_{out}(u)/C_{in}$$

3.14

を計算して矩形波レスポンス関数（SWRF）を決定している．

２）コルトマンの式

　以上のようにして求めたレスポンス関数は，矩形波に対するものであり，MTF ではない．そこで，以下に示す**コルトマンの式**を用いて，矩形波レスポンス関数（SWRF）から正弦波のレスポンス関数（MTF）に補正する必要がある．

$$MTF(u) = \frac{\pi}{4}\sum_{k=1}^{\infty} B_k \frac{SWRF\{(2k-1)u\}}{(2k-1)}$$

3.15

ここで，$(2k-1)$ において，1以外の素因数の数を n，1回だけ現れた素因数の数（1を除く）を m とすると，

　　$B_k = 0,\ m < n$ のとき

　　$B_k = (-1)^n(-1)^{k-1},\ m = n$ のとき

3.16

である．コルトマン Coltman の式を用いて SWRF から MTF を求めるとき（式 3.15），理論的には無限大の空間周波数における矩形波レスポンスの値が必要となるが，現実には4項目または12項目までを用いれば十分であることがわかっている．コルトマンの式は，奇数倍の空間周波数の足し算と引き算が交互に繰り返さない性質があるので，4項または12項以外の項数を用いて MTF を計算すると，低い空間周波数領域で MTF の値が高くなったり低くなったりするので注意が必要である．式 3.15 を12項目まで展開した結果は，

$$MTF(u) = \frac{\pi}{4}\{SWRF(u) + \frac{SWRF(3\,u)}{3} - \frac{SWRF(5\,u)}{5}$$

$$+ \frac{SWRF(7\,u)}{7} + \frac{SWRF(11\,u)}{11} - \frac{SWRF(13\,u)}{13}$$

$$- \frac{SWRF(15\,u)}{15} - \frac{SWRF(17\,u)}{17} + \frac{SWRF(19\,u)}{19}$$

$$+ \frac{SWRF(21\,u)}{21} + \frac{SWRF(23\,u)}{23} - \frac{SWRF(29\,u)}{29} + \cdots\cdots\}$$

3.17

となる．このようにして求めた MTF の値は，SWRF の値より必ず小さくなる（図 3-22）．これとは逆に，MTF から SWRF への変換は次式で表される．

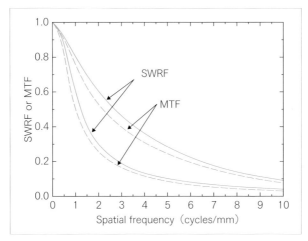

図 3-22.　2 つの異なるシステムでの矩形波レスポンス関数
（SWRF）と正弦波のレスポンス関数（MTF）

$$SWRF(u) = \frac{4}{\pi}\sum_{k=1}^{\infty}(-1)^{k-1}\frac{MTF\{(2k-1)u\}}{(2k-1)}$$ 　　　3.18

　矩形波テストパターンには，せいぜい 10 cycles/mm までの，しかも特定の空間周波数しか含んでいない．任意の空間周波数における MTF を求めるには，それに対応した空間周波数における矩形波レスポンスの値が必要である．そこで，矩形波レスポンス関数をフィッティングする必要がある．図 3-23 に 3 種類の矩形波テストパターンで測定した SWRF（図中の・）と，Fisher の式でフィッティングした結果を示す．SWRF の形状が変わってもほぼ満足のいくフィッティングが可能であることを示している．このように適切なフィッティングができれば，任意の空間周波数に対する MTF の値を求めることが可能となる．

c エッジ法

　エッジ法による MTF 測定の手順を図 3-24 に示す．ここでもディジタル X 線撮影システムの測定では現像処理は不要である．エッジ法では，X 線束の中心がエッジに対して垂直に入射するような配置にしなければ，正確なエッジ像が求められないので注意する．さらに，エッジ像にはノイズが加わっているた

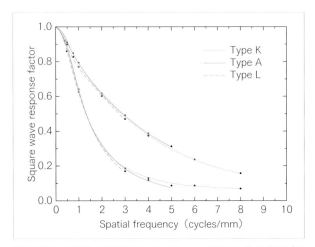

図 3-23. 3 種類の矩形波テストパターンで測定した SWRF（図
中の・）と，Fisher の式によるフィッテングの結果
（杜下淳次，土井邦雄：増感紙−フィルム系の MTF 測定法の標準
化に関する研究．医用画像情報学会雑誌 14（1）：39-59，医用画像
情報学会，1997.）

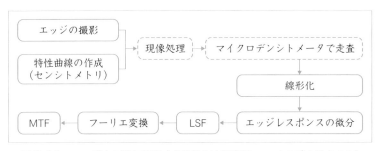

図 3-24. エッジ法の測定手順（点線部分は増感紙−フィルム系の場合のみ）

めに，微分して得られた結果は正確な LSF を示さない．そこで，ノイズの影響
を少なくするためにエッジ像をスムージングする必要がある．エッジ法は，後
述するディジタル系のプリサンプリング MTF*（次項脚注参照）を求める方法
の一つとして IEC 62220-1 による測定方法の推奨もあり最近よく使われている．

矩形波レスポンス関数のフィッティング：
2 種類のローレンツ関数を組み合わせた Fisher の式が応用できる．

$$SWRF(u) = \frac{a}{\left(1 + \dfrac{u^2}{b^2}\right)} + \frac{(1-a)}{\left(1 + \dfrac{u^2}{c^2}\right)}$$

脚注式 3.4

ここで，a は 2 つのローレンツ関数の寄与の程度を示す重み係数で，b と c は，それぞ
れのローレンツ関数の広がりの程度を示すスケールファクタである．さらに，高い空間
周波数は，指数関数やローレンツ型の関数などで外挿すればよい．

矩形波チャート法の測定の正確度と再現性に影響を及ぼすおもな技術的因子：
矩形波チャート法の測定の正確度と再現性に影響を及ぼすおもな技術的因子とそれら
の対応策の一覧を脚注表 3-1 に示す．多くの技術的な因子が測定の正確度と再現性に影
響するが，ほとんどの因子は，測定条件などを注意深く選択すれば大きな問題とはなら
ないことがわかっている．

脚注表 3-1．矩形波チャート法の測定の正確度と再現性に影響する技術的因子

技術的因子	対応策
X 線束と矩形波テストパターンとのミスアライメント	撮影距離を長くとり，矩形波テストパターンに入射する X 線束をできるだけ平行にする
矩形波テストパターンの鉛箔の均一性と空間周波数の正確さ	矩形波テストパターンを事前に調べてから使用する
矩形波テストパターンに含まれる最低の空間周波数	できるだけ低い空間周波数（少なくとも 0.05 LP/mm）を含むテストパターンを使用する
矩形波テストパターンのプラスチックからの散乱 X 線の影響	X 線フィルムのみの測定では問題となる場合もあるが，増感紙-フィルム系の測定ではほとんど影響しない
後方散乱 X 線の影響	裏側に鉛箔を貼り付けたカセッテを使用すれば影響を最小限にできる
SWRF のフィッティング	Fisher の式（脚注式 3.4）などを用いる
Coltman の式で用いる項数	4 項，または，12 項を用いる
矩形波テストパターンのコントラスト	撮影に用いた線質，矩形波テストパターンの鉛箔の厚さ，増感紙-フィルム系の鮮鋭度にも関係するが，基本的には，特性曲線の直線部に窓と鉛の部分の写真濃度が入るようにして撮影し，変換の誤差を少なくなるように工夫する

d ディジタル X 線画像システムの解像特性

ディジタル X 線画像システムの解像特性の評価は，増感紙-フィルム系と同様に MTF による評価が行われている．しかし，ディジタル X 線画像システムでは前述したように離散的にデータを取り込んでおり，信号とサンプリングアパーチャとの位置関係によって信号成分が変化するため位置不変性は成立しない．このことは厳密にいえば，ディジタル X 線画像システムの解像特性を MTF で評価することが困難であることを示している．しかし，実際にはこの問題を熟知したうえで，注意深く解析が行われている．

図 3-25 に，ディジタル X 線画像システムに存在するいろいろなコンポーネントの MTF を示す．X 線検出器自体の MTF はアナログ成分の MTF で，これをアナログ MTF という．ここでは，増感紙-フィルム系と同様に，おもに X 線の散乱や，蛍光体層で発光した光の散乱（直接変換型 FPD では光の散乱はない）によって解像特性が劣化する．画像読み取り部ではある大きさ（サンプリングアパーチャ）でデータを読み取るためにボケる（アパーチャ MTF）．また電気回路の特性やエリアシングエラーの発生を少なくする目的の処理（アンチエリアシングフィルタ）を行った場合にも解像特性に影響する．ディジタルデータに変換されたあとには，画像処理フィルタ（フィルタ MTF）や，画像表示部の MTF（ディスプレイ MTF）がある．これらの中でどれか 1 つでも解

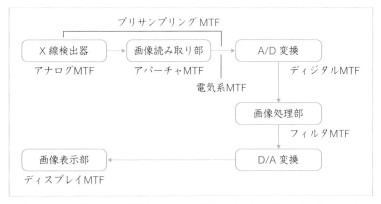

図 3-25. ディジタル X 線画像システムに存在するいろいろなコンポーネントの MTF

像特性が劣っていると，システム全体の解像特性に影響することは明らかである．したがって，ディジタルX線画像システムの解像特性の把握とその改善のためには，システム全体の解像特性だけを評価するのではなく，各コンポーネントに対して解像特性を調べることが大切である．

　シカゴ大学のグループは，1980年代にDRの基本的な画質特性に関して系統的な基礎研究を行い，その中で解像特性に関してGiger M. L. とDoi K. はディジタル系に固有な"プリサンプリングMTF"と呼ばれる手法を示した．その後，Fujita H. らはプリサンプリングMTFを測定する実用的な手法を開発している．プリサンプリングMTFは，後述するようにエリアシングエラーを含んでいないことから，増感紙-フィルム系や他のディジタルX線画像システムとも比較が可能であり，最も信頼性の高い解像特性の評価法であることがわかっている．

　Giger らが示したシステム全体の二次元のMTF，すなわち，"オーバーオールMTF"（$MTF_{overall}(u, v)$）は，次式によって表される．

$$MTF_{overall}(u, v) = \left\{ [MTF_A(u, v) \times MTF_S(u, v)] \right.$$
$$\left. * \sum_{m=-\infty}^{\infty} \sum_{n=-\infty}^{\infty} \delta\ (u - m/\Delta x,\ v - n/\Delta y) \right\}$$
$$\times MTF_F(u, v) \times MTF_D(u, v) \qquad \boxed{3.19}$$

ここで，u, vは空間周波数を表し，＊はコンボリューションを示す．MTF_Aはディジタル化される前のアナログ成分（X線検出器など）のMTFでアナログMTFと呼び，MTF_SはサンプリングアパーチャのMTF，MTF_Fは画像処理のMTF，MTF_Dはディスプレイ部のMTFをそれぞれ示す．これらの中で，アナログMTFとサンプリングアパーチャのMTFの積を"プリサンプリングMTF（presampling MTF）"という（式 3.19 の ［　］内）．プリサンプリングMTFは，X線検出器のボケとサンプリングアパーチャのボケを含んだMTFで，ディジタル系に固有な解像特性を表すMTFである．一方，"ディジタルMTF"をAD変換後のピクセル値から直接計算されるMTF（式の ［　］内）と定義すると，これはプリサンプリングMTFと，くし形のサンプリング関数（コーム関数）のフーリエ変換とのコンボリューションによって求められる．多くのディジタルX線画像システムでは，サンプリング間隔が0.1 mm前後であり十分に小さいとはいえない（アンダーサンプリング）．したがって，ピクセル値か

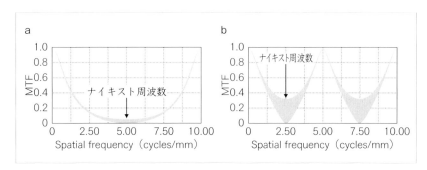

図 3-26. ディジタル MTF の一例
a：0.1 mm サンプリング，b：0.2 mm サンプリング
（Fujita H, Ueda K, Morishita J, et al：Basic imaging properties of a computed radio-graphic system with photostimulable phosphors. Medical Physics 16（1）：52-59, 1989.）

ら直接計算した**ディジタル MTF** は，**エリアシングエラー**のために，**ナイキスト周波数**（$1/(2\Delta x)$）を境にそれより高い空間周波数で MTF が影響したり，信号とサンプリングアパーチャとの位置関係（アライメント）によって，ある幅をもった MTF が得られる（**図 3-26**）．MTF におけるエリアシングエラーの影響は，サンプリング間隔が大きいほど顕著である．これらの結果は，解像特性がよくなったことを示すものではなく，正しい解像特性を示していないことに注意する必要がある．"オーバーオール MTF" は，ディジタル MTF に画像処理の MTF とディスプレイ部の MTF の積で求めることができるが，ディジタル MTF のエリアシングエラーの影響が完全になくなったわけではなく，ディジタル MTF と同様に正しい解像特性を示さないため，これを "MTF" として取り扱うことはできない．

一方，プリサンプリング MTF，フィルタ MTF，ディスプレイ部の MTF にはエリアシングエラーは含まれないので，ほかのディジタル X 線画像システムや増感紙-フィルム系の MTF と直接比較することが可能である．

初期の CR システム（**図 3-27**）と 2 種類の FPD システムで測定されたプリサンプリング MTF の測定例（**図 3-28**）を示す．CR では，高解像型の輝尽性蛍光板（イメージングプレート，HR）の解像特性が，標準型（ST）と比べて優れていることがわかる．X 線検出器にアモルファスセレン（a-Se）を用いた**直接変換型 FPD** システム（**図 3-28**）では，X 線を直接電荷に変換するため，

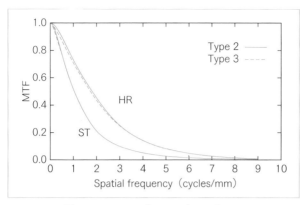

図 3-27．CR のプリサンプリング MTF

（Fujita H, Morishita J, Ueda K, et al : Resolution properties of a computed radiographic system. Proceedings of SPIE Vol. 1090 Medical Imaging Ⅲ；Image Formation, pp263-275, 1989.）

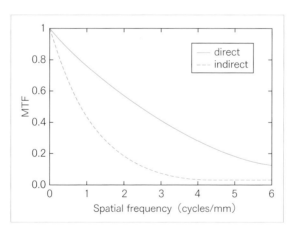

図 3-28．直接変換型 FPD（a-Se）と間接変換型 FPD（CsI：TI）のプリサンプルド MTF の比較の一例

（Gomi T, et al : An experimental comparison of flat-panel detector performance for direct and indirect systems（initial experiences and physical evaluation）, J Digit Imaging 19 （4）：362-370, 2006.）

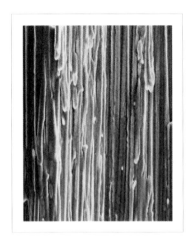

図3-29.　柱状構造（ヨウ化セシウム（CsI：Tl））
（Matsumoto M, Yamazaki T, Nokita M, et al：
Physical imaging properties and low-contrast per-
formance of a newly developed flat-panel digital
radiographic system. Jpn J Radiol Technol 61（12）：
1656-1665, 2005. Fig. 1（b）より.）

X線検出器内での光の散乱によるボケは生じない. a-Seは冷却が必要なことが
問題で，現在ではCsIをX線検出器に用いた間接変換型FPDが主流である.
間接変換型FPDシステムでは，まず蛍光体内でX線が散乱し，さらに光に変
換する過程で光の散乱による解像特性の劣化が起こるため，直接変換型ほど高
い解像特性は得られない. 最近ではCsIを柱状結晶構造（**図3-29**）とすること
で光の拡散を抑える工夫もなされている.

1）合成スリット法

　プリサンプリングMTFの測定には，スリット法やエッジ法などが提案され
ているが，本書では，Fujitaらが開発し，頻繁に用いられるようになった**合成
LSF法**の概略を述べる. この方法は，"粗い"サンプリング間隔で得たLSFか
ら，実効的に細かなサンプリング間隔のLSFを合成して**エリアシングエラー**を
含まないプリサンプリングMTFを測定する方法である. 測定では，まず増感
紙-フィルム系のMTFの測定に用いたような幅の狭い金属スリットを走査線
の走査方向に直交する方向（または平行な方向）に対してわずかに角度（1.5〜
3°）をつけて配置し撮影する. **図3-30**の上側には，金属スリットを走査方向
に対して直交する方向に配置して得られた"粗い"サンプリング間隔のLSFの
概略図を示す. このような配置では走査線方向のMTFが測定できるが，金属
スリットを走査方向に対して平行な方向に配置したときには，走査線に直交す

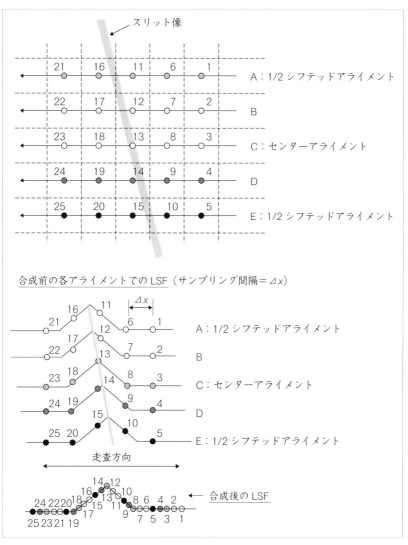

図 3-30．合成 LSF 法の概略図
（Fujita H, Tsai DY, Itoh T, et al：A simple method for determining the modulation transfer function in digital radiography. IEEE trans Med imaging 11（1）：34-39, 1992. 一部改変.）

る方向の MTF が測定できる．

　この例では，A〜E の 5 つの異なるアライメント alignment*での LSF が得られており，各 LSF はサンプリング間隔が Δx の 5 個のディジタル値から構成されている．このとき，1/2 シフテッドアライメントから 1/2 シフテッドアライメントの間に 4 ピクセルあるので，異なったアライメントで得た LSF データを A〜E の順に $\Delta x/4$ のサンプリング間隔で並び替えて合成すれば，図の下側に示すような実効的なサンプリング間が小さくなった LSF（"合成 LSF"）が得られる．このようにサンプリング間隔が小さくなった合成 LSF をフーリエ変換して MTF を求めれば，エリアシングエラーは含まれない．ここでは，スリットに対してほぼ直交する方向（図では横方向）の複数の LSF から 1 本の LSF を合成する方法を説明したが，スリットに対してほぼ平行な方向（縦方向）の 1 本のデータ分布からも合成 LSF を求めることができる．しかし，長い金属スリットが必要なことや，撮像面の幾何学的な歪みや不均一性が問題となる場合には，不正確な測定となるので注意しなければならない．

2）エッジ法によるプリサンプリング MTF の測定

　図 3-31 に測定法を示す．スリット法と同様にわずかに角度（θ）をつけて金属エッジを撮影し，その後に各ピクセルデータをディジタル特性曲線により相対 X 線量に変換（線形化）したあと，各行のプロファイルデータをディジタル画像のサンプリング間隔 P より小さな間隔で合成する．得られたエッジプロファイルデータをスムージングして得られたエッジレスポンス（ER）を微分して LSF を求め，フーリエ変換によってプリサンプリング MTF を求める．

e 解像特性の測定手順

　医用ディジタル画像システムの DQE 測定において，エッジによる presampled MTF 測定が International Electrotechnical Commission（IEC）で標準とされたことから，ここではエッジ法による測定手順について解説する．

---

　*　アライメント：信号と画素との配置関係をいう．センターアライメントは，信号の中心が画素の中心に一致した配置で，1/2 シフテッドアライメントとは，信号の中心が，隣り合う 2 つの画素の境目に一致した配置をいう．

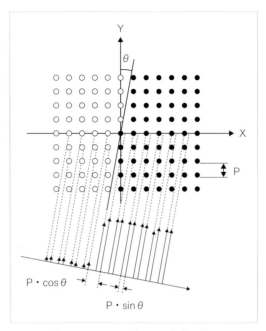

図 3-31．エッジデータの合成の様子

(Samei E and Flynn MJ：A method for measuring the presampled MTF of digital radiographic systems using an edge test device, Medical Physics, 25, pp.102-113, 1998 より改変.)

1）エッジ撮影の実際

　エッジ像の取得には，スリット法のように厳密なアライメントの調節が必要でなく，タングステン金属で作成されたエッジを CR や FPD の X 線検出器の受光面に対して，約 2〜3°の角度で配置して撮影するだけで容易にエッジ像を得ることができる．IEC62220-1 にタングステンエッジデバイスの形状と，撮影の配置図が説明されているので参照されたい．X 線中心軸はエッジ面に対して垂直に入射し，エッジの撮影を水平方向と垂直方向の 2 方向で行う．線質は RQA5 とし，画像の最高ディジタル値が 80%程度になる X 線撮影条件でエッジ像を得て DICOM ファイルで出力し，解析用の PC に取込む．

2）画像表示と角度計測：Image J（図 3-32）

　撮影されたエッジ画像（DICOM）を National Institutes of Health（NIH）の JAVA 版 Image J にて開き，エッジ角度を計測する．メニューから直線①を選

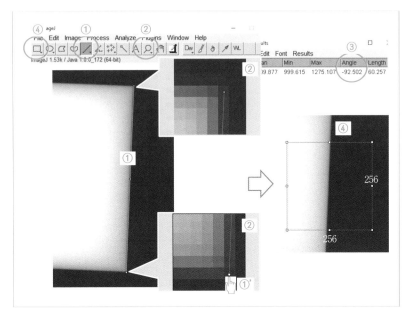

図3-32．画像表示と角度計測

び，エッジに沿って線を引く①．次に虫眼鏡マーク②でエッジ像の角を拡大して線端を上下，同じ位置に配置する②．拡大後，直線マーク①を押せば「指マーク」が出て直線の先端位置を動かすことができる①'．位置が決定したら次に「Analyze」→「Measure」を選択しエッジ角度を表示し，記録する（2.5°）③．ここで計測したエッジ角度 θ は MTF の結果に影響するため，注意深く角度計測を行わなければならない．

　次に，解析に必要な 256×256 ピクセルの関心領域を囲み④，「Image」→「Crop」を選択して切出し，「File」→「Save as」→「Text Image…」でディジタル画像データをテキストデータで保存する．

3）合成 ESF（edge spread function）の実際：Excel（図3-33，worksheet1，2）

　次に保存した「Text Image…」ファイルを Excel で開くと，worksheet1 に示すようなエッジ像のディジタルデータが得られる．次に ESF を合成するデータ範囲を決定するため，次の計算を行う（worksheet2）．サンプリング間隔（ピ

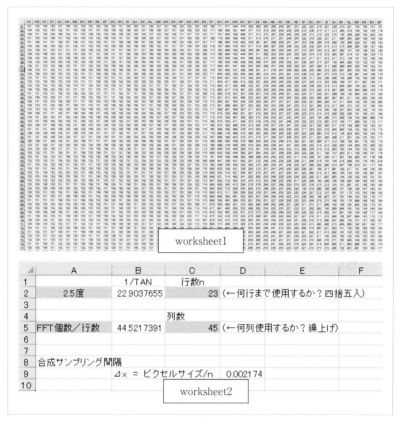

図 3-33．合成 ESF の実際

クセルサイズ）をP とすると合成サンプリング間隔 Δx は，次式となる．

$$\Delta x = \mathrm{P}\tan\theta \qquad 3.20$$

ここで，ESF の合成に必要な行数 N は式 3.21 となり，worksheet2 のセル B2
には，Image J で求めたエッジ角度 2.5° を用いた下線の式を入力する（以降同
様に，下線の関数式をセルに入力）．

$$\mathrm{N} \approx \frac{\mathrm{P}}{\Delta x} = \frac{1}{\tan\theta} \cdot \cdot \cdot \cdot [\mathrm{B2}] \quad \rightarrow \quad \underline{= 1/\mathrm{TAN}(2.5*\mathrm{PI}()/180)} \qquad 3.21$$

N は一番近い整数としているため多少精度が落ちるが，ナイキスト周波数の 1.4
倍くらい正確なことが確かめられている．ESF を合成するため必要な行数 N の

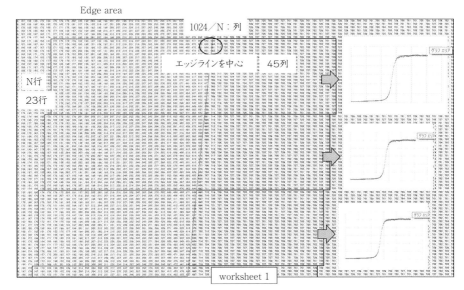

図 3-34.　合成 ESF を作成する行数と列数の関係

とき（ここでは 23 行），合成サンプリング間隔 Δx は式 3.22 となり，セル D9 には下線式を入力する（ここでのピクセルサイズは 0.05 mm）．

$$\Delta x = \frac{P}{N} \quad [\text{D9}] \quad \rightarrow \quad \underline{=0.05/\text{C2}} \tag{3.22}$$

ここで，高速フーリエ変換を行うためには 2 のべき乗の合成 ESF のディジタルデータが必要なため，1024 個のデータを用いる場合，セル B5 には式 3.23 を入力して列数を求める．

$$列 = 1024/\text{N} \quad [\text{B5}] \quad \rightarrow \quad \underline{=1024/\text{C2}} \tag{3.23}$$

行数と列数が決定したら（23 行・45 列），この範囲のデータにて ESF の合成を行う．

4）合成 ESF を作成する行数と列数の関係：Excel（図 3-34, 35, worksheet 1）

worksheet 1 のエッジディジタルデータを，エッジラインを中心として，23 行・45 列の枠線で囲む．2 本目以降の合成 ESF のデータ範囲は 1 列ずらし，同じ大きさの枠で囲んでいく（図 3-34）．次に，クリップボードを開いて枠内の

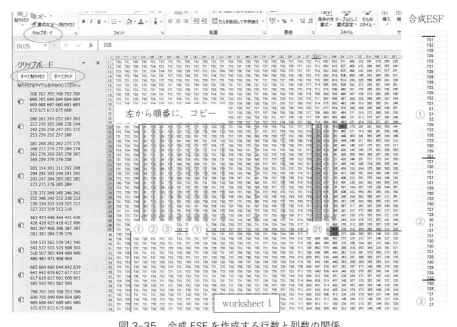

図 3-35.　合成 ESF を作成する行数と列数の関係

列ごとに「コピー」を繰り返してコピーデータをプールする（図 3-35）．ただし，24 回が上限のため，いったん空いている列に「すべて貼り付け」→「すべてクリア」→ 残り列を続きから同様の操作を行い，合成 ESF を作成する．後述するが，本項では高線量部の微分によるばらつきを低減するために，何本もの合成 ESF（10 本以上が望ましい）を作成して平均する方法で解析する．

5）presampled MTF の計算：Excel（図 3-36，worksheet 3）

【A 列・・・合成サンプリング間隔（mm）】

合成 ESF のサンプリング間隔（mm）を入力する．サンプリング間隔は，式 3.22 で得られた結果を A3 に入力する．セル A2 は 0，A4 は　= A3 + A3 を入力し，1025 行までコピーする．

【B 列・・・合成 ESF ディジタル値】

B 列には，4)で得られた 10 本以上の合成 ESF の平均ディジタルデータ（1024 個）をセル B2 以降（B1025 まで）にペーストする．

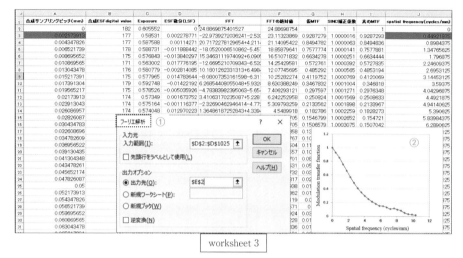

worksheet 3

図 3-36．エッジ法の計算過程のワークシートと MTF の結果

【C 列・・・相対照射線量変換[*]】

C 列には B 列のディジタル値を，得られたディジタル特性曲線より相対照射線量に変換し線形化を行う．ディジタル特性曲線から近似方程式を作成し，セル C 列にはここでは，= 0.176*EXP（B2*0.0068） と入力し，最下セル C1025 まで，コピーを行う．

【D 列・・・合成 ESF の微分（合成 LSF）】

ESF を微分すると，LSF が得られる．ただし，ESF は離散データであるために実際は，式 3.24 に示すように，線量変換されたデータの隣接差分を行い，これを合成サンプリング間隔で除した値として計算される．D3 セルには，簡易的に隣接差分の計算式のみ入力し，D1024 までコピーを行い，D2 と最下セル D1025 には「0」を入力する．

$$\mathrm{LSF}_k = \frac{(ESF_k - ESF_{k+1})}{\Delta x} \quad [\mathrm{D3}] \quad \rightarrow \quad = \mathrm{C4-C3} \qquad 3.24$$

＊　非線形システムの相対照射線量（横軸）を Log 変換して入出力特性を作成した場合，C 列には ＝10^（B2/入出力特性の傾き） と入力する．入出力特性が線形の場合，C 列の計算は不要である．

ただし，厳密には微分と差分は異なる演算のため，SINC 補正を行う必要がある．SINC 補正の係数は，次式で表すことができる．

$$\text{SINC 補正関数} = \frac{\left(\dfrac{f \cdot \pi}{2f_n}\right)}{\sin\left(\dfrac{f \cdot \pi}{2f_n}\right)} \qquad 3.25$$

ここで，f は空間周波数，f_n は合成サンプリング間隔でのナイキスト周波数で，3.26 式で表せる．

$$f_n = \frac{1}{(2 \times \Delta x)} \qquad 3.26$$

【E 列・・・D 列（LSF）の FFT】

メニューの「データ」→「データ分析」→「フーリエ解析」→「OK」とするとフーリエ解析の画面が出てくる（図 3-36 の ①）．入力範囲，出力先を指定し，OK ボタンを押すと FFT が実行され E 列に計算結果が表示される．

【F 列・・・E 列（複素数）の絶対値】

MTF は LSF のフーリエ変換の絶対値であるから，複素数の絶対値を返す関数 IMABS を使用する．セル F2 には　=IMABS(E2)　と入力し，F1025 までコピーを行う．

【G 列・・・ゼロ周波数で正規化（仮 MTF）】

MTF はゼロ周波数で正規化するためセル G2 に　=F2/\$F\$2　と入力し，G1025 までコピーする．

【H 列・・・SINC 補正係数】

式 3.25 および式 3.26 の補正は H 列で計算する．

セル H3 に　=(J3*PI()*\$A\$3)/SIN(J3*PI()*\$A\$3)　を入力し，最下セルまでコピーする．セル H2 には「1」を入力しておく．

【I 列・・・真の MTF】

G 列の仮 MTF と H 列の補正係数を乗じて真の MTF を計算する．セル I2 に =G2*H2　と入力し最下セルまでコピーする．

【J 列・・・空間周波数ピッチの決定】

MTF の横軸の空間周波数は，次式で与えられる．

空間周波数ピッチ＝1÷（FFT に使った個数×サンプリング間隔）　3.27

J2 セルに「0」を入力し，J3 セルに　＝1/（1024 * A3）　J4 セルに　＝J3＋J3
と入力し最下セルまでコピーする．縦軸に真の MTF，横軸に空間周波数を
とった presampled MTF の計算結果を図 3-36 の ② に表示する．

6）エッジ法の問題点

現在，広く普及しているエッジ法は測定上いくつかの技術的な問題を抱えて
いる．

a）高線量域でのデータの不安定さ

問題点の一つは，ESF の微分による高線量域でのデータの不安定さ（ばらつ
き）であり，これが最終的に得られる MTF，とくに高周波領域に「がたつき」
となって現れる．現在までにその解決法として LSF の平滑化や曲線近似などの
報告があるが，一定の幅をもつ bin を設定し，その bin 内で平均化を行ってデー
タの不安定さを低減するという方法が広く用いられている．これらの方法は高
線量域のデータ不安定さを低減する有効な手段ではあるが，平滑化等の処理は
得られた真のデータを失う可能性も考えられるため，本項では，10 本以上の合
成 ESF を作成して平均する方法で解析している．

b）エッジの向き

CR はレーザの読取り方向で合成 ESF のかたちが変わる可能性があり（主走
査・副走査）注意深く測定を行わなければならない．とくに照射部分が低（高）
いディジタル値から高(低)いディジタル値へと急激に変化する部分において，
非線形のアナログフィルタの存在による主走査方向の MTF の影響が報告され
ている．一方，FPD システムにおいて過去に測定した結果では，エッジデバイ
スの向きによる差は認められなかった．

c）外挿

過去の研究で，ディジタル画像の低線量部は量子化誤差やグレアの影響もあ
り，より精密な presampled MTF 算出には外挿を行うほうが望ましいとされて
いる．しかし，ESF を微分して得られる LSF に対して外挿を行うことは十分
注意して行う必要があるため，本項では外挿処理を行っていない．

（井手口忠光）

D ノイズ特性

　一様に X 線を照射しても画像上の X 線の分布は厳密には一様とはならない. 増感紙-フィルム系で撮影した画像を注意深く眺めると, 黒化銀の集まり mottle が不規則に変化する模様として観察できる. このような画像のザラツキを粒状といい, 粒状の示す性質を粒状性あるいはノイズ特性という. ノイズ特性を root mean square（RMS）粒状度やウィーナースペクトル Wiener spectrum（WS）などの手法で評価したものを granularity（物理的粒状度）と呼び, 視覚的に評価した graininess（心理的粒状度）と区別している. RMS 粒状度によるノイズの評価は, 比較的簡便な方法としてよく用いられるが, ウィーナースペクトルは, 空間周波数領域におけるノイズの分析を行うため, より詳細なノイズの評価と解析が可能である.

1 画像におけるノイズの影響

　信号（病巣）が小さなサイズで, しかも低コントラストな信号でも識別できるような画質をもった画像を提供することが大切である. このような信号の検出能は, 画像のノイズレベルの影響を強く受ける. 図 3-37 に 2 つの異なるノイズレベルで撮影されたビーズ玉の X 線写真を示す. 左図のようにノイズレベルが高い（粒状性が悪い）と, ビーズ玉のような低コントラストの物体は見えにくいことがわかる. 図 3-38 には, 信号とノイズレベルの関係を図示する. ノイズレベルが高い（濃度変動の振幅が大きい）と, コントラストの低い信号は, ノイズに埋もれてしまうために識別することが困難である. 信号とノイズの関係は, 単にノイズの振幅の大きさだけで決定するわけではなく, 信号とノイズのもつ空間周波数成分の違いの影響も受け, 両者の空間周波数成分が大きく異なれば認識できる場合もある. いずれにしても, ノイズの性状は, 微小で低コントラストな信号の検出能に大きく影響するために, 画質特性の重要な因子の 1 つである.

2 X 線光子の統計的な性質

　X 線が増感紙-フィルム系で吸収される現象はランダムである. このような

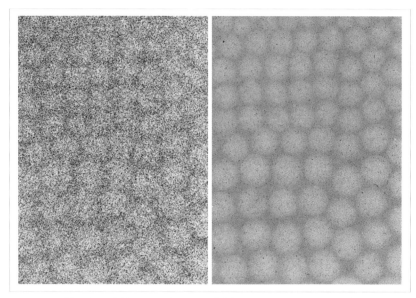

図 3-37.　異なるノイズレベルで撮影されたビーズ玉の X 線写真
（Rossmann K：Spatial fluctuations of x-ray quanta and the recording of radiographic
mottle. The American Journal of Roentgenology, Radium Therapy and Nuclear Medicine,
Vol. XC（4）, 863-869, 1963.）

X 線光子のランダムな現象の結果として，X 線光子が吸収される位置や密度は
統計的なゆらぎを生み出す．X 線光子のゆらぎの統計的な分布は，**ポアソン分
布**に従い，

$$\sigma=\sqrt{\overline{N}}$$
3.28

で表される．ここで，$\overline{N}$ は単位面積当たりに吸収された平均の X 線光子の個
数，σ は X 線光子の変動を示す標準偏差である．たとえば，増感紙-フィルム
系で写真濃度 1.0 を得るとき，単位面積（mm^2）当たりに吸収された平均の X
線光子数が 10000 個であったと仮定する．このとき，$0.01\,\text{mm}^2$の非常に小さな
面積には平均で 100 個もの X 線光子が吸収されたことになる．しかし，この小
さな面積に吸収された平均の X 線光子数に対する標準偏差を計算すると，

$$\frac{\sigma}{N}=\frac{\sqrt{N}}{N}=\frac{1}{\sqrt{N}}=\frac{1}{\sqrt{100}}=\frac{1}{10}$$
3.29

となり，統計的には 10% もゆらいでいることがわかる＊（次頁脚注参照）．

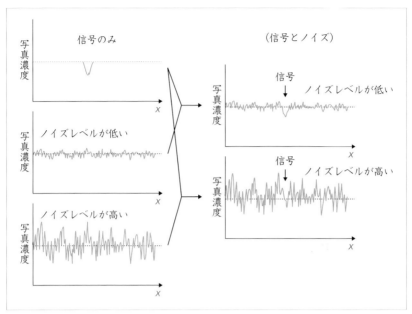

図 3-38.　微小で低コントラストな信号と画像のノイズレベル

---

* 写真濃度の変動と透過率および X 線量の変動

　均一に X 線を照射して得られた X 線写真をマイクロデンシトメータで走査して，得られたある位置での写真濃度を D_i，平均値を $\overline{D}$ とすると，写真濃度の変化分 (ΔD) は，

$$\Delta D_i = D_i - \overline{D} \qquad\qquad \text{脚注式 3.5}$$

と表すことができる．同様に，光の透過率 (T) や増感紙に吸収された X 線エネルギー (E) の変化分は，

$$\Delta T_i = T_i - \overline{T} \qquad\qquad \text{脚注式 3.6}$$

$$\Delta E_i = E_i - \overline{E} \qquad\qquad \text{脚注式 3.7}$$

で表される．

　ここで，変化分はごくわずかと仮定し，写真濃度の変化分を，X 線エネルギーや X 線フィルムを透過した光の透過率で近似すると，

$$\Delta D = \log_{10} e \cdot G \cdot \frac{\Delta E}{E} \qquad\qquad \text{脚注式 3.8}$$

$$\Delta D = -\log_{10} e \cdot \frac{\Delta T}{T} \qquad\qquad \text{脚注式 3.9}$$

となる．脚注式 3.9 において負の記号がついているのは，透過率と写真濃度が相反関係であることを意味する．これらの関係は，粒状の評価を ① 写真濃度，② 透過率または，③ 増感紙に吸収された X 線エネルギーのどれかで測定すればお互いに換算できることを示している．

3 ノイズ特性の評価法

a RMS 粒状度

　画像に表れるノイズは，周期性や再現性をもたないランダムな性質がある．このような性質を調べるには，統計的な手法が用いられる．まず，データの平均値を $\overline{P}$，各点のデータを P_i とし，データ数が N 個あったとする．このとき，データの平均値から上下にどの程度，値が変動するかを表したものが分散（σ^2）であり，

$$\sigma^2 = \frac{\sum_{i=1}^{N}(P_i - \overline{P})^2}{(N-1)} \qquad 3.30$$

で求められる．また，分散の平方根をとったものは標準偏差（σ）と呼ばれており，

$$\sigma = \sqrt{\frac{\sum_{i=1}^{N}(P_i - \overline{P})^2}{(N-1)}} \qquad 3.31$$

と書くことができる．σ は，平均値に対して値がどの程度変動するのかを示すもので，平均値 $\pm 1\sigma$ の範囲内に，約68％のデータが含まれることを意味する．標準偏差の考えを写真濃度の変動に応用したものが RMS 粒状度 で，計算は式 3.31 に（増感紙-フィルム系では"写真濃度データ"）を入れればよい．RMSの値が大きいほど，変動が大きいことを示すので，粒状性は悪い．

　RMS 粒状度は，均一の X 線を照射して得たノイズを測定する試料の微小な信号の変動から比較的簡便に求めることができる．増感紙-フィルム系ではマイクロデンシトメータを用いて濃度変動を測定したが，ディジタルの X 線検出器では，各画素のディジタルデータから容易にノイズの分布を得ることができる．RMS 粒状度はどのような空間周波数の成分をもつノイズであるのかを知ることができないので，後述するウィーナースペクトルによる詳細なノイズの評価が行われる．

b 自己相関関数

周期性や再現性をもたないランダムな性質の画像のノイズを表す手法の一つである自己相関関数について述べる.

距離とともに変化する一次元の関数を $f(x)$ とし,相関を調べる距離を ξ,試料の長さを X とすると,**自己相関関数** auto correlation function（*ACF*）は,

$$ACF(\xi) = \lim_{X \to \infty} \frac{1}{X} \int_{-X/2}^{X/2} f(x) \cdot f(x - \xi) dx \qquad 3.32$$

と定義される.自己相関関数は,$\xi = 0$ で最大の値をとり,相関距離が大きくなるにつれて小さな値となる.式 3.32 は同じ関数の重畳積分で表されていることから,自己相関関数をフーリエ変換すると,2つの同じ関数 $f(x)$ のフーリエ変換の掛け算,すなわち,$|F(u)|^2$ が求まる.これを**ノイズパワースペクトル** noise power spectrum（NPS）といい,画像では,**ウィーナースペクトル**と呼んでいる.これとは逆に,ウィーナースペクトルを逆フーリエ変換すれば自己相関関数が求められる.

c ウィーナースペクトル*（次頁脚注）

ウィーナースペクトルを求める方法には,（1）増感紙–フィルム系の場合,マイクロデンシトメータで走査して得た写真濃度の分布,ディジタル X 線画像ではピクセル値の分布からノイズの分布を測定し,ノイズの平均値からの変動分（$\Delta f(x)$）を直接フーリエ変換して求める方法と,（2）前述の自己相関関数を求めて,これをフーリエ変換する方法がある.一般には前者で測定する.$\Delta f(x)$ を求めるとき,X 線照射で得たノイズデータにはしばしば背景の X 線量分布の傾斜（バックグラウンドトレンド）があるので,ノイズの分布からこれを除去する必要がある.

ここでは実際の測定で広く用いられているピクセル値の変動分を直接フーリエ変換する方法について以下に述べる.

いま一次元で考えると,ノイズ分布（$\Delta f(x)$）のウィーナースペクトルは,

$$WS(u) = \lim_{X \to \infty} \frac{1}{X} \overline{|F(u)|^2} \qquad 3.33$$

$$F(u) = \int_{-\infty}^{\infty} \Delta f(x) e^{-j2\pi ux} dx \qquad\qquad 3.34$$

と定義される．ここで，X は測定試料の長さ，u は空間周波数である．また，$F(u)$ は，$\Delta f(x)$ のフーリエ変換で，ウィーナースペクトルの式 3.33 では $F(u)$ の絶対値の二乗の集合平均をとって，試料の長さで割って求める．

式 3.34 を，Δx の間隔で離散的にデータを取り出して離散的フーリエ変換に書き直すと，

$$F' \cdot \Delta x = \sum_{i=0}^{N-1} \Delta D_i e^{-j2\pi i/N} \cdot \Delta x \qquad\qquad 3.35$$

と定義される．ここで F は，

$$F' = \sum_{i=0}^{N-1} \Delta D_i e^{-j2\pi i/N} \qquad\qquad 3.36$$

である．また，式 3.36 で求まる値は，Δx で決まる特定の空間周波数 Δu の間隔で求まる．

$$\Delta u = \frac{1}{X} = \frac{1}{N \cdot \Delta x} \qquad\qquad 3.37$$

ウィーナースペクトルは，

$$WS'(u) = \frac{1}{X} \overline{|F' \cdot \Delta x|^2} = \frac{(\Delta x)^2}{N \cdot \Delta x} \overline{|F'|^2} = \frac{\Delta x}{N} \overline{|F'|^2} \qquad\qquad 3.38$$

で求めることができる．ここまで，一次元のデータを扱ってきた．実際の画像は二次元に分布しているため，二次元ウィーナースペクトルを求める必要がある．しかし，増感紙–フィルム系のようにウィーナースペクトルが等方的つまり原点において回転対象であれば，二次元ウィーナースペクトルの一断面を求め

---

*　増感紙–フィルム系の WS

　マイクロデンシトメータで得た写真濃度は平行光濃度であるので，測定器に依存した値となる．このような平行光濃度で測定したウィーナースペクトル WSs は，別のマイクロデンシトメータで測定した結果と比較することが難しい．そこで，以下の式を用いて拡散光濃度で求めたウィーナースペクトル（WSd）に変換している．

$$WSd(u) = \frac{WSs(u)}{\dot{Q}^2} \qquad\qquad \text{脚注式 3.10}$$

　ここで $\dot{Q}$ は，ウィーナースペクトルの測定が行われた試料の拡散光濃度 ΔDd に対する平行光濃度 ΔDs の比（$\dot{Q} = \Delta Ds/\Delta Dd$）である．

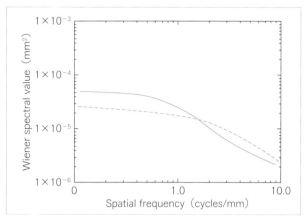

図 3-39.　2 つの異なるシステムのウィーナースペクトル

ればよく，マイクロデンシトメータで走査する際の開口を十分に細長いスリットを用いて，二次元ウィーナースペクトル $WS(u, v)$ の断面 $WS(u, 0)$ を求めることができる．このようにして測定したウィーナースペクトル $WS(u)$ は，測定系の MTF の二乗で変調されているので，真のウィーナースペクトル $WS(u)$ を求めるには，測定系の MTF を sinc 関数で近似して補正する方法がある．

d ノイズの解析**

　ある空間周波数においてウィーナースペクトルの値が大きいということは，ノイズのレベルが高い（粒状性が悪い）ことを意味する．図 3-39 に，2 つの異なるシステムのウィーナースペクトルを示す．ウィーナースペクトルは，両対数でプロットすることが多い．この例では，2 つのシステムのウィーナースペクトルのグラフは交差し，低空間周波数域のノイズ成分が少ないシステム（図中，点線）は，高い空間周波数域でノイズ成分が多いことがわかる．

** 　ノイズの多い少ないとコントラスト
　　ウィーナースペクトル値はコントラストの影響を受ける．これは，RMS 粒状度でも同じである．そこで，複数のシステムを比較するために増感紙-フィルムでは，同一の写真濃度（たとえば，ネットデンシティが 1.0）となるようにフィルムサンプルを作成し，異なるシステムの値を比較することが一般的に行われてきた．

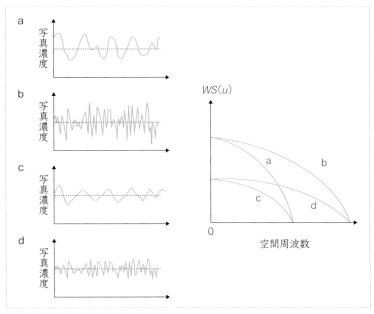

図3-40. 増感紙-フィルム系のウィーナースペクトルによるノイズ成分の模式図

　独立した2つのノイズ（AとB）が合成されたときのウィーナースペクトルは，それぞれのウィーナースペクトルの加算（$WS_A(u) + WS_B(u)$）で表現される．一方，フィルムの前面と後面のようにノイズに相関があり，しかも2つのノイズの大きさが等しいときには（A＝B），ノイズの大きさは2倍となり，ウィーナースペクトルは2^2倍となる．

　ノイズの評価法として，RMS粒状度とウィーナースペクトルを示したが，RMS粒状度とウィーナースペクトル $WS(u)$ の間には，

$$\sigma^2 = \int_{-\infty}^{\infty} WS(u)\,du = 2\int_{0}^{\infty} WS(u)\,du \qquad 3.39$$

の関係があり，ウィーナースペクトルの面積が分散，つまりRMS粒状度の二乗に対応することが知られている．この関係は，たとえRMS粒状度が同じでも，ウィーナースペクトルは異なった様子を示すことがあることを意味する．

　図3-40に，4つの異なるノイズの分布と，それらのウィーナースペクトルの模式図を示す．図中aはノイズ変動がゆるやかな分布，bはノイズ変動が細か

増感紙-フィルム系におけるノイズの構成

　　Rossmann K. が示した増感紙-フィルム系におけるノイズの構成を**脚注図3-3**に示す．増感紙-フィルム系のノイズ，すなわち，**X線写真モトル** radiographic mottle は，大きく分けると，増感紙に吸収されたX線光子の数や分布が統計的にゆらぐことに起因する**X線量子モトル** quantum mottle，増感紙の蛍光体の構造の不均一性に関係した増感紙の構造モトル structure mottle，そして，X線フィルム自体のもつ粒状 film graininess の3つに分類される．X線量子モトルと増感紙の構造モトルは，増感紙が発光し，X線フィルムに記録される過程でX線写真モトルに影響するものであり，これらを併せて**増感紙モトル** screen mottle という．増感紙モトルに占める増感紙の構造モトルの割合は，X線量子モトルと比べて非常に少ない．これらの関係をウィーナースペクトルで示した図を**脚注図3-4**に示す．横軸は空間周波数で，縦軸は相対的なウィーナースペクトル値である．X線量子モトルは，X線写真モトルの中で最も大きな割合（60％以上）を占めることが知られている．また，低い空間周波数領域では，X線量子モトルが最も支配的なノイズである．一方，X線フィルムの粒状性は空間周波数に依存せずほぼ一定の値を示し，高い空間周波数領域では最も支配的なノイズ因子である．

　　脚注図3-5に増感紙とX線フィルムを密着させて撮影したX線写真（図中a），および，増感紙とX線フィルムの間隔を5段階に変化させて撮影されたX線写真（b～f）を示す．すべての写真は同じX線光子数で撮影されている．これらのX線写真を観察すると，増感紙とX線フィルムが密着したときには粗くて鮮明な粒状の様子が見える．しかし，増感紙とX線フィルムの間隔が大きくなるに従って，粒状の模様がぼかされ，やが

脚注図3-3．増感紙-フィルム系によるX線写真のノイズの構成
（Rossmann K：Spatial fluctuations of x-ray quanta and the recording of radiographic mottle. The American Journal of Roentgenology, Radium Therapy and Nuclear Medicine, Vol. XC (4), 863-869, 1963.）

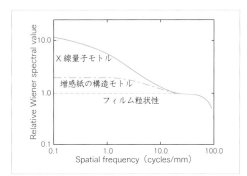

**脚注図3-4．増感紙-フィルム系による
　　　　　ノイズの構成**
（土井邦雄，大頭　仁：ラジオグラフィーにおける粒状性の解析．応用物理，35（11），pp804-811，応用物理学会1966より一部改変.）

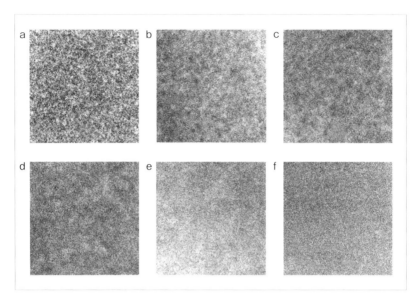

脚注図 3-5.　増感紙と X 線フィルムを密着させて得た X 線写真 a と，増感紙と X 線フィ
　　　　　ルムの間にスペースを設けて撮影した X 線写真（b；スペース＝0.02 mm，
　　　　　c；0.05 mm，d；0.12 mm，e；0.23 mm，f；13.0 mm）
（Rossmann K：Spatial fluctuations of x-ray quanta and the recording of radiographic
mottle. The American Journal of Roentgenology, Radium Therapy and Nuclear Medi-
cine, Vol. XC（4），863-869, 1963.）

　て，高い空間周波数成分をもった鮮鋭で細かな X 線フィルムの粒状だけが観察できる．
この結果より，X 線写真モトルは，増感紙で X 線が吸収され，発光した光が X 線フィル
ムに露光される過程で，光の拡散による影響，すなわち，増感紙によるボケ（MTF）の
影響を受けることを示している．
　X 線写真モトルの中で最も大きな割合を占める X 線量子モトルのウィーナースペクト
ル（WSq）は，MTF のほかにも，フィルム特性曲線のグラジェント（G）と，単位面積
当たりに吸収した平均の X 線光子数（$\bar{n}$）の影響を受けることを考慮すると，次式のよ
うに近似できることが知られている．

$$WSq(u) \approx \frac{(\log_{10}e \cdot G)^2 \cdot MTF^2(u)}{\bar{n}}$$
脚注式 3.11

　この近似式を使って，X 線量子モトルがどのように変化するのかを考えてみる．たと
えば，X 線に対する感度は同じであるが，異なった解像特性（MTF）をもった 2 種類の
増感紙と 1 種類の X 線フィルムを組み合わせた 2 つのシステムを考える．このとき $\bar{n}$ と
G は同じである．よって，X 線量子モトルのウィーナースペクトルは，解像特性の優れ
た（MTF 高い）システムのほうが値が高くなることが理解できる．同様に，フィルム
コントラストの高いシステムと低いシステムでは，フィルムコントラストの高いシステ
ムのほうがフィルムコントラストの低いシステムよりノイズレベルが高くなることがわ
かる（この場合，MTF と $\bar{n}$ が変わらないと仮定）．実際には，複数の因子が関係するの
で複雑であるが，この式は，ノイズ特性が解像特性や入出力特性とどのような関係をも
つのかを理解するのに役立つ．

くシャープな分布，cとdはそれぞれaとbの振幅が減少した分布である．これらの分布から測定されるウィーナースペクトルの模式図を右に示す．aとcは比較的低い空間周波数成分をもち，ノイズ変動が大きなaのほうがウィーナースペクトルの値が高い．またbとdは，aとcより高い空間周波数の成分をもつことを示し，ノイズ変動が大きなbのほうがウィーナースペクトルの値が高い．ここで注目したいのは，aとdでウィーナースペクトルの面積が同じであるとすると，異なるウィーナースペクトルを示すにもかかわらず，RMS粒状度はまったく同じ値と計算されることである．このように，RMS粒状度は，ノイズ特性の一部を表しているにすぎない．これと比べて，ウィーナースペクトルはより詳しいノイズの解析が可能である．

4 ディジタルX線画像システムのノイズ特性の評価

ディジタルX線画像システムのノイズ特性の評価も，RMS粒状度による簡便な方法や，ウィーナースペクトルを用いた手法が役立つ．

図3-41にCRシステムのおもなノイズの要因を示す．ディジタルX線画像システムの構成は増感紙-フィルム系と比べて複雑であり，ノイズのおもな原因である**X線量子モトル**以外にも，X線検出器の**構造ノイズ**（この例ではイメージングプレートの構造ノイズ），輝尽発光の**光量子ノイズ**，電気系のノイズ，**量子化ノイズ**など多くの因子がある．これらの中で，X線検出器の**構造ノ**

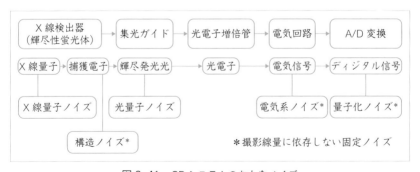

図3-41．CRシステムのおもなノイズ

（Ogawa E, Arakawa M, Ishida M, et al：Quantitative analysis of imaging performance for computed radiography systems. Proceedings of SPIE Vol. 2432, 421-431, 1995 より一部改変.）

イズ，**電気系ノイズ**，**量子化ノイズ**は，撮影線量に依存せず一定の値を示すた
め**固定ノイズ**と呼ばれている．さらに，システム全体のノイズ特性には画像表
示部のノイズも付加される．ディジタル X 線画像システムでも X 線量子モトル
が支配的であることは増感紙-フィルム系と変わらない．一方，高線量域では X
線検出器の構造ノイズが支配的であり，この領域では撮影線量を増加させても
ノイズ特性は改善されないので注意が必要である．このほかにも，画像処理に
よってノイズが軽減することも増加することも起こりうる．

　Giger らが示したディジタル X 線画像システムの総合的な二次元のウィー
ナースペクトル（オーバーオールウィーナースペクトル，$WS_{\text{overall}}(u, v)$）を
式 3.40 に示す．

$$
\begin{aligned}
WS_{\text{overall}}(u, v) = & \Big\{ \Big[\, WS_{\text{A}}(u, v) \times |OTF_s(u, v)|^2 \Big] \\
& * \sum_{m=-\infty}^{\infty} \sum_{n=-\infty}^{\infty} \delta(u - m/\Delta x,\ v - n/\Delta y) \Big\} \\
& \times |OTF_F(u, v)|^2 \times |OTF_D(u, v)|^2 \\
& + WS_{\text{E}}(u, v)
\end{aligned}
\tag{3.40}
$$

　ここで，$WS_{\text{A}}(u, v)$ はアナログ成分のウィーナースペクトルで，通常，X
線量子モトルが大きな割合を示す．$OTF_S(u, v)$，$OTF_F(u, v)$，$OTF_D(u, v)$
は，それぞれサンプリングアパーチャ，画像処理フィルタ，ディスプレイア
パーチャのレスポンスを示す．$WS_{\text{E}}(u, v)$ は，画像出力部の付加ノイズであ
る．｜｜内が**ディジタルウィーナースペクトル**であり，[　]内がプリサンプ
リングウィーナースペクトルである．エリアシングの効果が無視できる場合に
は，プリサンプリングウィーナースペクトルとディジタルウィーナースペクト
ルは等しくなる．実際には $WS_{\text{A}}(u, v)$ に $OTF_S(u, v)$ の二乗が掛かっている
ため，これらのスペクトルはほぼ等しくなると考えられ，ディジタル系のノイ
ズ解析にはディジタルウィーナースペクトルが有用となる．さらに，**オーバー
オールウィーナースペクトル**には，$OTF_F(u, v)$ の二乗と $OTF_D(u, v)$ の二
乗が掛かってくるので高い空間周波数域におけるエリアシングの影響はほとん
ど無視できるくらいに小さくなる．このような場合には，MTF とは異なり，
オーバーオールウィーナースペクトルもノイズの解析に有効となる．

　ディジタルウィーナースペクトルの測定は，X 線検出器に一様な X 線照射を

行い，得られたピクセル値の画像を二次元フーリエ変換して，その絶対値の二乗したものをスリットの長さで割り算して計算できる．このとき，二次元ウィーナースペクトルの一断面を得るためには，幅1ピクセル，長さ30ピクセル程度に細長い仮想的な走査スリットを用いる．ディジタル画像システムの二次元ウィーナースペクトルは，等方的ではなく，ウィーナースペクトルの形状や大きさが方向によって変化するので，通常，直交する2つの方向について測定することが多い．ディジタルシステムのノイズ解析では，このディジタルウィーナースペクトルで評価する場合が多い．ディジタルウィーナースペクトルには画像処理の効果やディスプレイ部の影響を含んでいない．そこでこれらの効果や影響を含んだシステム全体のノイズ特性を示すオーバーオールウィーナースペクトルを測定すれば，撮影線量の違い，X線検出器の違い，画像処理の効果などがシステム全体のノイズ特性に与える影響を調べることができる．さらに，一定のピクセル値で作成したディジタルノイズデータをレーザープリンタなどの画像出力装置に出力し，得られたフィルムのウィーナースペクトル（画像表示部だけのウィーナースペクトル）を測定することも有用な場合がある．

　増感紙–フィルム系はX線量と写真濃度の関係は非線形であるが，ディジタルX線システムには，線形なシステム（X線量とピクセル値との関係が直線で表せる）と，増感紙–フィルム系のように非線形なシステムが混在している．非線形なシステムのウィーナースペクトルの測定では，計算したウィーナースペクトルを相対X線量に変換したウィーナースペクトルに変換する必要がある．その理由は，ピクセル値自体がディジタルX線画像システムごとに任意に設定できるため，ピクセル値で求めたウィーナースペクトルでは，異なるディジタルX線画像システムのノイズ特性を直接比較することが困難であることに基づいている．このような問題を解決するために非線形なシステムでは 3.41，3.42 式を用いてピクセル値で計算された $WS_{\Delta P}$ を，相対X線量で計算した $WS_{\Delta E/\overline{E}}$ に変換すればよい．

$$F(u, v) = \int_{-\frac{x}{2}}^{\frac{x}{2}} \int_{-\frac{y}{2}}^{\frac{y}{2}} \Delta D e^{-2\pi i (ux + vy)} dx dy \qquad 3.41$$

$$WS_{\Delta E/\overline{E}} = \frac{1}{G^2(\log_{10}e)^2} \lim_{N_x N_y \to \infty} \frac{\Delta x \Delta y}{N_x N_y} \overline{|F(u, v)|^2} \tag{3.42}$$

ここで，G はディジタル特性曲線の傾き（**グラジェント**）を表す．$WS_{\Delta E/\overline{E}}$ で計算したウィーナースペクトルは，相対 X 線量の平均値（$\overline{E}$）に対する変動成分（ΔE）であり，これはすなわちノイズの変動成分を単位面積当たりの入射 X 線量で正規化しており normalized noise power spectrum（NNPS）とも呼ばれている．

　一方，線形なシステムでは，ピクセル値で計算された $WS_{\Delta P}$ と相対 X 線量で計算した $WS_{\Delta E/\overline{E}}$ が近似できる場合は相対 X 線量に変換しなくてもよく，ウィーナースペクトル $WS_{\Delta E/\overline{E}}$ は

$$WS_{\Delta E/\overline{E}}(u, v) = \lim_{N_x N_y \to \infty} \frac{\Delta x \Delta y}{N_x N_y} \overline{|F(u, v)|^2} \tag{3.43}$$

$$F(u, v) = \sum_{j=0}^{j-1} \sum_{k=0}^{k-1} \frac{\Delta E(x, y)}{\overline{E}} e^{-2\pi i(ux + vy)} \tag{3.44}$$

で表される．

　ディジタルウィーナースペクトルの測定は，均一に X 線照射を行って得られたディジタルデータから，① 1 ピクセル幅で，長さ方向に長い仮想的なスリットを作成し，この領域に含まれるピクセル値を平均することで，仮想的なスリットで走査する手法（**仮想スリット法**）や，② 二次元のディジタルデータをフーリエ変換してノイズパワースペクトルを求め，u 軸または v 軸の値を除いて，軸周辺のスペクトル値を平均する手法などが提案されている．

　初期の CR システムで 2 種類の輝尽性蛍光板（イメージングプレート，標準型：ST，高解像型：HR）を用いて測定したディジタルウィーナースペクトルを図 3-42 に示す．この図は，イメージングプレートへの入射線量を変化させてディジタルウィーナースペクトルを測定し，相対 X 線量によるウィーナースペクトルに変換したあと，空間周波数が 0.1 cycle/mm と 2 cycles/mm のウィーナースペクトル値を，入射線量に対してプロットしている．

　グラフは，約 0.1mR 以下の線量域においてほぼ−1 の傾きをもち，X 線量子モトルが支配的であることを示している．ST と HR の差は，イメージングプレートの X 線吸収率とプリサンプリング MTF の相違に起因しており，数 mR 以下の線量域では X 線量子モトルが支配的なために，X 線吸収率が高くプリサ

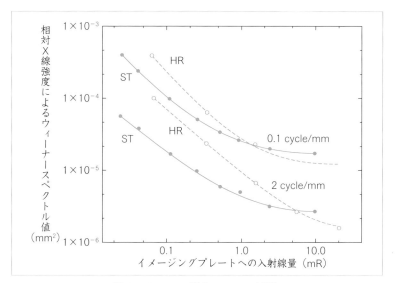

図 3-42．CR で測定したノイズ特性

（Fujita H, Ueda K, Morishita J, et al : Basic imaging properties of a computed radiographic system with photostimulable phosphors. Medical Physics 16（1）：52-59, 1989.）

ンプリング MTF の値が小さい ST のほうがノイズが少ない（ウィーナースペクトルの値が小さい）．しかし，それ以上の線量域では，イメージングプレートの構造モトルが支配的となり，HR のほうが ST よりわずかに低いウィーナースペクトルの値を示すようになる．このような線量域では，X 線量を増やしてもノイズ特性は改善しない．

　図 3-43 に 3 つの異なる線量レベルで測定した間接変換型 FPD システム a と CR システム b のウィーナースペクトルを示す．両システムとも線量の増加とともにウィーナースペクトルの値は減少しているが，同じ線量では間接変換型 FPD のほうが値が低いことがわかる．CR システムの主走査方向（H）では，アンチエリアシングフィルタの影響で高い空間周波数成分の値が急激に低下している．なお，3 つの線量レベルでのウィーナースペクトルを示す手法は，IEC でも推奨している評価法である．

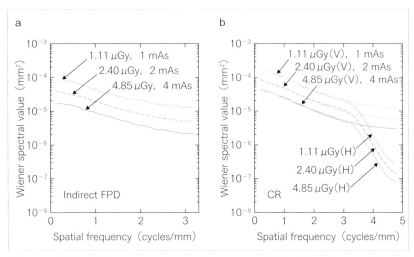

図 3-43.　間接変換型 FPD システム（a）と CR システム（b）で測定した 3 つの異なる線
量でのウィーナースペクトルの比較（CR の H はレーザービームの主走査方向，
V は副走査方向）

(Tanaka N, Morishita J, et al.：Basic imaging properties of an indirect flat-panel detector
system employing irradiation side sampling（ISS）technology for chest radiography：com-
parison with a computed radiographic system. Radiol Phys Technol 6：162-169，2013.)

5 ノイズ特性の測定手順

　ディジタルウィーナースペクトルの測定には，① 仮想スリット法と，② 2 次
元フーリエ変換法があるが，本書では仮想スリットによる測定法について，
NIH が開発した「Image J」と Microsoft 社の Office「Excel」を用いて解説す
る（図 3-44）.

1）画像の表示

　Image J にて画像を開く．使用する画像は均一に照射した画像とする．ディ
ジタルウィーナースペクトルは，線量依存性があるため，各ディジタルシステ
ムのノイズを比較・解析する際は，同一線量で一様に照射することが原則であ
る．ここでは，CR とピクセルサイズ 0.1 mm の片面集光型輝尽性蛍光板を用い
て取得した画像を例に解析を進める．

2）関心領域（ROI）の設定

　ctrl＋A で画像全体を囲み，タスクバーから「Edit」→「Selection」→「Spec-

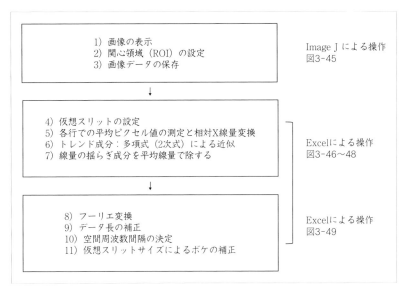

図3-44. ディジタルウィーナースペクトル測定のフローチャート

ify」と進み，画像の中央付近でマトリクスサイズ 256×256 の関心領域を抽出する（図3-45）．入力は，まず Centered：☑ とし，Width：256，Height：256，座標は画像の中央付近に設定する．次にタスクバーから「Image」→「Crop」にて設定した ROI を切り取る．

3）画像データの保存

　タスクバーから「File」→「Save as」→「Text Image」にて切り取った ROI の数値データ（.txt）を保存する．

4）仮想スリットの設定（図3-46）

　保存した数値データをエクセルシートに貼り付ける．まず，仮想スリットの幅は常に最小の1ピクセルとし，スリット長は走査方向の MTF の影響を少なくするため長く設定する．ここでは，幅1ピクセル（0.1 mm），長さ20ピクセル（2 mm）とする（図3-46）．複数回の測定を行う場合，手順5）以降のシートをあらかじめ作成しておき，貼り付けた数値が別シートに反映されるように設定しておくと便利である．

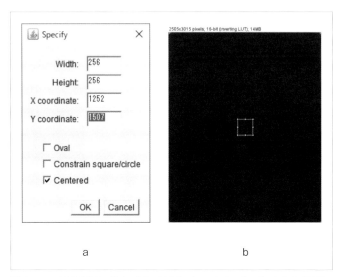

図 3-45. 関心領域の設定（a）と画像（b：中央の枠が切り取り位置）

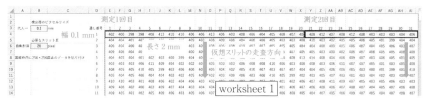

図 3-46. 画像数値データのエクセルシートへの貼り付けと仮想スリットの設定

5）各行での平均ピクセル値の測定と相対 X 線量変換（図 3-47）

　仮想スリットの走査方向に対して，各行（1 行は 0.1 mm 間隔での位置とする）での平均ピクセル値を求める（V 列）．次に相対 X 線量変換を行う（X 列）．ディジタルシステムの特性として，メーカ毎に検出器のビット数（最高ピクセル値）が異なるため，ピクセル値から相対 X 線量への変換を行う必要がある．非線形のシステム，すなわち，相対 X 線量の常用対数（横軸）とピクセル値（縦軸）の関係が直線（log-linear）である場合，変換式は $E(x) = 10^{(PV(x)/G)}$ となり，ここで，E：相対 X 線量，x：位置（mm），PV：ピクセル値，G：ディジタル特性曲線の傾きである．セルの入力は，「＝10＾（V 列／X3）」とす

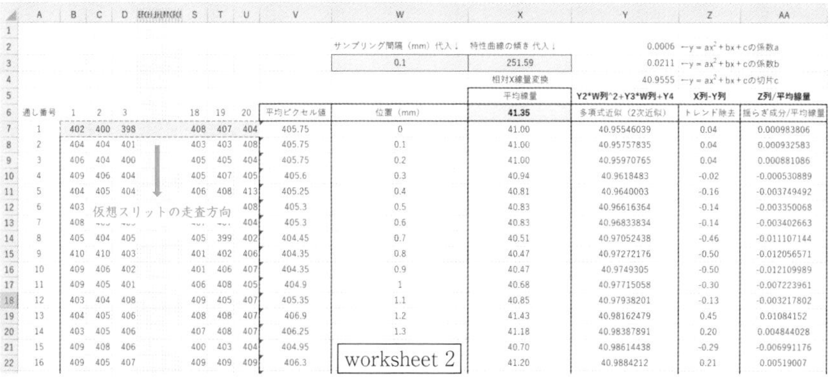

サンプリング間隔 (mm) 代入↓　0.1
特性曲線の傾き 代入↓　251.59
相対X線量変換

0.0006	—y = ax^2+bx+c の係数a
0.0211	—y = ax^2+bx+c の係数b
40.9555	—y = ax^2+bx+c の切片c

平均線量（X6） 41.35

通し番号	1	2	3	…	18	19	20	平均ピクセル値	位置 (mm)	平均線量	Y2*W列^2+Y3*W列+Y4 多項式近似(2次近似)	X列-Y列 トレンド除去	Z列/平均線量 揺らぎ成分/平均線量
1	402	400	398		408	407	404	405.75	0	41.00	40.95546039	0.04	0.000983806
2	404	404	401		403	405	408	405.75	0.1	41.00	40.95757835	0.04	0.000932583
3	406	404	400		405	405	408	405.75	0.2	41.00	40.95970765	0.04	0.000881086
4	404	404	404		405	407	405	405.6	0.3	40.94	40.9618483	-0.02	-0.000530889
5	404	405	404		406	408	413	405.6	0.4	40.81	40.9640003	-0.16	-0.003749492
6	403							405.3	0.5	40.83	40.96616364	-0.14	-0.003350068
7	408							405.3	0.6	40.83	40.96833834	-0.14	-0.003402663
8					405	399	402	405.7	0.7	40.51	40.97052438	-0.46	-0.011107144
9	410	410	403		401	402	406	404.35	0.8	40.47	40.97272176	-0.50	-0.012056571
10	409	406	402		401	406	406	404.35	0.9	40.47	40.9749305	-0.50	-0.012109989
11	409	405	401		406	408	405	404.9	1	40.68	40.97715058	-0.30	-0.007223961
12	403	404	408		409	405	405	405.35	1.1	40.85	40.97938201	-0.13	-0.003217802
13	404	405	406		408	408	407	406.9	1.2	41.43	40.98162479	0.45	0.01084152
14	404	405	406		407	408	409	406.5	1.3	41.18	40.98387891	0.20	0.004884028
15	409	405	406		409	404	404	404.95		40.70	40.98614438	-0.29	-0.006991176
16	409	405	407		409	409	409	406.3		41.20	40.9884212	0.21	0.00519007

（表中注記：仮想スリットの走査方向／worksheet 2）

図 3-47．測定手順 5）〜7）

る．線形システムの場合は，単にディジタル特性曲線の傾きから相対 X 線量に変換すればよい．

6）トレンド成分：多項式（2 次式）による近似（図 3-47, 48）

　W 列を横軸（位置），X 列を縦軸（相対 X 線量）として，散布図を作成し，多項式近似を行う（Y 列）．ここでは，2 次関数による近似式 $y = ax^2 + bx + c$ の例を示す（図 3-48）．測定を複数回行う場合は，あらかじめ，係数 a，b，切片 c を自動的に計算すると別のシートでも反映され，多項式近似の入力の手間が省略できて簡便である．セルの入力はそれぞれ，

　　係数 a：セル Y2 に，$\underline{= \text{INDEX}(\text{LINEST}(縦軸の範囲, 横軸の範囲 } \wedge \{1,2\}),1,1)}$
　　係数 b：セル Y3 に，$\underline{= \text{INDEX}(\text{LINEST}(縦軸の範囲, 横軸の範囲 } \wedge \{1,2\}),1,2)}$
　　切片 c：セル Y4 に，$\underline{= \text{INDEX}(\text{LINEST}(縦軸の範囲, 横軸の範囲 } \wedge \{1,2\}),1,3)}$

とする．このシートでは，縦軸の範囲は，X7：X262，横軸の範囲は W7：W262 である．Y 列の入力は，$\underline{= \$Y\$2*W 列 \wedge 2 + \$Y\$3*W 列 + \$Y\$4}$ となる．

7）線量の揺らぎ成分を平均線量で除する（図 3-47）

　まず，X 列の相対 X 線量から，Y 列で求めたトレンド成分（信号に入り込んだ緩やかな低周波成分であり，トレースのプロファイルが傾斜する原因となる）を差し引くことにより，線量の揺らぎ成分を抽出する（Z 列）．この操作をトレンド除去と呼ぶ．次に，抽出した揺らぎ成分をすべてのピクセル値から計算された平均相対 X 線量（セル：X6）で除する（AA 列）．

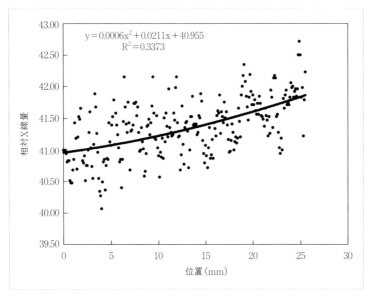

図 3-48. トレンド成分と多項式近似（2 次近似式）の様子

8）フーリエ変換（図 3-49）

揺らぎ成分を平均相対 X 線量で除した値に対して，高速フーリエ変換を行う．ツールバーの「データ」から「データ分析」→「フーリエ変換」として，入力範囲を AA 列（AA7：AA262），出力先を AB7 とする（AB 列）．フーリエ変換の結果（AB 列）は複素数なので，IMABS 関数を使用して複素数の絶対値を求め，これを 2 乗する（AC 列）．セルの入力は，「＝(IMABS(AB 列))^2」とする．

9）データ長の補正（図 3-49）

式 3.38 より，$|\overline{F}|^2$ に Δx(mm)/N を乗じることでデータ長の補正を行う（AE 列）．ここで，$|\overline{F}|^2$ はフーリエ変換の絶対値の 2 乗（AC 列），Δx（mm）はサンプリング間隔 0.1，N は 256 である．

10）空間周波数間隔の決定（図 3-49）

空間周波数の間隔は，1÷（フーリエ変換に使用したデータ数×サンプリング間隔）で求められる（AD 列）．横軸 AD 列，縦軸 AE 列で散布図を作成すると，WS 図が完成する．

	Z	AA	AB	AC	AD	AE	AF
1						Δx(mm):サンプリング間隔	a:スリット幅 (mm)
2	−y＝ax²＋bx＋cの係数a					0.1	0.1
3	−y＝ax²＋bx＋cの係数b		フーリエ変換結果の出力先をA87にする。			N:データ数	b:スリット長 (mm)
4	−y＝ax²＋bx＋cの切片c					256	2
5	X列-Y列	Z列/平均線量	AA列の高速フーリエ変換	iMABS関数		cx/Nを乗じる	
6	トレンド除去	揺らぎ成分/平均線量	FFT	FFT絶対値の2乗	空間周波数 f (cycles/mm)	データ長の補正	WS (mm²)
7	0.04	0.000983806		0	0		
8	0.04	0.000932583	-6.76695753736127E-005-0.174132388425695i	0.030322093	0.0390625	1.18446E-05	2.36893E-05
9	0.04	0.000881086	-9.84295353417474E-002+0.225413968447858i	0.060499831	0.078125	2.36327E-05	4.72665E-05
10	-0.02	0.000530889	8.85383402724507E-002-5.5819050989802E-002i	0.010954804	0.1171875	4.27922E-06	8.55883E-06
11	-0.16	-0.003749492	0.365870929365797-7.10502835697383E-002i	0.13890968	0.15625	5.42616E-05	0.000108532
12	-0.14	-0.003350068	5.51619225230606E-003+1.8197150708411E-002i	0.000361565	0.1953125	1.41236E-07	2.82508E-07
13	-0.14	-0.003402663	-0.177586878317736+0.2244856279383i	0.081930897	0.234375	3.20043E-05	6.40202E-05
14	-0.46	-0.011107144	-0.170158433955604+0.153729736815334i	0.052586725	0.2734375	2.05417E-05	4.10936E-05
15	-0.50	-0.012056571	2.58449255457409E-002+4.4887510694729E-002i	0.002682849	0.3125	1.04799E-06	2.09666E-06
16	-0.50	-0.012109989	0.188234651985651+0.327465397116726i	0.142665871	0.3515625	5.57289E-05	0.000111504
17	-0.30	-0.007223961	-0.348032507484738+0.148150938079935i	0.143075327	0.390625	5.58888E-05	0.000111834
18	-0.13	-0.003217802	0.167362631864197-0.246579326648977i	0.088811615	0.4296875	3.4692E-05	6.94268E-05
19	0.45	0.01084152	-0.32210159999298-3.8127596962423E-002i	0.105203154	0.46875	4.1095E-05	8.22502E-05
20	0.20	0.004844028	-0.141777835032944+0.267189851816023i	0.091491371	0.5078125	3.57388E-05	7.15391E-05
21	-0.29	-0.006991176	0.217600427443491+5.56408534778458E-002i		0.546875	2.01792E-05	4.03986E-05
22	0.21	0.00519007	0.178657470478223+8.26320767732441E-002i		0.5859375	1.51354E-05	3.03054E-05

worksheet 2

図 3-49．測定手順 8）〜11）

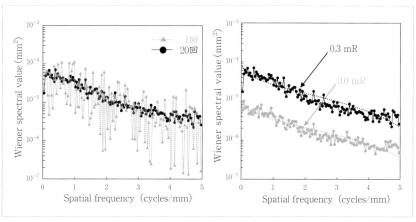

図 3-50．WS の測定例．（a）：スキャン回数の違い（1 回，20 回）．（b）：撮影線量の違い（0.3 mR，3 mR）

11）仮想スリットサイズによるボケの補正（図 3-49）

　前述のとおり，増感-フィルム系では，走査するマイクロデンシトメータの開口の MTF の 2 乗で変調されているので，sinc 関数で補正を行う必要があったが，ディジタルシステムでも正確に測定を行う場合は，仮想スリットの開口の補正を行うことが望ましい．具体的には，手順 9）で求めた結果に，$b/\mathrm{sinc}^2(a\cdot f)$ を乗じる（AF 列）．ここで，a は仮想スリット幅 0.1 mm，b は仮想スリット長 2 mm，f は空間周波数 cycles/mm（AD 列）である．最後に，横軸 AD

列，縦軸 AF 列で散布図を作成すると，WS 図が完成する．

　例として，仮想スリットのスキャン回数の違いと撮影線量の違いを図 3-50 に示す．スキャン回数が少ないと振動が大きいことが分かる．また，異なる撮影線量による WS 値の違いがわかる．注意点として，ディジタルシステムでは，仮想スリット走査の垂直方向と水平方向で異なる特性を示すことがあるため，両方向の測定を必要とする．

（田中延和，井手口忠光）

E DQE

1 DQE の定義

　DQE とは detective quantum efficiency（検出量子効率）の頭文字をとった用語で，これは，信号対雑音比 signal-to-noise ratio（SNR）の概念から導かれた画像の物理的評価の一つである．DQE は，システムに入力した SNR の二乗に対する出力の SNR の二乗で定義される．

$$DQE = \frac{(SNR_{out})^2}{(SNR_{in})^2} \tag{3.45}$$

　システムへの入力は X 線光子で，これは Poisson 分布に従うとする．信号成分は，単位面積 A に入射した X 線光子数 q_A とすれば，式 3.28 と同じように，ノイズ成分は $\sqrt{q_A}$ で表すことができる．つまり，システムへの入力側の SNR の二乗は，次のようになる．

$$(SNR_{in})^2 = \left(\frac{q_A}{\sqrt{q_A}}\right)^2 = q_A \tag{3.46}$$

一方，出力側の SNR の二乗は，画像を形成するために寄与した X 線光子数を信号成分と考え，これを q_A' とすると，ノイズ成分は同様に $\sqrt{q_A'}$ となり，出力側の SNR の二乗は，次のようになる．

$$(SNR_{out})^2 = \left(\frac{q_A'}{\sqrt{q_A'}}\right)^2 = q_A' \tag{3.47}$$

出力側の SNR の二乗は，雑音等価量子数 noise equivalent quanta（NEQ）

と呼ばれている．そこで，式 3.45 に，式 3.46 と式 3.47 を代入して整理すると，次の式が得られる．

$$DQE = \frac{(SNR_{out})^2}{(SNR_{in})^2} = \frac{\left(\frac{q_A{'}}{\sqrt{q_A{'}}}\right)^2}{\left(\frac{q_A}{\sqrt{q_A}}\right)^2} = \frac{q_A{'}}{q_A} = \frac{NEQ}{q_A} \tag{3.48}$$

このように DQE は，NEQ をシステムに入射した単位面積当たりの光子数で割り算して求められる．ここで，NEQ はノイズ特性を示すウィーナースペクトル（WS）の逆数で表されるが，これはシステムの入出力特性の傾きを表すグラジェント G と，システムの解像特性を表す MTF によって変調されるので，次の式で表現できる．

$$NEQ(u) = \frac{G^2 \cdot MTF^2(u)}{WS(u)} \tag{3.49}$$

ウィーナースペクトルは，空間周波数と撮影に用いた線量の関数であることから，NEQ も同様に空間周波数（u）と線量の関数となる．式 3.49 を式 3.48 に代入すると，次の式が得られる．

$$DQE(u) = \frac{G^2 \cdot MTF^2(u)}{q_A \cdot WS(u)} \tag{3.50}$$

図 3-51 に，DQE の測定手順の概略を示す．DQE は，入出力特性から求まるグラジェント，解像特性を表す MTF，そしてノイズ特性を表すウィーナースペクトル，などの基本的な画質特性と，システムに入射した単位面積当たりの X 線光子数を求めて，これらを式 3.50 に代入すれば求めることができる．

ディジタル X 線画像システムでは，MTF としてプリサンプリング MTF（MTF_{pre}）を測定し，ウィーナースペクトルはディジタルウィーナースペクトル（$WS_{\Delta P}$）を測定する．異なるシステムと比較するために，ピクセル値から計算したディジタルウィーナースペクトル（$WS_{\Delta P}$）から相対 X 線量によるウィーナースペクトル（$WS_{\Delta E/\overline{E}}$）に変換する必要があり，DQE は，線形なシステム（相対 X 線量（の真数）とピクセル値が比例）の場合，

$$DQE(u) = \frac{G^2 \cdot MTF_{pre}{}^2(u)}{q_A \cdot WS_{\Delta p}(u)} = \frac{MTF_{pre}{}^2(u)}{q_A \cdot WS_{\Delta E/\overline{E}}(u)} \tag{3.51}$$

非線形なシステム（相対 X 線量の対数とピクセル値が比例）の場合，

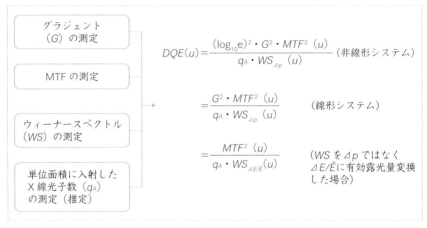

図 3-51．DQE の測定手順の概略

$$DQE(u) = \frac{(\log_{10}e)^2 \cdot G^2 \cdot MTF_{pre}^{\ 2}(u)}{q_A \cdot WS_{\Delta p}(u)} \qquad\qquad 3.52$$

となる．ただし式 3.51，3.52 では，コントラストを低下させる因子（イメージインテンシファイアではこの因子を veiling glare という）を考慮していない．

DQE は，ある X 線光子数がシステムに入射したときに，どれだけの X 線光子数が利用されたのかを示す指標であり，理想的なシステムでは最大値の 1.0 となるが，現実のシステムではこれを超えることはない．

図 3-52 に，酸硫化ガドリニウムと柱状結晶のヨウ化セシウムを X 線検出器に用いた間接変換型 FPD システムの DQE を示す．柱状結晶のヨウ化セシウム（図 3-29）は光の広がりによる鮮鋭度の低下が少なく，X 線吸収効率を高めるために蛍光体を厚くできることもあり，酸硫化ガドリニウムより高い DQE を示している．また，図 3-53 に酸硫化ガドリニウムを X 線検出器に用いた間接変換型 FPD システムと CR システムの DQE の比較を示す．

2 DQE の解釈と注意点

NEQ は，撮影に用いた X 線量に依存し，線量が増大すればその値は大きくなる．増感紙-フィルム系では，X 線量が決まると写真濃度が決まるため，一定の写真濃度を得ることを前提に，異なるシステムを比較することは有用な評価

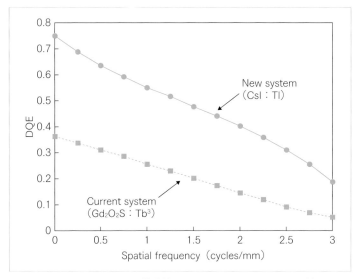

図 3-52.　2 種類の間接変換型 FPD システムの DQE の一例
（Matsumoto M, Yamazaki T, Nokita M, et al：Physical imaging properties
and low-contrast performance of a newly developed flat-pannel digital
radiographic system. Jpn. J. Radiol. Technol., Vol 61, No 12, 1656-1665, 2005
より一部改変.）

手段の一つであった．しかし，ディジタル X 線画像システムでは，撮影に用い
た X 線量がある範囲内で多くても少なくても観察に適切な濃度の画像の形成
が可能なことから，異なるディジタル X 線画像システムに対して，線量を固定
せずに NEQ を測定して得られた結果を直接比較することは困難である．一方，
DQE は，システムへ入射した単位面積当たりの X 線光子数を考慮しているた
めに，撮影条件の影響を受けにくい．DQE は，システムの入出力特性から求ま
るグラジェント，解像特性を表す MTF，そして，ノイズ特性を表すウィーナー
スペクトルなどの基本的な 3 つの画質特性を含んでいることから，総合的な画
質評価法と考える場合もある．しかし，これら 3 つの画質特性と，システムへ
の入射した単位面積当たりの光子数などをすべて正確に求めて計算に用いない
かぎり，正しい評価は望めない．また，DQE は，画像を取り込む過程，すなわ
ち X 線を効率よく利用しているかの指標であり画像処理や画像出力部の特性
を考慮していない．このことは，目的に応じて，画像出力部を自由に選択でき

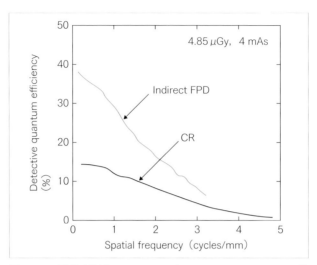

図 3-53. 間接変換型 FPD システムと CR システムの DQE の比較
(Tanaka N, Morishta J, et al：Basic imaging properties of an indirect flat-panel detector system employing irradiation side sampling (ISS) technology for chest radiography：comparison with a computed radiographic system, Radiol Phys Technol 6：162-169, 2013.)

るディジタル X 線画像システムの評価には役立つことを意味する．しかし同じ DQE 値が得られたとしても，ディジタル X 線画像システムではいとも簡単に出力画像を変化させることが可能であることから，最終的な画像の評価ができないことが問題である．たとえば，画像を出力するときに，ウィンドウイングレベル処理などの画像処理を行えば，DQE は同じであっても出力画像が変化することを考えると容易に理解できるであろう．また，DQE だけではなく，ほかの画質特性の評価とも共通するが，画像を観察する観察者の特性を考慮に入れていないことも知っておくべきである．

（杜下淳次）

4章

画像の主観的評価法

SUMMARY

1. 医用画像の評価法には，画像の物理的な特性を評価する客観的（物理的）評価法と，人の視覚や主観的な判断を用いて画像（病変）の見えやすさを判定する視覚評価法，または主観的評価法がある．

2. 主観的評価法では，医用画像の優劣を判定するのは人（観察者：医師，放射線科医，診療放射線技師）である．

3. 人の能力には個人差があり，また同じ人であっても個人内変動があるので，できるだけ多くの観察者による観察者実験の実施が必要となる．

4. 観察者実験では，最初に評価対象となる試料画像セットを用意して複数の観察者が読影し，個々の試料画像に含まれる信号（病変）の有無や鑑別に対する評定スコアを観察者から収集して統計的に解析することで，評価対象であるシステムの優劣を判定する．

5. 主観的評価法では，評価結果に対する観察者群や試料群の母集団との統計的解析が不可欠であり，正しく評価を行うことは容易ではない．しかし，主観的評価法は実際の診断行為に近い状態で医用画像を評価しており，さらに，検出対象が病気の存在そのものである場合も多いため，画質の評価を臨床に反映させるためには，その画像を用いて読影を行う医師または診療放射線技師による主観的評価の結果が重要な意味をもつ．

A｜視覚評価とは何か

　客観的評価法と主観的評価法の違いと両者の必要性をわかりやすく説明する
ために，図4-1に，車を購入する場合を例にとって示す．諸元表に示した燃費
やエンジンの排気量，出力，トルク，さらに車両価格といったデータは車の客
観的な評価結果を示している．しかし，購入者が車の車種およびクラスを決定
する場合には，客観的な評価結果だけでなく，スタイルや色，乗り心地や機敏
性など，主観的な評価結果もまた重要な意味をもつ．つまり，車の客観的評価
の結果と主観的評価との間に多少の相関関係が認められたとしても，実際問題
上，個々の物理的特性の何が主観的な評価結果に大きな影響を与えたかを調べ
ることは困難で，最終的には主観的な評価に従って購入する車を決定する場合
が多くなる．同様のことが医用画像評価においても考えられる．画像の物理的
特性を客観的に評価することは，画像の基本的な性能を理解するうえで重要で
あるが，主観的評価を行うことにより，物理的評価によって得られた結果だけ
でなく，その画像を用いることが病気の早期発見や見落としの防止に役立つの
か，つまり，「患者にとって利益があるか？」という，非常に明らかで大切な目
的に対する答えを得ることが可能となる．
　主観的評価で観察者に提示される試料画像には，ファントムを撮影して作成
したものや，臨床で実際に診断に用いられたもの，または，正常な臨床画像に

図4-1．客観的評価と主観的評価の違い

異常陰影を擬似的に付加したものがある．ファントムを用いた視覚評価法には，**C-D ダイアグラム**（contrast-detail diagram）や，人体ファントムを用いた方法があり，じん肺の健康診断における胸部 X 線像の精度管理を目的として行われている胸部 X 線像の視覚評価法には，BRH（Bureau of Radiological Health, FDA）法，全国労働衛生団体連合会（全衛連）評価法，そして，京都大学（胸部疾患研究所）評価法がある．さらに，特定の疾患に関係した異常所見の検出能や識別能を評価することを目的とした receiver operating characteristic（ROC）解析や free response ROC（FROC）解析があり，ほかにも特定の条件に関して，画質を比較評価することでシステムの優劣を統計的に決定することが可能な**一対比較法**がある．

　いずれの視覚評価法の場合でも，観察者は理想的には最高の検出能を示すことが望ましいが，観察者の経験や読影対象によって結果が変動することがわかっている．それゆえに，視覚評価法における観察者実験を実施する場合には，できるだけ多くの観察者のデータを収集し，観察者間および観察者内の変動を統計的に考慮したうえでの検証が必要となる．

　ROC 解析は，最初，第 2 次世界大戦中に飛行機を発見するレーダー・システムの性能評価を目的として考案された．「飛来する物体が飛行機なのか？　それとも鳥の群なのか？」を判別する能力，さらに，「それがどんなに小さい飛行機であっても（低空飛行で飛来しても），認識が可能であるのか？」といったレーダー・システムの能力を評価するために開発された．そして，こういった信号検出の研究における必要性から，統計的決定理論が開発された．

　その後，すぐに人による信号検出の性能を評価するために ROC 解析が応用されるようになり，1960 年には，放射線画像診断の判断意思決定の評価における ROC 解析の利用が，Lusted によって提案された．つまり，先に示した“レーダー・システム”を“放射線画像システム”に，“飛来する飛行機”を“病変”に，そして“鳥の群れ”を“さまざまな人体の正常構造”に置き換えて，臨床に応用解析しようとしたわけである．

　実際に ROC 解析が放射線画像領域で利用されるようになったのは，Lusted がシカゴ大学に移った後の 1970 年代以降のことで，Goodenough や，Metz らによる研究によって ROC 解析の方法論が確立された．さらに，1980 年代に始まったコンピュータ支援診断 computer-aided diagnosis（CAD）の開発

や，2000年代に入ってから飛躍的に進歩を遂げている人工知能（Artificial intelligence：AI）を応用したCADの応用拡大に伴って，CADシステムによる診断の正確さや，CADシステムを利用した場合の医師の診断の正確さの改善の程度を評価するためにROC解析の必要性が高まり，最近では国内外のCADに関する論文においてROC解析が実施されていない論文を探すのが困難と思われるくらいに普及しつつある．

　ROC解析が他の視覚評価と大きく異なる点は，その評価結果が診断能に直接的に関係しているという点である．診断能とは，ある医用画像システムを用いた場合の"診断の正確さ"の程度を示す一つの尺度である．簡単にいえば，「その画像を用いることで，どの程度，正確な診断が可能になるのか？」という医用画像システムの能力を表している．ここで注意してほしいのは，診断能は，単なる"画像の見やすさ"とはまったく意味が違うということである．たとえば，胸部の正面単純X線画像に肺がんの陰影が写っていたとしても，肺がんの陰影がどのような見え方をするのか，また，正常な生体構造がどのように写るのか，という医学的な知識がなければ，陰影が見えていたとしても，肺がんの陰影を検出することは困難である．こういった一般的に画像診断といわれる行為は「視知覚 visual perception」と呼ばれる行為の一つであり，このように，診断能という言葉には，単なる見やすさだけではなく，正常と異常を判別して認識できるようになるという意味が多く含まれている．

B｜刺激反応行列

　医師が医用画像を読影することによって得られる結果（判定）は，究極的には，その読影した画像に「異常陰影が含まれる」，もしくは「異常陰影は含まれない（正常である）」のどちらかでしかない．そして，読影される画像がもつ真実もまた「異常陰影を含む」，もしくは「異常陰影を含まない」の2通りしかない．ここで，医師に提示する画像を「刺激」，その読影結果（判定）を「反応」とした場合，その関係は，表4-1に示すような「刺激-反応マトリクス」で示される．

　「刺激-反応マトリクス」に示されるように，医用画像の読影における医師の

表 4-1.　刺激-反応マトリクス

		反応（読影結果）	
		異常陰影が含まれる positive	異常陰影が含まれない negative
刺激 （医用画像）	異常陰影を含む positive	真陽性 true positive（TP）	偽陰性 false negative（FN）
	異常陰影を含まない negative	偽陽性 false positive（FP）	真陰性 true negative（TN）

判定の種別は 4 通りしかなく，それらは，異常陰影を含む画像（ポジティブ像）を，正しく「異常陰影あり（positive）」と判定する真陽性 true positive（TP）と，誤って「異常陰影なし（negative）」と判定する偽陰性 false negative（FN），そして，異常陰影を含まない画像（ネガティブ像）を，正しく「異常陰影なし（negative）」と判定する真陰性 true negative（TN）と，誤って「異常陰影あり（positive）」と判定する偽陽性 false positive（FP）と定義される.

C　感度，特異度，陽性的中率，陰性的中率

　医師（観察者）が異常陰影を含む画像を，どれだけ正しく「異常陰影あり」と判定したかを評価する指標を感度（sensitivity）と呼び，同様に，異常陰影を含まない画像を，どれだけ正しく「異常陰影なし」と判定したかを評価する指標を特異度（specificity）と呼ぶ. 感度と特異度はそれぞれ，以下に示す式で表される.

$$Sensitivity[\%] = \frac{TP}{TP+FN} \times 100 \tag{4.1}$$

$$Specificity[\%] = \frac{TN}{TN+FP} \times 100 \tag{4.2}$$

　感度と特異度は，それぞれ，医師の読影能力の指標とも考えられるが，医師の判定がどれほど正しいかを示す指標としては，陽性的中率 positive predictive value（PPV）と陰性的中率 negative predictive value（NPV）が用

いられる．陽性的中率は，医師の判定が陽性であった場合に，それが正しい確率を，同様に，陰性的中率は，判定が陰性であった場合に，それが正しい確率を示す．陽性的中率と陰性的中率を求める式を以下に示す．

$$PPV[\%] = \frac{TP}{TP + FP} \times 100 \qquad\qquad 4.3$$

$$NPV[\%] = \frac{TN}{TN + FN} \times 100 \qquad\qquad 4.4$$

　端的にいえば，ROC 解析の評価に用いられる ROC 曲線は，縦軸に感度/100 と同等の意味をもつ関数の真陽性率 true positive fraction（TPF），横軸に（100−特異度）/100 と同等の意味をもつ関数の偽陽性率 false positive fraction（FPF）で表され，異常陰影ありと異常陰影なしの境界を決定する観察者（医師）の判断基準を変化させた場合の感度と特異度をプロットしたものが ROC 曲線である．たとえば，異常陰影ありの画像が 100 例，異常陰影なしの画像が 100 例あり，それを観察者が読影する場合，もし観察者がすべての症例について「異常陰影あり」と判定すれば，その場合の感度は 100% で，特異度は 0% となり，図 4-2 に示すように，ROC 曲線における（TPF, FPF）は（1.0, 1.0）となる（FPF =（100−特異度）/100 = 1.0）．同様に，観察者がすべての症例に対して，「異常陰影なし」と判定した場合は，感度は 0%，特異度は 100% となり，ROC 曲線における（TPF, FPF）は（0.0, 0.0）となる．この設定において，最も理想的なのは，すべての異常陰影ありの画像を正しく「異常陰影あり」，すべての異常陰影なしの画像を正しく「異常陰影なし」と判定することで，その場合は感度も特異度も 100% となり，ROC 曲線における（TPF, FPF）は（1.0, 0.0）となる．したがって，最も理想的な ROC 曲線は，図 4-2 に緑線で示す，（TPF, FPF）が（0.0, 0.0）から始まって，左上角（1.0, 0.0）を通り，右上角（1.0, 1.0）に達する曲線である．しかし，実際は感度と特異度は相反する関係にあるため，異常陰影ありの判断基準を高く設定する（絶対に異常陰影があると思われる症例だけ，異常陰影ありとする）と感度は低くなるが，特異度は高くなり，逆に異常陰影ありの判断基準を低く設定する（少しでも疑わしいものはすべて異常陰影ありとする）と感度は高くなるが，特異度が低くなる．そのため，ROC 曲線は一般的には左上にピークをもつ曲線を描く．

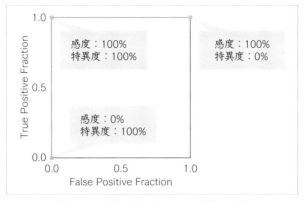

図 4-2.　感度・特異度と ROC 曲線の関係

D｜両正規分布と ROC 曲線

　前述のように，ROC曲線は観察者の異常陰影ありと異常陰影なしの境界の判断基準を変化させることで描くことができるが，観察実験で得られた観察者の反応から，ROC曲線を推定するためには，いくつかの理論があり，それぞれに長所短所がある．ここでは，Metzらの提唱する両正規 ROC 解析の理論によるROC曲線の推定について解説する．

　発見者の名をとってガウス分布とも呼ばれる正規分布は，代表的な連続型の確率分布で，自然界や人間社会の中の数多くの現象に当てはまり，統計学では理論上，および応用上において非常に重要な確率分布の一つと考えられている．医用画像に含まれる正常構造を「雑音」，異常陰影を「信号」と考えた場合，両正規 ROC 解析では観察者の雑音に対する反応と信号＋雑音に対する反応は，それぞれに独立した正規分布になる，という仮定のもとに理論が構築されている．

　一般に ROC 解析における観察者実験では，雑音だけの画像をネガティブ（陰性）像，雑音に信号が付加された画像をポジティブ（陽性）像と呼び，それぞれについて数十〜数百枚の画像を試料画像群として用意する．そして，それらのネガティブ像とポジティブ像を，その属性がわからないようにランダムに混

在させたものを観察者が読影し，それぞれの画像について信号の有無についての判断基準値を決定する．ここで，判断基準値とは，信号が存在する（または画像がポジティブである）確率を意味し，観察者実験では評定スコアと呼ぶ．観察者実験において，各画像につけられた判断基準値の分布が，ネガティブ像とポジティブ像のそれぞれについて前述のように正規分布になると仮定すると，それらの分布は図 4-3 に示すような両正規分布になる．ここで，横軸は信号の有無についての判断基準値軸 decision axis で，$-\infty \sim +\infty$ までの値となり，縦軸は確率密度 probability density（観察者によって振り分けられた判断基準値ごとの画像の頻度）を表す．

　観察者がポジティブ像，およびネガティブ像を観察した場合の反応は，表 4-1 の刺激-反応マトリクスで示した 4 つの種別に分類されるが，ROC 解析では，4 種の反応のうち TP（真陽性）と FP（偽陽性）を評価に用いる．ネガティブ像における判断基準値の正規分布関数を $FP(x)$，ポジティブ像の正規分布関数を $TP(x)$ とすると，両者は以下の式で示される．

$$FP(x) = \frac{1}{\sqrt{2\pi}\sigma_n}e^{-\frac{(x-\mu_n)^2}{2\sigma_n^2}}$$
　4.5

$$TP(x) = \frac{1}{\sqrt{2\pi}\sigma_s}e^{-\frac{(x-\mu_s)^2}{2\sigma_s^2}}$$
　4.6

ここで，μ_n, μ_s はそれぞれ，観察者がネガティブ像およびポジティブ像につ

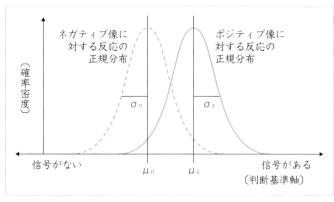

図 4-3.　ネガティブ像とポジティブ像に対する観察者の反応の正規分布

けた判断基準値の正規分布の平均値で，σ_n，σ_sはその標準偏差を示す．

ROC曲線は$FP(x)$および$TP(x)$から算出する．図4-4に示すように，ネガティブ像およびポジティブ像に対する観察者の反応である$FP(x)$および$TP(x)$の正規分布は，「信号がある」と「信号がない」の判断基準軸上では，一般的には，互いの正規分布の一部が重なる形となる．ROC曲線の縦軸，横軸の，TPF，FPFはそれぞれ，判断基準軸上の任意の判断基準値x_iから$+\infty$（絶対に信号があるという判断基準）までの$TP(x)$および$FP(x)$の部分積分であるTPF$(x_i\sim+\infty)$，FPF$(x_i\sim+\infty)$を，$TP(x)$および$FP(x)$の全積分のTPF$(-\infty\sim+\infty)$とFPF$(-\infty\sim+\infty)$で正規化したものである．

両正規ROC解析において得られたROC曲線は，両正規パラメータaおよびbを用いて表現することができる．ここでaおよびbは，図4-4に示す観察者がネガティブ像およびポジティブ像につけた判断基準値の正規分布の平均値μ_n，μ_sおよび標準偏差の，σ_n，σ_sから算出することができる．aおよびbは以下の式で定義されている．

$$a = \frac{\mu_s - \mu_n}{\sigma_s}(\mu_s > \mu_n) \tag{4.7}$$

$$b = \frac{\sigma_n}{\sigma_s} \tag{4.8}$$

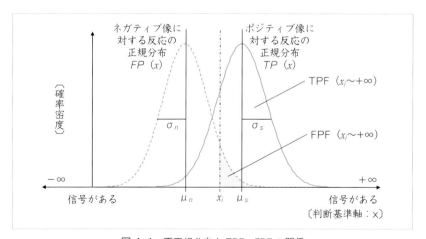

図4-4．両正規分布とTPF，FPFの関係

また, ROC 曲線の TPF および FPF と両正規パラメータ a および b の関係は以下のように示される.

$$TPF = \Phi[b \cdot \Phi^{-1}(FPF) + a]$$ 4.9

ここで, Φ および Φ^{-1} は累積分布関数およびその逆関数を示す.

E ROC 曲線で何がわかるか

　ROC 曲線を定量的に表現するための手段として, ROC 曲線下の面積 area under the curve（AUC）が一般的に用いられる. AUC は, 式 4.9 で示した TPF の全積分値で, 最大値は 1.0 となる. なお, ROC 解析が普及し始めた当初, AUC は A_Z と表現されていたが, A_Z は両正規分布関数を前提とした場合にのみ有効である表現法なので, 最近では一般性の高い AUC に表現が統一されている.

　さまざまな両正規パラメータ a や b における ROC 曲線, およびその面積 AUC の組み合せの例を, 図 4-5 に示す. 図から理解できるように, a の値が大きくなれば（ポジティブ像およびネガティブ像に与えられた判断基準値の平均値の差が大きくなれば）, ROC 曲線は左上角に近づき, AUC の値は 1.0 に近づく（図 4-5 a）. また, b の値が 1.0 の場合（図 4-4 に示すように 2 つの正規分布の標準偏差が等しい場合）は, ROC 曲線は負の対角線に対して対称な曲線となり（図 4-5 b）, 1.0 より小さい場合（ネガティブ像に対する判断基準値の標準偏差がポジティブ像に対するものより小さい場合）は, カーブのピークが左方へ移動する（図 4-5 c）. b の値が 1.0 よりかなり小さく, a の値が 1.0 より小さい場合（ネガティブ像とポジティブ像における判断基準値の平均値の差が小さい場合）には, ROC 曲線は右上角で逆 S 字状を示す（図 4-5 d）. これはフック hook と呼ばれる現象で, 試料の作成や収集, または観察者の判断基準の設定方法に問題がある場合に発生する.

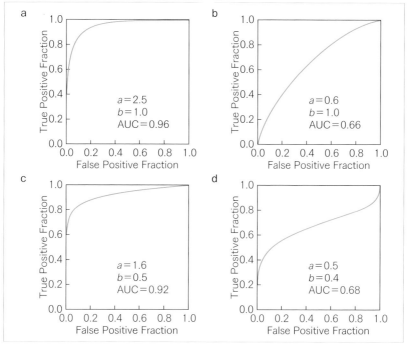

図 4-5.　両正規パラメータ a, b, および ROC 曲線下の面積 AUC と ROC 曲線の関係
a：a の値が大きい場合，b：a の値が小さい場合，c：b の値が 1 より小さい場合，
d：a, b ともに 1 より小さい場合

F｜ROC 観察者実験

　ROC 解析に限らず，観察者による評定を必要とする実験は，評定に要する時間や労力の点で他の評価法よりも大変な場合が多く，また簡単に実験をやり直すということができない．また試料画像や観察者の選択，および評定方法の違いが評価結果に特定の影響を与え，何らかの効果を生じさせる場合もある．そのため，ROC 観察者実験を行う場合には，それらのことを十分に考慮したうえで実験計画を立て，効率よく，しかも失敗のない ROC 解析を行うように努力する必要がある．

1 実験目的と信号の決定

　ROC 解析が行われる目的は，① 画像システム，画像パラメータ，画像処理法，そして画像通信保管といった，画像に直接影響する因子の診断能の向上における効果判定，② CAD（AI 診断を含む）の性能評価，③ 特定の疾患についてのモダリティ別の診断能の比較，④ 薬剤や造影剤といった検査の付加的因子の効果や最適量の判定など，多種多様でその応用範囲は広がりつつある．

　ROC 解析の大きな利点は，病変を信号と見なすことで，異なったモダリティ間の比較（たとえば，CT と MRI，computed radiography（CR）と flat panel detector（FPD）など）が可能ということである．高度医療が進みさまざまなモダリティが医療に利用される現在においては，モダリティ間の評価を可能にする ROC 解析に係る期待は大きい．臨床画像を試料画像とする場合は，評価する対象が特定の疾患の病変（たとえば，肺がんの陰影，乳がんの微小石灰化など）が明らかな場合が多いので，比較的実験目的と信号の関係が単純で一致しやすい．しかし，ファントム像を用いて ROC 実験を行う場合には，実験目的と信号の関係が正しく設定されているかという点について，より一層の注意を払う必要がある．

　たとえば，古典的な ROC 実験の「信号」に用いられるビーズ玉は，腹部単純 X 線像を撮影した場合の，読影困難な胆石を想定して考え出された．この「信号」は，増感紙–フィルムシステムの粒状度と低コントラスト分解能を評価するのが目的で，決して鮮鋭度を比較するために用いられたのではない．仮に，一般撮影用画像システム（CR や FPD など）の鮮鋭度の比較評価に ROC 解析を用いるのであれば「信号」には鮮鋭度を反映するような被写体（たとえば，針の糸通し穴）を採用する必要がある．

2 試料画像の作成と収集

　ROC 観察者実験に用いられる試料画像は，前述のように臨床画像とファントム画像の 2 種類に分けられる．そして実際には，これらを実験目的に応じて使い分けるようにする．

　X 線画像の物理的な因子の基礎的な評価には，ファントム画像を用いたほうが，試料画像の作成も容易で，信号強度を定量的に変化させることが可能であ

る．さらに，ファントム画像は試料画像数を多くすることが容易であるので，そのために統計的に有利な結果が得られる場合が多いという利点をもっている．

　画像の総合的な評価や，臨床応用に関連した ROC 解析の場合には，臨床画像を試料画像として用いる．しかし，ROC 観察者実験の評価結果は，試料画像に含まれる信号（病変）の検出の困難さの程度に左右されるといっても過言ではないので，臨床画像を試料画像として収集する場合には，十分な準備期間と複数の専門読影医師による画像の選別が不可欠である．

　臨床画像の収集には，ランダム標本と階層標本と呼ばれる 2 つの収集方法がある．ランダム標本は無作為に試料画像を収集する方法で，収集が簡便な場合が多いが，試料画像群における症例の特徴の比率を母集団の頻度分布に近くするためには，試料画像数を多くする必要がある．

　一方，階層標本は，最初に大量の試料画像を収集した後に，それらを読影の難易度に応じていくつかの階層に分け，最終的には臨床画像の母集団の頻度分布に合わせて観察者実験で使用する試料画像を選別する方法で，試料画像数を少なくできる代わりに，あらかじめ母集団間の頻度分布を正しく評価し，その階層を構築するという作業が必要になる．

　試料画像の収集が困難な臨床画像を用いた ROC 観察者実験では，一般的に，ランダム標本よりは階層標本が正確であると考えられている．また，システム間の比較を目的として ROC 観察者実験を行う場合には，階層標本によって収集された試料画像を用いたほうが，読影の難易度の調整が容易で，統計的有意差の検証や，実験の再現性においてランダム標本よりも有用な結果が得られる場合が多い．

　ランダム標本にしても階層標本にしても，多くの観察者が見落とすような，検出の難易度の高い臨床画像を収集するためには，多大な努力と時間が必要となる．そのため，そういった苦労を少しでも軽減するために，いくつかの研究グループによって大規模な症例の画像データベースが構築され，その多くが一般に公開されている．今後，CAD や新しい画像モダリティの有用性を客観的に評価するために，一般公開されている大規模な画像データベースが ROC 解析に利用されることが予想される．

　ROC 観察者実験に用いられる試料画像の数は，前述のように，画像の種類や収集方法によって制約を受けるが，実験結果の統計的有用性を考慮した場合，

多ければ多いほど統計的には有利になる．しかし，実際には実験を行う場合の観察者の労力や疲労を考慮しなければいけないので，試料画像数を少なくして観察者数を増やす，読影回数を多くする，または，多数枚の試料画像を分割して読影するといった工夫が必要になる．この際，1 回の観察者実験の所要時間が 1 時間未満になるような目安で試料画像数や分割数を決定することで，観察者の疲労による影響が排除される．また，統計的な変動を考慮して，ネガティブ像，ポジティブ像のそれぞれの試料画像数は，最低でも各 20 画像は用意したほうがよいと思われる．

3 予備実験

　試料画像の作成および収集の作業が終了した時点で，最終的な実験結果を推測するために予備実験を行う．これは，2 つのシステムやモダリティを比較評価する場合に得られるであろう 2 つの ROC 曲線が，2 つのシステム間の差を評価するのに適当であるかどうかを事前に推定し，無駄な本実験が行われるのを未然に防ぐためである．予備実験では試料画像数を本実験と同じか，もしくは少なめに設定し，観察者は 1 人か 2 人で行う．ただし，この場合でも試料画像の難易度や観察者の読影技術が本実験の場合と，大きく違っていないことが必要である．

　2 つの ROC 曲線の差は，前述のように AUC と呼ばれる ROC 曲線下の面積の値を用いて評価される場合が多い．2 つのシステムもしくはモダリティの比較の予備実験において，両者の AUC がともに 1.0 に近い ROC 曲線が得られた場合には，その試料画像は ROC 解析を行うためには簡単すぎると考えられるし，逆に，両者の AUC が 0.5 に近い場合には難しすぎて，両者の差を求めるには不適当と考えられる．一般的には，比較する両者の AUC は，0.6〜0.95 の間にあることが適当と考えられている．

4 観察者の選択および数

　試料画像数の場合と同様に，観察者の数は多ければ多いほど，一般的に統計的に有利な結果が得られる．実際の実験においては，少なくとも 5 名以上（理想は 20 名程度）の観察者数を確保し，観察者間の変動が統計的に小さくなるようにする．

　観察者の選択は，実験の目的によってそれぞれ異なるが，目的とする信号の検出に関して，十分な知識と能力をもった観察者でなければ，目的とする ROC 解析が行われたかどうかを判断することが困難になる．たとえば，単純なビーズ像の検出を行う ROC 実験では，診断に関する教育を受けていない者を観察者に採用しても何ら問題はないが（ただし，放射線画像に関する最低限の知識は必要），胸部結節影の検出を行う場合には，医学的知識と経験的判断が不可欠なので，胸部読影診断の教育を受けたうえで，ある程度の経験をもつ胸部診断専門医，または放射線科医を観察者に採用する必要がある．いずれにしても，いったん選択した観察者を，その観察者の実験データが悪かったからという理由で削除することは，研究の倫理に反するので，予備実験で観察者の適性を判断するなどの配慮が必要となる．

5 学　習

　学習 training は，本実験を行う前に観察者が行う必要不可欠な作業で，この段階で実験の目的と実験方法を観察者に十分に理解してもらうことが必要である．学習では，観察者に回答の方法，実験中の注意事項（読影時間，再読影の禁止など），試料画像の構成（総枚数，「信号＋雑音」と「雑音」の画像のだいたいの割合，信号検出の難易度など）を説明し，その後，学習用に用意された試料画像数枚を提示する．さらに，研究倫理の観点からは，観察者の人権を保護するために，観察者実験に参加することの任意性と，本来の実験目的以外のことでは，実験の結果を公表しないし，全体における個々のデータと観察者の個人的なデータの関係を明らかにしないといった説明を行い，その了解について観察者から署名を求めるインフォームド・コンセントが必要である．

　学習用の試料画像の難易度やその割合は，本実験の場合とだいたい同じにする必要があるが，本実験よりも信号検出の困難な画像と，簡単な画像を含ませることで，観察者の判断基準が実験中に大きく変化しないようにコントロールすることが可能となる．いずれにしても，学習で得た知識が本実験のバイアスになる場合があるので注意する必要がある．

6 評定実験

　評定実験の方法には，観察者が各試料画像を判断基準ごとのカテゴリ（通常

は 5 段階）にそれぞれ分類する**評定確信度法**と，観察者が各試料画像に対して判断基準に応じた評定スコアを付ける**連続確信度法**の 2 種類の評定方法がある．

　以前までは ROC 解析というと 5 段階のカテゴリを用いた評定確信度法が一般的であったが，ここでは，評定確信度法よりも観察者の評定経験に対する依存度が少なく，観察者間の変動も小さい連続確信度法について述べる．図 4-6 に，連続確信度法で ROC 実験を行う場合に用いる 50 mm の自由スケールを用いた回答用紙を示す．自由スケール法では，観察者は自分の判断基準に応じて，スケール上にチェックをつける．このとき，観察者の判断基準の決定にバイアスを与えないために，スケールに目盛りやセンターマークなどを付けてはいけない．実験者は，スケールの左端からチェックの位置までの距離を観察実験終了後にミリ単位で読み取り，その値をフルスケールで 50 の評定スコアとして，ROC 解析の入力データとして用いる．この方法は，観察者にとって簡便なうえに，数字に関する個人的嗜好が影響しないという利点をもっている．また，評定スコアを読み取る場合には，単純な作業の繰り返しになるので，読み取りミスをなくすために，必ず 2 回以上（2 人以上）の読み取りを行い，読み取りミ

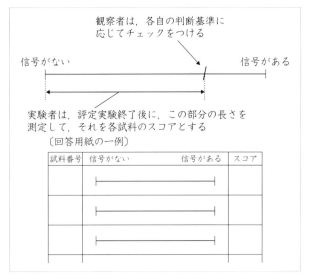

図 4-6．連続確信度法 ROC 解析の評定実験で用いられる自由
　　　　スケールの回答用紙

スが生じないように注意する．また，最近では，おもにディジタル画像が試料画像に用いられるため，ROC 観察者実験を行うためのコンピュータインターフェースが開発されており，容易に入手することが可能となっているので，それらを利用すれば，回答用紙を準備する必要もなく，前述のような読み取り作業が不要となり，読み取りミスが生じる可能性は非常に低くなる．

　観察者実験における観察環境（読影室の照度，騒音，液晶モニタ LCD の輝度）は，一連の実験を通じて一定とし，観察距離や観察時間は，観察者に任意に選択してもらうほうがよい．ただし，ディジタル画像のウインド幅やレベルの調整（設定）は，画像のコントラストや濃度が変化し，実験結果に大きな影響を与える因子となるので，ROC 実験を計画する場合に，どのように取り扱うかを慎重に検討する必要がある．

a 読影順序効果

　評定実験を行う場合に，たとえば読影の困難な画像を最初に観察者に提示するのと，簡単な画像から提示するのとでは，結果に差が生じる場合がある．こういった現象を読影順序効果 reading order effect と呼ぶ．読影順序効果を排除するために，評定実験を行う場合には，比較するシステムごとの試料画像のセットの読影順序や，セット内でもネガティブ像とポジティブ像の読影順序がランダムになるように配置し，場合によっては，観察者によってもそれらの順序を変更する．2 つのシステムの比較評価を行う ROC 解析の評定実験において，読影順序効果を排除する簡単な方法を図 4-7 に示す．この方法では，まず2 つのシステム A および B の試料画像群を半分に分割し，それぞれを組み合わせる．このとき分けられた 2 つの試料画像群の中に同じ信号（同じ患者，または同じオリジナル像）の試料画像が含まれないようにするため，この時点では，2 つの試料画像群における配列は同じであることが望ましい．分配した後に，2 つのセット内で試料画像をランダムに配列し，番号をつける．そして，それぞれのセットについて，観察者によって試料画像につけた配列番号の最初から読影する場合と最後から読影する場合とに分ける．この方法で，さらに 2 つのセットの読影順を入れ替えれば，8 パターンの異なった読影順序を確保することができる．試料画像が多数枚で，一度の読影実験ですべてを完了することが困難な場合には，ここで示した試料画像の分割後のセット数を多くすること

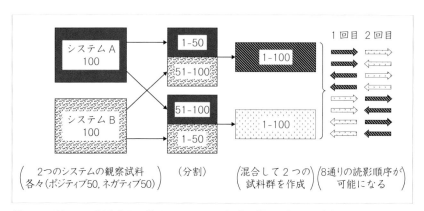

図 4-7. 読み取り順序効果を排除するための，観察試料の分割および読影順序の変更の一例（2 システムの比較評価の場合）

で，複数回の読影実験における読み取り順序効果を排除させることが可能である．

b 独立評定実験と連続評定実験

観察実験によって，観察者が各試料画像について判断基準値を決定する作業を評定 rating と呼ぶ．通常，2 つのシステムの比較評価を行う目的で ROC 解析の評定実験を行う場合には，前述のように 2 つのシステムから得られた試料画像を混在させて，一度に評定するか，もしくは2 つのシステムの評定実験を，必要十分な時間的間隔をあけて個々に行う．必要十分な時間的間隔とは，言い換えれば，観察者が個々の試料画像についての情報を忘れるまでの期間を意味する．たとえば，ビーズ玉といった単純な信号の場合は，この期間は 1 週間で問題はないと思われるが，特徴の強い臨床病変が信号の場合には，最低でも 1 ヵ月は間隔をあける必要があると考えられている．このように，2 つのシステムの ROC 実験を別々の時期に行い，互いの評定実験の経験が観察者に影響を及ぼすことのないようにして評定実験を行う方法を，独立評定実験 independent rating と呼ぶ．

原則的に，通常の ROC 実験においては独立評定実験を行うが，CAD の性能評価実験のように，同じ試料画像から得られた 2 種類の出力結果の比較を一度

の評定実験で行う場合には，**連続評定実験** sequential rating という方法を用いる．一例を示すと，胸部単純 X 線画像における胸部腫瘍陰影検出の CAD の性能を評価する場合，まず観察者には CAD の結果が示されていない試料画像を示し，その試料画像に対する観察者の判断基準値（評定スコア）を求める．その後，同じ試料画像に対して CAD の結果を付加して観察者に提示する．ここで，最初に求めた観察者の判断基準値が，CAD の付加情報によって変化した場合には，その新しい判断基準値を求め，変化しない場合には，最初の試料画像につけたのと同じ判断基準値を用いる．そして，この作業をすべての試料画像について行う．

　連続評定実験を行う場合には，後で提示する情報が先に提示したものよりも診断の役に立つものであるという条件がある．たとえば，前述の CAD の性能評価において，先に CAD の結果を提示してしまうと，後で CAD の出力がない試料画像が提示されたとしても，先に得た情報が後の評定の判断基準値に影響を与えてしまうことになる．

7 データ入力とカーブフィッティング

　観察者実験で得られた，全試料画像に対する観察者の評定スコア（判断基準値）から両正規分布を推定し，そこから ROC 曲線を算出する一連の計算手順をカーブフィッティング curve fitting と呼ぶ．評定を正しく行うことが最も重要であることはいうまでもないが，両正規 ROC 解析においては，2 つの正規分布の平均値と分散を推定する作業もまた重要である．Metz らの両正規 ROC 解析では，これらの推定を最尤推定 maximum likelihood estimation で行う．しかしながら，実際にはその計算のすべてを行うソフトウェアが普及しており，それらを使用すれば複雑な計算が不要となるので，最尤推定に関する詳細はここでは示さない．ROC 解析用のソフトウェアは，Metz らのグループによって開発されたソフトウェア以外にも多くの種類のものが入手可能であるが，Metz らが開発したソフトウェアを最新の OS（Windows 版のみ）で実行可能となるよう再開発したソフトウエアに加えて，観察者実験用のインターフェースをパッケージ化したものが安価で入手可能である．

　Metz らが開発したプログラムによるカーブフィッティングの計算手順は，各試料画像を評定スコアの大きさによってカテゴリ分類する段階と，カテゴリ

分類されたデータから両正規分布を推定する段階，それに両正規分布から ROC 曲線のプロット点を算出する段階に分けられる.

　評定実験では試料画像の配列はネガティブ像とポジティブ像でランダムに配列されており，回答用紙につけられた評定スコアも順不同になっている場合が多い. そのため，手作業で ROC 観察者実験を実施する場合には，データ入力用のワークシートをエクセルなどの表計算ソフトであらかじめ作成しておき，そのワークシートに読影した順番に観察者によってつけられた評定スコアを入力するだけで，自動的にネガティブ像に対する評定スコアとポジティブ像に対する評定スコアを管理できるような工夫が必要である. ただし，現在では，試料画像を観察者にランダムに提示し，その画面上で評定スコアを観察者が入力し，最終的にはカーブフィッティングのためのソフトウェアへの入力ファイルとして出力される ROC 観察者実験用のソフトウェアが開発され，日本放射線技術学会の画像部会から配布されているので，そういったソフトウェアを利用することで，データ入力に関係した人為的なミスを軽減し，処理に必要な労力を軽減させることが可能となる.

Ｇ｜データ解析と ROC 曲線間の統計的検定

　ROC 解析で得られた結果は，統計的有意差検定を行うことによって初めて有効なデータとなる. 言い換えれば，統計的有意差検定が行われていない ROC 解析は，2 つの実験条件に差があるかどうかを結論づけることができない.

　一般に ROC 曲線間の統計的有意差検定には，各観察者の AUC を用いる両側 t 検定と，観察者間の変動に加えて，試料画像間の変動も考慮した MRMC 法（multi-reader multi-case）法の 2 つが用いられる. なお，MRMC 法は，統計学的サンプリング手法の Jackknife 法を用いるので，Jackknife 法とも呼ばれる.

　両側 t 検定は，非常に一般的な統計的有意差検定法で，各観察者から得られた AUC のシステムごとの平均値と標準偏差から p 値を算出する. ここで，p 値とは，統計的検定で一般に用いられる数値で，「2 つのシステム間に統計的に有意な差はない」という帰無仮説が成立する確率を意味する. つまり，p 値が 0.05 以下の場合には，2 つのシステムの結果が同じである（有意差がない）確率は

5%以下であり，危険率5%で2つのシステム間には統計的な有意差があると表現する．臨床の分野では一般的に危険率5%，または1%が統計的有意差を示す基準として用いられるが，p値が小さいほど統計的に明らかな結果であることはいうまでもない．

　t検定は，比較する2つの試料画像群の統計的な性質の違いによって3種類に大きく分けられる．そして，それぞれについて片側検定と両側検定がある．この3種類の検定方法は，1標本t検定，等分散2標本t検定，不等分散2標本t検定と呼ばれる．ROC曲線間の統計的検定を行う場合，2つのシステムについて，まったく同じ観察者群で実験を行った場合には1標本t検定，観察者群の構成が同じでない場合（一部重複していても）には不等分散2標本t検定を用いる．後者では，等分散2標本t検定を用いることが可能な場合もあるが，そのためには，2つのシステムから得られた各観察者のAUCの分散が同じであることを検定前に証明する必要がある．片側検定と両側検定の使い分けは，2つのシステムの優劣が明らかな場合には片側検定を，どちらか不明な場合には両側検定を用いる．計算方法はどちらも同じであるが，片側検定のほうが両側検定よりもp値が小さくなる（両側検定の1/2）ので，一般的には両側検定で得られた検定結果のほうが信頼性は高いと考えられている．以下に，1標本両側t検定を用いた場合の統計的有意差検定の具体例を示す．

　表4-2は，2つのモダリティAとBについて，8名の観察者でROC実験を行い，得られた各観察者のAUCを示す．1標本両側t検定では「2つのモダリティに関する各観察者のAUCの母平均に差がない」という帰無仮説（証明しようとする事象と反対の仮定）を設定し，その帰無仮説の条件が成立する確率によって統計的な有意差を証明する．具体的には，n名の観察者の2つのモダリティ間の個々のAUCの差d_iの平均値$\bar{d}$と標準偏差σ_rを求めて，そのσ_rから統計量t_rを以下に示す式を用いて算出する．

$$\bar{d} = \frac{1}{n}\sum d_i \tag{4.10}$$

$$\sigma_r = \sqrt{\frac{\sum(d_i - \bar{d})^2}{n-1}} \tag{4.11}$$

表 4-2. 2つのモダリティ A，B の比較を目的とした
　　　　ROC 実験から得られた 8 名の観察者の ROC 曲
　　　　線下の面積（AUC）の 1 例

観察者	モダリティ A	モダリティ B	A と B の差
1	0.765	0.812	0.047
2	0.832	0.867	0.035
3	0.798	0.859	0.061
4	0.697	0.732	0.035
5	0.723	0.782	0.059
6	0.780	0.765	−0.015
7	0.854	0.845	−0.009
8	0.660	0.698	0.038
平均値	0.764	0.795	0.031
標準偏差	0.067	0.062	0.029

$$t_r = \frac{\bar{d}}{\dfrac{\sigma_r}{\sqrt{n}}}$$

4.12

　そして，ここで得られた t_r の値と，自由度（$\phi = n-1$）と有意差を決定する
有意水準 p（通常は 0.05，片側検定の場合は 0.025）によって，t 分布表から与
えられる t 値 $t_{(\phi,p)}$ とを比較し，$t_r > t_{(\phi,p)}$ が成立する場合に，危険率 p で 2 つの
母平均の間に統計的に有意な差があるということが証明される．表 4-3 に示す
のは，両側確率 5％ と 1％ の場合の t 分布表で，自由度 1～19，つまり観察者が
2～20 名までの場合の 1 標本両側 t 検定で利用可能である．表 4-2 に示したデー
タの場合，差の平均値 0.031 と標準偏差 0.029 から $t_r = 3.100$ が求まり，表 4-3
の t 分布表から求めた有意水準 0.05 と自由度 7 の t 値 $t_{(7,0.05)} = 2.365$ とを比較し
て，$t_r > t_{(7,0.05)}$ が成立するので，ここに示したモダリティ A と B の観察者の
AUC の平均値の間には，危険率 5％ で統計的に有意差があるということが証
明される．参考までに，有意水準 0.01 で同様に 1 標本両側 t 検定を行ってみる
と，t 分布表から $t_{(7,0.01)} = 3.499$ であるので，$t_r > t_{(7,0.01)}$ が成立せず，この場合
は，危険率 1％ では統計的に有意な差が認められない，という結果が得られる．
　両側 t 検定と後述する MRMC 法では，統計的検定における帰無仮説が異な

表 4-3．両側確率 5% と 1% の場合の t 分布表

自由度	両側確率	
	$p=0.05$	$p=0.01$
1	12.706	63.656
2	4.303	9.925
3	3.182	5.841
4	2.776	4.604
5	2.571	4.032
6	2.447	3.707
7	2.365	3.499
8	2.306	3.355
9	2.262	3.250
10	2.228	3.169
11	2.201	3.106
12	2.179	3.055
13	2.160	3.012
14	2.145	2.977
15	2.131	2.947
16	2.120	2.921
17	2.110	2.898
18	2.101	2.878
19	2.093	2.861

る．同じ観察者間の AUC に対して行われる両側 t 検定は，観察者間の変動だけを考慮していて，実験に用いた試料画像間の変動（母集団の分散）を考慮していない．したがって，この両側 t 検定で仮に統計的な有意差が生じたとしても，それはあくまで実験に使用した試料画像群についてのみ有効な結果であって，その実験結果を一般論としてすぐに適応することはできない．ここで，一般論とは，実験に参加した観察者群および使用した試料画像群と同じ統計的性質をもつと考えられる，より大きな母集団を対象とした統計的な論議であり，世間一般の"一般"とは意味が違うことに注意してもらいたい．

　AUC を用いて両側 t 検定を行う場合に，もう一点注意することは，統計的有意差検定を行う前に，ROC 曲線を描いて 2 つの曲線が交叉していないかを確認

することである．もし，2本の ROC 曲線が交叉している場合には，ROC 解析の目的によっては，AUC による検定が無効になる場合があるので注意が必要である．

MRMC 法では，疑似値 pseudo value と呼ばれる各観察者，各試料画像について統計的に独立な値を算出し，2つのシステムにおける疑似値のマトリクス（観察者数×試料画像数）の3元配置分散分析から，システム間の統計的有意差検定を行う．2つのシステムで撮影された，c 枚の試料画像を，r 人の観察者が読影する ROC 観察者実験を行い，i 番目のシステムにおいて，j 番目の観察者が k 番目の試料画像を読影した場合の評定スコアを X_{ijk} とした場合，すべての実験結果は，以下に示す2つの2次元のマトリクスで示される．

$$\begin{bmatrix} X_{111} & X_{121} & \cdots & X_{1r1} \\ X_{112} & X_{122} & \cdots & X_{1r2} \\ \vdots & \vdots & \ddots & \vdots \\ X_{11c} & X_{12c} & \cdots & X_{1rc} \end{bmatrix} \begin{bmatrix} X_{211} & X_{221} & \cdots & X_{2r1} \\ X_{212} & X_{222} & \cdots & X_{2r2} \\ \vdots & \vdots & \ddots & \vdots \\ X_{21c} & X_{22c} & \cdots & X_{2rc} \end{bmatrix} \qquad 4.13$$

通常の3元配置分散分析では，式 4.13 で示された2つのマトリクスデータを用いて，2つのシステム間に統計的な有意差があるかどうかを検定するが，このマトリクスに示されているのは，個々の試料画像に対する各観察者の評定スコアであるため，ROC 曲線の正確さの指標である AUC を推定するための観察者間および試料画像間の変動には直接に関与していない．そのため，式 4.13 に示した評定スコアのマトリクスデータから，i 番目のシステムにおける，j 番目の観察者の k 番目の試料画像の疑似値 Y_{ijk} のマトリクスデータを作成する．疑似値の計算式を以下に示す．

$$Y_{ijk} = c * AUC_{ij} - (c-1) * AUC_{ij(k)} \qquad 4.14$$

ここで AUC_{ij} はシステム i，観察者 j において試料画像 c 枚すべての得点により算出された AUC を示し，$AUC_{ij\,(k)}$ は同じシステム i，観察者 j において，試料画像 c 枚のうちの k 番目の試料画像だけを取り除いて $c-1$ 枚の試料画像で算出された AUC を示す．式 4.14 によって算出された疑似値は，その試料画像の判定が容易な場合（ポジティブ像であれば，信号を見つけやすい，ネガティブ像であれば，容易に信号なしと判断可能），その試料画像の評定スコアを全体の計算から取り除いて算出した AUC は，全部の試料画像の評定スコアを用いて算出した AUC よりも小さな値となるので，推定される疑似値は，全部の試料画

像の評定スコアを用いて算出した AUC よりも大きな値となる．逆に，試料画像の判定が困難な場合は，疑似値は全体の AUC よりも小さい値（負の値となる場合もある）となる．式 4.15 に疑似値 Y_{ijk} のマトリクスデータを示す．

$$\begin{bmatrix} Y_{111} & Y_{121} & \cdots & Y_{1r1} \\ Y_{112} & Y_{122} & \cdots & Y_{1r2} \\ \vdots & \vdots & \ddots & \vdots \\ Y_{11c} & Y_{12c} & \cdots & Y_{1rc} \end{bmatrix} \begin{bmatrix} Y_{211} & Y_{221} & \cdots & Y_{2r1} \\ Y_{212} & Y_{222} & \cdots & Y_{2r2} \\ \vdots & \vdots & \ddots & \vdots \\ Y_{21c} & Y_{22c} & \cdots & Y_{2rc} \end{bmatrix} \qquad 4.15$$

このようにして求められた個々の疑似値 Y_{ijk} は，ROC 曲線における変動に直接関係があり，なおかつ統計的にも独立した値であるので，式 4.15 に示すように，左右に 2 つ配置されたマトリクスの 3 元配置分散分析を行うことで，列方向の変動（症例間の変動）および行方向の変動（観察者間の変動）が各マトリクスについて算出され，各マトリクスにおける全体の誤差変動との比を求めて F 検定を行うことにより，症例間変動および観察者間変動を考慮したマトリクス間（システム間）の統計的有意差検定が可能となる．

　両側 t 検定と MRMC 法を比較した場合，MRMC 法から得られた検定結果のほうが統計的に強い意味をもつのは明らかであるが，MRMC 法は同じ観察者群で行われた場合にのみ適応可能なので，異なった観察者群間の統計的検定には前述のように不等分散両側 t 検定を行うしかない．

H | ROC 解析の実験例

　ROC 解析の実験例として，日本放射線技術学会から頒布されている「標準ディジタル画像データベース—胸部腫瘤陰影像—」の特性を評価するために行われた ROC 解析の方法と結果を示す．このデータベースは 154 枚の腫瘤陰影像と 93 枚の非腫瘤陰影像で構成され，それぞれの画像を ROC 実験におけるポジティブ像とネガティブ像として用いることができる．さらに，このデータベース画像の利点は，すべての画像に，病変を検出する場合の難易度がつけられていることで（3 名の胸部放射科医の合意により決定），その難易度を利用することで，実験に用いるシステムの性能に合わせて，ROC 解析に理想的な試料画像の難易度の分布を実現することが可能となっている．

　ここで示す実験に用いた試料画像は，データベースに収録された画像をレーザープリンタで原寸大に出力したフィルム像である．観察者は，全国 4 地区の 20 名の胸部放射線科医および一般放射線科医で，各自の臨床経験は 2〜14 年であった．試料画像は，難易度別の画像の割合が同じになるように，123 枚と 124 枚の 2 つのデータセットに分け，読影順序が同じにならない方法で評定実験を行った．評定実験は最高評定スコアが 50 の自由スケール法で，評定スコアの読み取り作業は 2 名の実験者によるダブルリーディングを実施した．

　図 4-8 に，この実験で得られた全観察者の ROC 曲線を示す．同一試料画像を用いた実験であるが，図 4-8 に示すように 20 名の観察者の ROC 曲線は，大きくバラついている．しかし，各施設について平均の ROC 曲線を求めると，図 4-9 に示すようになり，全国のまったく違った 4 ヵ所で行われた実験でありながら，ほとんど同じ結果が出ていることがわかる．このことは，ROC 解析では観察者数を増やすことで，統計的に母集団に近い結果が得られることを示している．

　図 4-10 には，実験に用いた試料画像を異常陰影検出の難易度で 5 段階に分類し，そのそれぞれの試料画像について得られた観察者のスコアから算出した ROC 曲線を示す．図 4-10 からわかるように，ROC 解析の結果は，試料画像の読影の難易度に大きく依存して，AUC が変化する．このことから，やさしすぎる，または難しすぎる試料画像で実験が行われた場合には，同じ画像システムであっても ROC 解析での比較に関して信頼性が低いということが理解できる．

▌ LROC と FROC の意義

　ROC 解析と同じような名称をもつ主観的評価法に，ROC-type curve for task of detection and localization（LROC）と free-response receiver operating characteristic（FROC）という 2 つの解析法がある．LROC は ROC 解析を開発したグループによって開発された解析法で，理論的背景は ROC 解析とほぼ同じと考えられる．しかし，FROC 解析は名前が似ているものの，ROC 解析とは理論的背景や表示法が異なる．さらに，ROC 解析では信号の検出だけでなく，良性悪性の鑑別や疾患の識別に関する評価を行うことが可能であるが，LROC

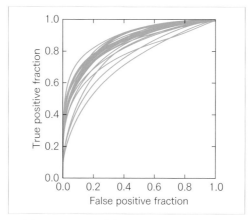

図 4-8．20 名の放射線科医全員の ROC 曲線

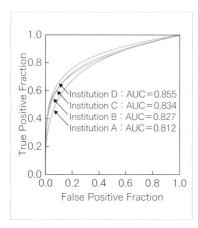

図 4-9．4 施設ごとの平均の ROC 曲線

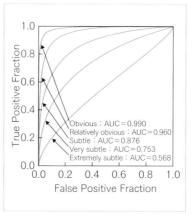

図 4-10．試料の異常陰影検出の難易度別に算出した ROC 曲線

解析と FROC 解析では信号（病変）を検出する際の評価に応用が限定される．

1 LROC 解析の対象

　通常，ROC 解析の評定実験においては，観察者は，1 枚の試料画像に信号が存在するかしないかについてのみ判断基準を設定する．このとき試料画像に含まれる"真の信号"とは違う雑音を観察者が誤って信号と見なして，そこに"信

号がある”と判断した場合には，本当に求められるべき結果とは違う意味の結果が得られたことになる．そこで，LROC 解析では，観察者が信号を検出して，判断基準を決定する際に，信号のあるなしだけでなく，信号の位置についても（もし，信号があるとすれば）検出を行う．

　ROC 曲線と LROC 曲線の関係を図 4-11 に示す．図中，P（S|s）は実際に存在する信号 s について，正しく存在すると観察者が評定した信号 S の確率を示し，この確率を *FPF* ごとにプロットしたものが ROC 曲線である．一方，LROC 解析では，信号が存在すると評定していても，その指定した位置が間違っている場合を考慮するので，確率は P（S, CL|s）と P（S, IL|s）の 2 通りが考えられる．ここで，P（S, CL|s）は，実際に存在する信号 s について，正しく存在すると観察者が評定し，なおかつ位置も正しく指定した correct location（CL）信号 S の確率であり，P（S, IL|s）は指定した位置が間違っている incorrect location（IL）場合である．LROC 解析では，P（S, CL|s）の反応しか対象としないので，ROC 曲線とは異なり，*FPF* = 1.0 の場合でも *TPF* = 1.0 とならないのが一般的である．

　LROC 解析の問題点としては，① ROC 解析と同様に，1 つの試料画像に 1 つの信号（病変）しか含めることができない，② 観察者は信号（病変）がないと思っても，必ずどこか 1 カ所を指示しなければいけない，③ 観察者ごとに信号

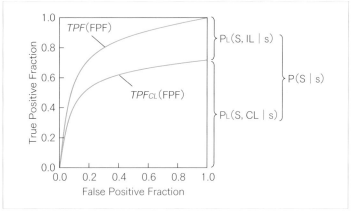

図 4-11．ROC 曲線と LROC 曲線

を検出した試料画像の数や種類が違う場合が多いので，観察者間および試料画像間の変動を考慮した統計的有意差検定が困難であるといった点があげられる．

2 FROC 解析の対象

　信号の検出だけを行う ROC 解析に加えて，LROC 解析では信号の位置の検出を行う．しかし，信号の数が 1 試料画像について 1 つであることに変わりはない．ところが，実際の臨床では，1 枚の画像の中に複数の病変が存在する場合が多くある．このように 1 枚に 1 個以上の信号が含まれている画像を試料画像とするのが，FROC 解析である．FROC 解析には，① 1 つの試料画像に複数の信号（病変）を含めることが可能，② 1 つの試料画像に対して，好きなだけ疑わしいと思われる場所を指示することが可能，③ 信号（病変）がないと思えば，何も指示しなくてよい，④ 信号（病変）なしの試料画像がなくても実験が可能，⑤ ROC 解析に比べると，試料画像数が少なくても実験が可能，といった利点がある．

　ROC 解析や LROC 解析と同様に，FROC 解析の結果も FROC 曲線と呼ばれる曲線で評価する．曲線が左上にいくほど検出能が高いと判定するのも ROC 曲線と同じで，FROC 曲線の縦軸（true positive）は，ROC 曲線の TPF と同じ意味をもつ．しかし，横軸は ROC 曲線の FPF とはまったく意味の違う false positives per image（FPI）で表される．以下に FROC 曲線の作成法を示す．

a FROC 曲線の作成法

　前述のように，FROC 観察者実験では，観察者は信号（病変）が存在すると思われるすべての位置を示したうえで，その信号の確信度を評定する．そして，観察者実験後のデータ解析では，観察者の評定結果は，すべて TP もしくは FP に分類される．基本的に，FROC 曲線の作成には，これらの観察者が示したすべての TP および FP を用いる．FROC 曲線を描くためのカーブフィッティングは一般的には普及していないので，すべての TP および FP を評定スコアの高いものから順にソートし，すべての評定スコアをその時の縦軸（TP/全信号数）と横軸（FP/試料画像数（FPI：false positive per image））の値でプロットするのが一般的である．このとき，FROC 曲線の座標（TPF, FPI）は（0.0, 0.0）から始まり，（全 TP/全信号数，全 FP/試料画像数）までとなり，データ

点の数は試料画像の総数に等しい．たとえば，評定スコアが最も高かったデータ点の対象が TP の場合は，最初のプロット点の座標は，（1/全信号数，0.0）となり，その次に評定スコアが高かったデータ点の対象が FP の場合は，2 番目のプロットの座標は（1/全信号数，1/試料画像数）となる．このように，FROC 曲線では，プロットの対象となる点が TP の場合は，y 座標が 1/全信号数ずつ増加し，FP の場合は，x 座標が 1/試料画像数ずつ増加する．

　すべての FP を考慮してプロットする FROC 曲線では，観察者によって横軸のスケールが異なる場合があるため，観察者間の比較が困難であった．そのため，各試料画像について少なくとも 1 つ，最も高い評定スコアを示した FP を FROC 解析の対象とする，という仮説に基づいて，ROC 曲線と同様に，縦軸，横軸の最大値が常に 1.0 となるように **AFROC 解析**が考案された．FROC 曲線と AFROC 曲線のプロットでは，縦軸の TPF は共通であるが，横軸は FROC 曲線が FPI であるのに対して，AFROC 曲線では，以下に示す FPI の関数である P（FPI）を横軸にとる．

$$P(FPI) = 1 - e^{-FPI} \qquad 4.16$$

　一般的に，1 試料画像あたりの FP の数が 1 個程度と少ない場合は，AFROC 曲線は ROC 曲線と同様な形状を示すが，FP の数が多くなるに従って，極端な逆 S 字状となる．

b　JAFROC 解析による統計的有意差検定

　FROC 解析では，観察者によって検出した信号や偽陽性の数が異なるため，FROC 曲線間の差を統計的に証明する方法は存在しなかったが，FP の数を標準化した AFROC 解析の考え方を発展させて，2 つのシステムから得られた FROC 実験の結果から，2 つのシステム間の統計的有意差検定を行う JAFROC 解析が提案され，実用化されている．JAFROC 解析では，ROC 解析における ROC 曲線下の面積（AUC）と同等の意味をもつ，FROC 解析における正確さの指標である FOM（figure of merit）値：θ を用いる．FOM の計算式を以下に示す．

$$\theta = \frac{1}{N_T N_A} \sum_{i=1}^{N_T} \sum_{j=1}^{N_A} \sum_{k=1}^{n_i} W_{jk} \psi\left(X_i, Y_{jk}\right) \qquad 4.17$$

$$
\psi\,(X,\,Y) = \begin{cases} 1.0 & \text{if } Y>X \\ 0.5 & \text{if } Y=X, \quad \displaystyle\sum_{k=1}^{n_j} W_{jk} = 1 \\ 0.0 & \text{if } Y<X \end{cases} \tag{4.18}
$$

ここで，N_T，N_A はそれぞれ，FROC 実験に用いられた試料画像全体の数と，そのうちで信号を含む試料画像の数で，その個々の j 番目の試料画像に含まれる信号の数を n_j で示している．また，X_i は，i 番目の試料画像で観察者が示した FP の中の最も高い評定スコアを示し，Y_{jk} は同じ試料画像に含まれる複数の信号のうち k 番目の信号につけられた評定スコアを示す（観察者が見落とした場合は 0）．ここで，ROC 解析と違って，FROC 解析では，1 つの試料画像に複数の信号（病変）が含まれることに注意する必要がある．$\psi\,(X,\,Y)$ は式に示すように判別関数で，信号に与えられた評定スコア Y が FP に与えられた評定スコア X よりも大きい場合に 1.0，同じ場合に 0.5 を返す．W_{jk} は同じ試料画像に含まれる複数の信号のうち k 番目の信号に設定された重み付け係数で，その総和が各試料画像について 1.0 となるように事前に設定される．この重み付け係数は，理想的には，信号（病変）の診断の臨床的価値から医師の判断で決定されることが望ましいが，通常は，各試料画像に含まれる信号の数で均等に配分される．たとえば，1 つの試料画像に信号が 4 つあった場合，各信号の重み付け係数は 0.25 となる．この式から理解できるように，θ は，すべての信号に与えられた評定スコアが，すべての FP に与えられた評定データの最大値よりも大きい場合に 1.0 となり，評定スコアの高い FP の数が多くなるほど，また，信号に対する評定データが低いほど，小さい値となる．なお，式 4.17 は，すべての試料画像における FP を FOM の評価対象としているが（Method 1），信号を含まない試料画像（正常症例）における FP だけを FOM の対象とした評価方法（Method 2）も同様に提案されている．集団検診の設定のように，多数の正常例を含んだ試料画像で FROC 解析が行われた場合には，Method 2 を使用することが望ましい．

J 視覚評価のその他の手法

特殊なファントムを用いた古典的な視覚評価法としては，ハウレット・チャート法や，視力検査によく用いられているランドルト環法といった方法があるが，被写体が臨床評価に直接関係していないため，最近では用いられることが少ない．

臨床評価には，実際に診療目的で撮影された画像データを使用することが望ましいが，近年では，個人情報である画像データを利用することが，倫理的に難しい場合が多くなってきているので，人体ファントムによる視覚評価が広く用いられている．

人体ファントムは，多くの種類が市販されているが，一部の胸部ファントムでは，人体と近似の吸収率を持つ軟組織等価材および人工骨が使用されていて，縦隔，肺野構造などが解剖学的に正確に再現されている．さらに，ファントムによっては肺野内部の任意の位置に模擬腫瘤をセットできるタイプもあり，ROC 解析や FROC 解析といった異常陰影の検出を目的とした観察者実験を行うことが可能である．また，模擬腫瘤を自作して，それを人体ファントムに取り付けて行う観察者実験も古くから行われている．模擬腫瘤の素材としては，作成が簡便で，形状を自在に設定できるという点から，現像済みの X 線フィルムを任意の形状に切って貼り合わせたものが広く用いられていた．しかし，X 線フィルムが使われなくなった現在では，実験者が工夫してさまざまな素材（粘土，鶏肉，アクリル板など）が模擬腫瘤などのファントムとして用いられている．

ディジタル画像が主流となった現在においては，模擬腫瘤を人体ファントムに貼り付けて異常陰影を作り出すよりも，正常と診断された臨床写真もしくは人体ファントム像に，ディジタル処理で作成された模擬陰影を重ねることによって，観察者実験用の試料画像を作成することも可能である．

1 ハウレットチャート

古典的な視覚評価法であるハウレットチャート法は，本来，1940 年代ごろから一般写真用のカメラやレンズの評価に用いられていた手法で，**図 4-12** に示

IQ 値	内径：r (mm)	空間周波数 (cycles/mm)
1	1.000	0.500
2	0.841	0.595
3	0.707	0.707
4	0.595	0.841
5	0.500	1.000
6	0.420	1.189
7	0.354	1.414
8	0.297	1.682
9	0.250	2.000
10	0.210	2.378
11	0.177	2.828
12	0.149	3.364
13	0.125	4.000

図 4-12. ハウレットチャートにおける 13 種のドーナツ環の配置とサイズおよび対応
空間周波数

すように, 大小径の異なる 13 種のドーナツ環を配置したものを, 3 行 3 列に 9
個組み合わせたハウレットチャートを撮影し, 作成した試料画像を評価に用い
る. ドーナツ環の外径と内径の比は 3：1 で, 内径の大きさは 1.000 から 0.125
(mm) まで 13 段階に設定され, それぞれが空間周波数 0.500 から 4.000 (cycles/
mm) の視認精度に対応する. この手法は今日でも, 写真用レンズの評価に用
いられており, 観察した結果は空間周波数に対する視認確率 (Visibility) とし
てグラフで示され, 後述する C-D ダイアグラム法と比べた場合, コントラスト
の変化がない代わりに, 解像度については高周波領域での評価が可能である.

2 ランドルト環

ランドルト環は眼鏡店や健康診断などでの視力検査で使用されているもの
で, 図 4-13 に示すように, 評価に用いられるリング (環) の外径と内径, そ
してリングの切込みの幅の比は 5：3：1 となっている. 視力の判定は, さまざ

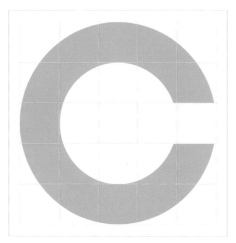

図 4-13. ランドルト環の外径と内径および
切れ目のサイズ比（5：3：1）

まなサイズのリングにおける切れ目の位置の認識能で行われ，外径が7.5 mm
のリングにある 1.5 mm の切れ目の位置を 5 m 離れた距離から認識することが
できれば，視力は 1.0 となる.

3 C–D ダイアグラム

　視覚評価法のうち，均一な板状の物質（アクリル，アルミニウム）に，信号
となる物質（空気，金）を，その信号のサイズと強さが変化するようにして2
次元的に配置したファントムを用いて行う評価法を，一般的に C–D ダイアグ
ラム と呼ぶ．つまり，信号のサイズ（直径）を変化させることで，大きな信号
から小さな信号までの見え方（detail）を評価し，それと同時に，信号の強度
を，信号となる物質の厚さを変化させることで，信号の濃淡（contrast）を 1 枚
の試料画像で評価することが可能となる．また，観察者実験も少ない枚数の画
像を読影するだけなので，観察者の負担が少ないという利点がある．この評価
法のオリジナルは，一般にバーガーズファントム（Burger's phantom）と呼ば
れる，段階的に小さくなる信号の大きさと，それと垂直の方向に，段階的に信
号の強度が小さくなる信号が格子状に並べたファントムを用いた評価法で，
バーガー（G. E. C. Burger）がこのファントムを考案したことから，このよう

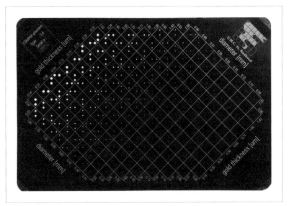

図 4-14.　CDMAM ファントム
（アクロバイオ株式会社より資料提供）

に呼ばれている．バーガーズファントムには，X 線で撮影したときに，信号の
強度が周囲の X 線の強度より小さくなる凸型ファントムと，信号の X 線の強度
が周囲より大きくなる凹型ファントムの 2 種類がある．最近では，バーガーズ
ファントムとは信号の配置が異なり，格子状に配置された正方形の領域の中心
と，その四隅のいずれかに，サイズと強度を変化させた信号を配置させたファ
ントムが，乳房撮影用（**CDMAM ファントム**：図 4-14）や一般撮影用（**CDRAD**
ファントム）に開発されている．特に乳房撮影用のファントムを用いた視覚評
価法は，ヨーロッパにおけるディジタルマンモグラフィの品質管理のガイドラ
インにも採用されている．

　C-D ダイアグラムでは，撮影されたファントムの画像を観察者に提示し，そ
れぞれの大きさの信号に対し，どのコントラストの信号まで見えるか（判別可
能か）を答えてもらい，その見える限界のラインをプロットすることで評価を
行う．図 4-15 に，3 段階に線量を変化させて作成した試料画像（CDMAM ファ
ントム）について，3 名の観察者から得られた平均の C-D ダイアグラムの例を
示す．C-D ダイアグラムは，信号のサイズごとの限界のコントラスト（識別コ
ントラスト）を，横軸に信号サイズ（直径），縦軸に信号の大きさ（ファントム
の厚さ）でプロットして作成される．一般的に，左下のコーナーに近づくほど
良いシステムということで，図に示した場合では，50% の線量に比べると，

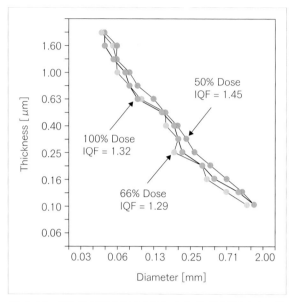

図 4-15. 線量を変化させて求めた C-D ダイアグラムの一例

66％と 100％の線量では，識別能が向上している．しかし，66％と 100％の線量の結果を比較した場合，その差は非常に小さく，線量を 66％まで低減しても，100％の場合と同等の識別能が得られることが推察可能である．このように，C-D ダイアグラムでは，単純な信号の識別能に限定されるが，撮影線量の最適化を目的とした評価を行うことが可能である．

　C-D ダイアグラムでは，図 4-15 に示すグラフだけでなく，システム間の定量的な評価を行うための画質指数（image quality figure：IQF）が算出可能である．IQF は各信号径に対する信号の深さの積分値であり，以下の式で定義されている．

$$IQF = \sum_{i=1}^{n} D_i \cdot C_i$$

4.19

　ここで，D_i は信号の直径（mm），C_i は識別できた信号の深さ（mm）を表す．したがって，識別コントラストが小さいほど IQF の値は小さくなり，高い画質を示す．観察者の個々の IQF を算出して両側 t 検定による統計的有意差検

定（詳細は後述）を行った例として，図 4-15 に示した 50％，66％，そして 100％の線量について，3 名の観察者から算出した IQF による検定結果を示す．3 名の観察者のそれぞれの線量における平均の IQF は，1.45，1.29，1.32 で，50％の線量の値が，ほかの 2 つの線量よりも高い値（低い識別能）となったが，いずれの組み合わせでも p 値は 0.05 より大きく（100％ vs. 50％：$p = 0.23$，66％ vs. 50％：$p = 0.18$），統計的有意差は認められなかった．

　C-D ダイアグラムを評価に用いる場合に注意しなければならないのは，観察者による誤検出の割合の評価ができない，という点である．これは，C-D ダイアグラムに用いるファントムでは，すべての領域に信号が必ず存在するためで，観察者があると言えば，それは正解となる．このことから，C-D ダイアグラムでは過大評価となる傾向があり，信号が見える・見えないの判断基準について，事前に観察者を十分にトレーニングする必要がある．また，グラフは 1 枚の試料画像からでも作成可能であるが，試料画像数が少ないと，X 線量子モトルの影響で信号の見えやすさが変化する場合があるので，3 枚以上の試料画像を使って観察者実験を行い，その平均で評価することで実験結果の信頼性を向上させるとよい．

4　2 肢強制選択法

　2 肢強制選択法は，多肢強制選択法，もしくは単に強制選択法と呼ばれる手法の一つで，いずれか一方に信号（病変）を含む 2 枚（または 2 区画，多肢の場合はそれ以上）の試料画像を観察者に提示し，観察者は信号が含まれていると思われる試料画像（区画）の一つを選択する．このとき，どこにも信号が含まれない，または，信号が含まれる画像（区画）が複数ある，と観察者が考えた場合であっても，必ず一つの画像（区画）を選択しなければならないので，強制選択（alternative forced choice：AFC）法と呼ばれている．2 肢強制選択法は 2AFC 法と呼ばれるが，2AFC での最低の検出率が 50％であるため，検出精度を上げるために試料画像を 18 分割，または 25 分割して，そのどれか一つの区画を検出する 18AFC 法や 25AFC 法が用いられている．2AFC 法は，実験が比較的簡単であり，また，この方法で得られる的中確率が，ROC 曲線の評価の一つである曲線下の面積に等しいことから，ROC 解析の代わりに用いられる場合もある．

試料画像の数(または画像の分割数)を m とした場合(multiple AFC $= mA$),得られる的中確率 $P(mA)$ は,

$$P(mA) = \int_0^1 [1 - P_k(S|n)]^{m-1} dP_k(S|s) \qquad 4.20$$

で与えられる.ここで,k は観察者の判断基準のレベルを示し,$P_k(S|n)$, $P_k(S|s)$ は,それぞれ,観察者の基準のレベルが k であるときの誤認識率と,的中率を示している.

5 一対比較法

一対比較法は,一般的には,ある個数の試料画像について,その全体の中から 2 個ずつ取り出して比較し,すべての試料画像対の組み合わせの結果を総合して全体の試料画像を評価する方法で,ROC 解析・FROC 解析のように,病変の検出や鑑別といった診断の正確さを直接的に評価することはできない.しかし,2 つ以上のシステムから作成された画像を比較し,それらをヒトが持つ特定の判断基準(ノイズの多さ,鮮鋭度,コントラストなど)において順位付けし,統計的有意差の有無を証明することが可能である.

これまでに放射線画像の評価に応用された一対比較法では,サーストン(Thurstone)の一対比較法,シェッフェ(Scheffé)の一対比較法が代表的で,前者が試料画像内の順位のみを決定する評価法にあるのに比べて,後者は順位に加えて,その差の程度も算出するので,得られた結果の理解が容易である.

シェッフェの一対比較法には,浦と中屋の二つの代表的な変法が報告されている.ここでは,順序効果(位置効果)を考慮している浦の変法について,その理論を簡単に述べる.

比較評価したい試料画像が t 枚用意されていて,それを N 人の観察者のうちの観察者 k が,左右それぞれに提示された試料画像 i, j を比較して,それに対する評点 x_{ijk} を与えた場合,試料画像 i に対する観察者 k の嗜好度 a_{ik} は,以下の 4.21 式によって求められる.

$$a_{ik} = \frac{1}{2tN}(x_{i.k} - x_{.ik}) \qquad 4.21$$

ここで,$x_{i.k}$ は画像 i が左に提示された場合の観察者 k のすべての評点の和を意味し,$x_{.ik}$ は画像 i が右に提示された場合の評点の和を指す.そして,各観察者

について求めた嗜好度から試料画像ごとの平均値を算出することで，個々の試料画像の平均嗜好度 a_i が求められる．

　個々の平均嗜好度を求めた後は，分散分析による平均嗜好度間の統計的有意差検定を行い，観察者実験で得られた結果の主効果，観察者間の効果，画像の組み合わせ効果，画像の提示における位置の効果について，統計的有意差があるかどうかを確認する．そして，主効果に統計的有意差が認められる場合には，誤差変動を超えた差異があるものと判断し，多重比較法により以下の式から危険率 5% の場合のヤードスティック値（$Y_{0.05}$）を求め，平均嗜好度の 95% 信頼区間，または，2 つの平均嗜好度間の差の 95% 信頼区間による統計的有意差検定を行う．

$$Y_{0.05} = q_{0.05}(t, f_e) \sqrt{\frac{V_e}{2tN}}$$

4.22

ここで，$q_{0.05}(t, f_e)$ は，多重比較法の Tukey 法で用いられるステューデント化された範囲の表から求めた，試料画像数 t，自由度 f_e，危険率 5% の場合の q 値を示す．

（白石順二）

5章

ディジタル画像処理

SUMMARY

1. 医用画像には DICOM フォーマットが使われる.

2. コンピュータ内部のデータ表現には，テキスト形式とバイナリ形式が ある.

3. 画像処理においては，空間領域あるいは空間周波数領域で行う フィルタリングがある.

4. 平滑化フィルタは画像の雑音を低減させる.

5. ソーベルフィルタはエッジ検出に用いられる.

6. ウインドーイングは注目する濃度領域のコントラストを増大させる.

7. ボケマスク処理はエッジのコントラストを増大させる.

8. エネルギーサブトラクションには 1 回曝射法と 2 回曝射法がある.

9. しきい値処理から 2 値画像が得られる.

　人工衛星から撮影された地上の画像の分析を行うリモートセンシングや，デ ジタルカメラで撮影された画像の顔認識技術などはディジタル画像処理が大き な成功を収めた事例である．医療の分野でも CT の画像再構成技術は医療から ほかの分野へと広がった画像処理法の一つである．単純 X 線画像でも CR など のディジタル撮影装置が臨床へ導入され始めた初期の頃から，ノイズの低減や コントラストの改善など画質改善のための画像処理の試みがなされてきた．ま た，画像観察を容易にするために特定の陰影だけを強調する**エネルギーサブト ラクション**や**経時サブトラクション**などの画像処理法が実用化されている．さ らに，**第 6 章**で述べる**コンピュータ支援診断**や機械学習では，病巣候補陰影の 特徴を抽出するために数多くの種類のディジタル画像処理を用いる必要がある．

　本章では，最初に，医用ディジタル画像を扱うための基礎知識であるファイ ルフォーマットについて述べる．次に，画像に含まれるエッジなどの特徴を描 出するための，最も一般的な画像処理であるフィルタリングについて説明を行 う．また，臨床における単純 X 線画像の画像診断でよく使われている画像処理 技術について述べる．さらに，CT や MRI では 3 次元のボリュームデータが得 られるので三次元画像処理や表示法についても説明する．最後に，最新の CT や MRI の画像再構成に共通する最適化技術の概要について述べる．本章で述べ る基本的な事柄は，プログラムを自分で作成してそれを実行しながら読み進め るとさらに理解が深まることが期待される．

A｜ディジタル画像ファイル

　画像データはファイルとして磁気ディスク内部に置かれたり，また，ネット ワークを介して画像データを転送するときにもファイルとして扱われる．画像 データをファイルに格納する形式を**ファイルフォーマット**という．パーソナル コンピュータの分野では，TIFF，JPEG，GIF，BMP，PICT などと名前が付 けられたいくつかの標準化された画像フォーマットがある．しかし，医用画像 には患者や撮影に関する特殊な情報を含ませる必要があるために，もっぱらダ イコム（**DICOM**：digital imaging and communications in medicine）フォー マットが使われている．

1 ビットとバイト

　コンピュータの内部では，基本的にすべてのデータが0と1の組み合わせで表現されている．したがって，表現要素は，0あるいは1を表すことのできるスイッチのようなものと考えることができる．この表現要素は1**ビット** bit と呼ばれている．また，図5-1に示すように1ビットを8桁に並べたものを1**バイト**

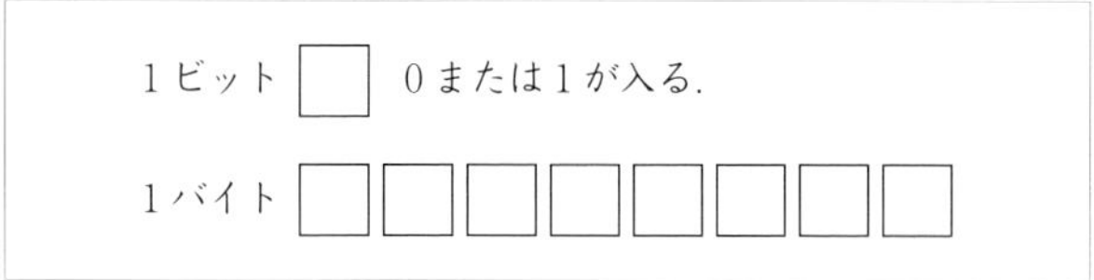

図 5-1．ビットとバイト

表 5-1．2進数，16進数，および，
10進数の対応

2進数	16進数	10進数
0000 0000	00	0
0000 0001	01	1
0000 0010	02	2
0000 0011	03	3
0000 0100	04	4
0000 0101	05	5
0000 0110	06	6
0000 0111	07	7
0000 1000	08	8
0000 1001	09	9
0000 1010	0A	10
0000 1011	0B	11
0000 1100	0C	12
0000 1101	0D	13
0000 1110	0E	14
0000 1111	0F	15
0011 0111	37	55
0101 1011	5B	91
1010 1000	A8	168
1111 1111	FF	255

byte という．コンピュータの世界では，1 バイトの整数倍を用いて，1 個のデータを表現している．したがって，バイトはメモリーやファイルのサイズを表すための重要な基本単位である．

1 バイトデータの場合，すべての桁が 1 になったときが最大の値を示しており，それは 2 進数で表せば 11111111，また 10 進数で表せば 255 である．2 進数から 10 進数への変換は次のようにして行う．

$$11111111 = 2^7 + 2^6 + 2^5 + 2^4 + 2^3 + 2^2 + 2^1 + 2^0 = 255$$

コンピュータの内部表現と同じ 2 進数を使えば便利なことも多いが，桁数が大きくなるという欠点がある．そこで，4 ビットを 1 つの桁とする 16 進数を使ってデータを表現することがよく行われる．そうすれば，1 バイトのデータは 2 桁で表すことができる．2 進数，16 進数，10 進数の対応を**表 5-1** に示している．たとえば，16 進数 A8 から 10 進数への変換は次のようになる．

$$A8 = 10 \times 16^1 + 8 \times 16^0 = 168$$

1 個のデータを 2 バイトで表す場合など，その最大値は 10 進数よりも 16 進数のほうが考えやすい．つまり，2 バイトのすべての桁に 1 が入るのだから FFFF が最大値になることは容易にわかる．また，10 進数へ変換すると 65535 になる．

2 画像ファイルの構成

一般的なディジタル医用画像で用いられる画像ファイルは，**図 5-2** に示すように，大きく分けてヘッダーと画像データの 2 つの部分で構成される．ヘッダーには画像のサイズや階調に関する情報のほかにも，患者名や患者 ID，撮影日，撮影部位などが，その画像ファイルの内容を示す情報として書かれている．したがって，ヘッダーに書かれている内容は文字列および数値の情報であり，文字列はテキスト形式で，数値はバイナリ形式で表現される．

一方，画像データ部は，**図 5-3** に示すように，二次元画像の各画素がもっている値（画素値）を一次元の配列として格納している．このような二次元データの一次元配列への格納方式は，テレビの走査パターンと同じく，水平方向に走査しながら格納するために，ラスター型のデータ格納といわれる．また，画素値は量子化されるときに決定される数値であるから，バイナリ形式で表現されている．

図 5-2. 一般の画像ファイルの基本構成

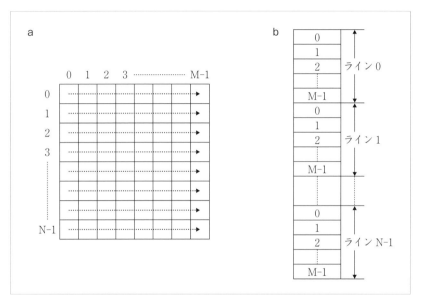

図 5-3. 二次元画像データの一次元配列への格納
a：二次元画像データ，b：一次元配列

　画素値の最大値は量子化されるときの階調数に依存している．たとえば，8
ビットの階調数をもっていれば，画素値の最大値は 255，10 ビットの階調数で
は 1023，12 ビットの階調数では 4095 となる．したがって，8 ビット階調数の
画素値は 1 バイトで表現できるが，10 ビットや 12 ビットでは 2 バイトが必要
となる．そのために，図 5-3 に示すようにマトリックスサイズが $M \times N$ である
ような画像のファイル全体のサイズは，

　　画像ファイルサイズ（バイト）＝（ヘッダーのサイズ）＋ $M \times N \times g$ 　　5.1

ここで，g は 8 ビット階調数のときは 1，10 ビットや 12 ビット階調数のときは 2 となる．画像のマトリックスサイズや階調数は，撮影時にわかることが多いので，画像ファイルのサイズから，逆に，ヘッダーのサイズを知ることもできる．

　式 5.1 から画像データ量を計算するときには，画像データ量の定義と，バイト（B）からキロバイト（KB）やメガバイト（MB）の変換に注意を払う必要がある．画像そのもののデータ量を計算するときは，式 5.1 の g はビットで表した階調数になる．したがって，8 ビット＝1 バイト（B）の関係を使ってビットからバイトへ変換すればよい．しかし，コンピュータ内部の**画像ファイルサイズ**を画像データ量として計算するときには，コンピュータの最小基本単位は 1 バイトであるから，式 5.1 の g は 1 または 2 バイトになる．ハードディスクへの画像の記録枚数や画像の転送速度などを計算する場合などでは，後者の画像ファイルサイズが必要となる．

　また，キロやメガは元々 10 進数に基づいた表現で，それぞれ 10^3，10^6 を表す．しかし，コンピュータの処理は 2 進数に基づいているので，慣習的にキロを $2^{10} = 1024$，メガを $2^{20} = 1024 \times 1024$ として使ってきた．そうすると，キロは 1000 を意味することもあれば，異なる 1024 も意味することにもなってしまう．そこで，国際電気標準会議 International Electrotechnical Commission（IEC）では，2 進数に基づく表現には既存の表現にバイナリ binary を付けて表すように定めている．たとえば，1 キロバイナリバイト＝1024 バイト，1 メガバイナリバイト＝1024 キロバイナリバイトなどである．しかし，これらの表現法は一般に普及しておらず，区別なしにキロバイト，メガバイトなどが使われているのが現状である．したがって，正確を期すためには，必ず 1 キロバイトを 1000 バイトとするのか，あるいは 1024 バイトとするのかを記す必要がある．たとえば，1 キロバイト＝1024 バイトとすれば，ヘッダーのない，マトリックスサイズ 2048×2048，階調数 12 ビットの画像ファイルサイズは，2048×2048×2（バイト）＝8 メガバイト（MB）となる．

　CT や MRI などの三次元画像は，図 5-4 に示すような構造をしている．画像を構成する最小要素は画素（ただし，二次元の**ピクセル** pixel に対応するのは**ボクセル** voxel）であり，ある局所の対象とする領域は関心領域〔ただし，二次元の region of interest（ROI）に対応するのは volume of interest（VOI）〕といわれる．

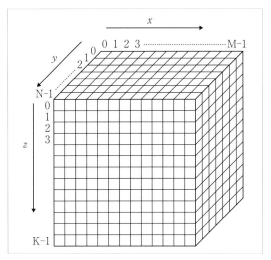

図 5-4.　マトリックスサイズ *M*×*N*×*K* の三次元画像データ
の構造

3 文字列のテキスト形式表現

　ヘッダー部に書かれた患者名などの文字列情報は，コンピュータ内部ではテ
キスト形式で表現されている．テキスト形式とは，文字列に含まれる各文字を，
1 バイトにコード化して表現することをいう．よく使われるのは，表 5-2 に示
したアスキー American standard code for information interchange（ASCII）
コードである．たとえば，5 つの文字列である "Gazou" を**アスキーコード**で変
換すれば，47，61，7A，6F，75 になる．ただし，16 進数で表現している．
　表 5-2 のアスキーコード表を見ればわかるように，文字のほかに，記号や数
字もコード化されている．コード化された数字，たとえば，"12" は単に文字の
羅列と考えるべきで，コード化されると 31　32 となり，10 進数の 12 という値
はもたないことに注意する必要がある．また，テキスト形式では 1 文字が 1 バ
イトで表現されることも特徴である．

表5-2. アスキーコード

	0	1	2	3	4	5	6	7
0				0	@	P	`	p
1			!	1	A	Q	a	q
2			"	2	B	R	b	r
3			#	3	C	S	c	s
4			$	4	D	T	d	t
5			%	5	E	U	e	u
6			&	6	F	V	f	v
7			'	7	G	W	g	w
8			(	8	H	X	h	x
9			)	9	I	Y	i	y
A			*	:	J	Z	j	z
B			+	;	K	[	k	{
C			,	<	L	¥	l		
D			−	=	M	]	m	}
E			.	>	N	^	n	~
F			/	?	O	_	o	

4　数値のバイナリ形式表現

　前にも述べたように1バイトで表現できる数値は0〜255までである．それ以上の数値を表現する場合にはバイト数を増やす必要がある．たとえば，256〜65535までの数値を表現するためには2バイトが必要になる．現在，一般的に用いられているディジタル放射線画像の階調数は10 bit（1024階調）または12 bit（4096階調）であるから，1画素の表現には2バイトを使えばよいことになる．

　ところが，コンピュータ内部のメモリーや磁気ディスクは，1バイト単位に区切られて番地がつけられている．したがって，2バイトデータは2つの番地を占有することになるので，図5-5に示すように，1個の2バイトデータを2つの番地に格納するのに2通りの方法が存在する．一つの方法はデータの上位バイトを，小さな番地に格納し，下位バイトを大きな番地に格納する**ビッグエンディアン** big endian 方式である．もう一つの方法は，上位バイトを大きな番

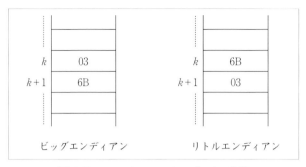

図5-5.　2バイトのバイナリデータの格納

地に，下位バイトを小さな番地に格納する**リトルエンディアン** little endian 方式である．図5-5に示すように，たとえば，画素値が16進数で03 6B（10進数で875）のとき，ビッグエンディアンでは上位バイト03が k 番地に格納され，下位バイト6Bは $k+1$ 番地に格納される．それに対して，リトルエンディアンでは，逆に，k 番地に下位バイト6Bが，$k+1$ 番地に上位バイト03が格納される．

　このようなバイト並びはコンピュータや画像の種類によって異なっている．現在では，ほとんどのパーソナルコンピュータやDICOM画像はリトルエンディアンであるが，ワークステーションやマッキントッシュ，また，一部のデータベースに含まれる画像はビッグエンディアンを用いている．もし，ビッグエンディアンで書かれた画像を，リトルエンディアンのコンピュータに読み込む場合，各画素値の上位と下位のバイトを入れ替えなければならない．バイトの入れ替えをしないと，図5-6に示すように画像の濃淡が正しく表示されないことが起こる．

5 DICOMファイルフォーマット

　DICOM画像ファイルは，図5-7に示すように，DICOMファイルメタ情報とDICOMデータ集合の2つの部分に分けられる．DICOMファイルメタ情報には，DICOMファイル自身に関する情報，たとえば画像データを含む数値データの記録タイプがリトルエンディアンなのか，あるいはビッグエンディアンなのかの区別などが書かれている．また，DICOMデータ集号には，画像お

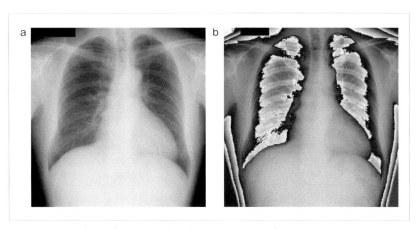

図 5-6. ビッグエンディアンの胸部画像を，リトルエンディアンのコンピュータで表示
a：バイトの入れ替えあり，b：バイトの入れ替えなし

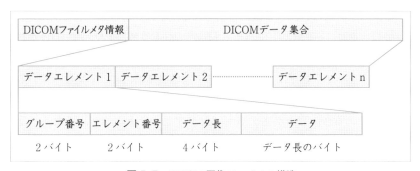

図 5-7. DICOM 画像ファイルの構造

および患者に関する情報，および画像データが書かれている．DICOM データ集合は多数の**データエレメント**の集合で構成されており，各々のデータエレメントはグループ番号，エレメント番号，データ長，データの4つの要素から成り立っている．データエレメントの各要素は書式が決まっていて，グループ番号は2バイトのバイナリ形式の数値，エレメント番号も同じく2バイトのバイナリ形式の数値，またデータ長は4バイトのバイナリ形式の数値，データはデータ長に書かれたバイト数だけのテキスト形式の文字列，またはバイナリ形式の数値で書くように決められている．DICOM 画像ファイルでは通常の画像ファ

表 5-3．DICOM フォーマットにおける代表的なデータエレメント

データエレメント	グループ番号	エレメント番号	データ表現形式
患者 ID 番号	0010	0020	テキスト形式
画像のライン数	0028	0010	バイナリ形式
画像のカラム数	0028	0011	バイナリ形式
1 画素に必要なビット数	0028	0100	バイナリ形式
1 画素の階調数	0028	0101	バイナリ形式
画像データ	7FE0	0010	バイナリ形式

グループ番号とエレメント番号は 16 進数で表している．

イルのように，ヘッダーと画像データという区別はなく，画像データも患者名などと同じく，1 つのデータエレメントの中に書かれている．しかし，画像データを含むデータエレメントは，ファイルの後部に置かれるのが普通である．

　グループ番号とエレメント番号の組み合わせによって，そのデータエレメントはどのような情報をもっているかは，DICOM 規格書の約束事として国際的に決められている．膨大な数のデータエレメントの種類が存在しているが，その中からいくつかの重要なデータエレメントを表 5-3 に示す．たとえば，患者 ID（認証）番号を調べたければ，グループ番号が 0010，エレメント番号が 0020 のデータエレメントを探し出して，データ長に書かれたバイト数だけ，データからテキスト形式（文字列）として読み出せばよい．また，画像データが欲しいときには，グループ番号が 7FE0，エレメント番号が 0010 のデータエレメントを見つけて，データ長のバイト数だけ，バイナリ形式（数値）として読み出せばよい．このように情報の書式を標準化することによって，DICOM フォーマットで書いてありさえすれば，誰もが容易に画像ファイルを扱うことが可能となっている．しかし，DICOM フォーマットには患者個人のプライバシーに関係する情報も多く含まれているために，情報の機密保持（セキュリティー）には細心の注意が必要である．

（桂川茂彦）

B 情報理論

1 情報量の定義

　情報とは，「ある事柄に関して知識を得たり判断のより所としたりするために不可欠な，何らかの手段で伝達（入手）された種々の事項（の内容）」と，とある国語辞書に書かれている．このような情報をコンピュータで扱える量として定義したのは，情報理論の創始者であるシャノン（Claude Elwood Shannon）博士である．その定義では，情報は「変化するパターンの中から選択できるもの」としている．たとえば，天気という情報は大雑把に，晴れ，曇り，雨，雪の4通りに変化する．道路信号の情報は，青，黄，赤の3通りに変化する．このように考えると，最も少ない変化は，YES/NO，男/女，前/後のような2通りの変化である．すなわち，2通りの変化が情報の最小単位であり，これがいわゆる「ビット（bit）」である．

　情報の量とは，その知識を得た人にとっての内容の豊富さのことであると考えられる．次に出るサイコロの目を知る場合と，事前に宝くじの当たり番号がわかる場合とでは，より価値のある情報はあきらかに後者である．つまり，情報の量は，情報を得る前の可能性の数に関係し，その数が増すにつれ情報の量も増すようでなければならない（条件1）．また，情報の量には加法性が成り立たなければならない（条件2）．たとえば，トランプのカードを引いたとき「ハートのAである」ことを知った場合，これを「情報1」とする．また，「ハートである」ことのみを知った場合，これを「情報2」とする．さらに，「Aである」ことのみを知った場合，これを「情報3」とする．ここで，「情報2」と「情報3」を合わせれば「情報1」になることは明白である．つまり，「情報1」の量は，「情報2」の量と「情報3」の量を合計した量にならなければならない．このような観点から，情報の量は可能性の数の対数として定義された．対数の底は2である．これは，対数の底を2にとると，最小の情報（二択）の量は $\log_2 2 = 1$ となり，情報量の単位として都合が良かったからである．情報量の定義式を式 5.2 に示す．

$$I(p_i) = \log_2 \frac{1}{p_i} = -\log_2 p_i \qquad \boxed{5.2}$$

　Iは情報量（**自己情報量**または**選択情報量**ともいう）であり，単位はビット（bit）である．p_iは事前確率（ある出来事が発生する確率）である．上述の「情報1」，「情報2」，「情報3」の情報量をI_1，I_2，I_3としてそれぞれを求めると下記のようになり，条件1と条件2を満たしていることがわかる．

$$I_1(\text{ハートの A}) = -\log_2 \frac{1}{52} \approx 5.7 \text{ ビット}$$

$$I_2(\text{ハート}) = -\log_2 \frac{1}{4} = 2 \text{ ビット}$$

$$I_3(\text{A}) = -\log_2 \frac{1}{13} \approx 3.7 \text{ ビット}$$

2 平均情報量

　情報量の平均（期待値）を考えてみよう．ある事象系を$\{a_1, a_2, \cdots a_N\}$とする．これらN個の事象は互いに排反で，その生起確率p_iの総和は1とする（完全事象系）．このとき，情報量$I(p_i)$の平均，すなわち**平均情報量 H** は式 $\boxed{5.3}$ で定義される．

$$H = p_1(-\log_2 p_1) + p_2(-\log_2 p_2) + \cdots + p_N(-\log_2 p_N)$$
$$= -\sum_{i=1}^{N} p_i \log_2 p_i \quad \text{ただし，} \sum_{i=1}^{N} p_i = 1.0 \qquad \boxed{5.3}$$

　平均情報量Hは**エントロピー**とも呼ばれ，取りうる範囲は$0 \leq H \leq \log_2 N$ビットである．事象系$\{a_1, a_2, \cdots a_N\}$において，一つの事象a_iの生起確率が$p_i = 1$でその他の事象の生起確率がすべて0のとき，平均情報量は最小の$H = 0$ビットとなる．これは，結果を聞く前から結果が既知なので情報として価値がないことを意味する．一方，事象系$\{a_1, a_2, \cdots a_N\}$において，すべての事象の生起確率が$p_i = 1/N$と一様な場合，平均情報量は最大の$H = \log_2 N$ビットとなる．これは，どの事象が起きるかまったく予想できない状態であり，結果を聞いたときの情報の豊富さが最大であることを意味する．このようにすべての出来事が等確率で発生すると仮定した場合のエントロピーを最大エントロピー（H_{max}）という．最大エントロピーH_{max}とエントロピーHの違いは情報源に含

まれる「無駄さ」とも考えられる．与えられた情報源がどれだけ無駄なものを含むかの度合いを**冗長度**という．冗長度 r は式 5.4 で定義される．

$$r = 1 - \frac{H}{H_{max}}$$ 5.4

4つの文字（A，B，C，D）からなるデータを仮定する．出現率が均等である場合は，$p_A = p_B = p_C = p_D = 1/4$ である．平均情報量は $H = \log_2 4 = 2$ ビットとなり，$H = H_{max}$ になる．出現率に偏りがある場合は，例えば，$p_A = 1/2$，$p_B = 1/4$，$p_C = p_D = 1/8$ とすると，平均情報量は $H = 1/2 \times \log_2 2 + 1/4 \times \log_2 4 + 2 \times 1/8 \times \log_2 8 = 0.5 + 0.5 + 0.75 = 1.75$ ビットとなり，$H < H_{max}$ になる．出現率に偏りがある情報のほうが平均情報量が小さくなる．平均情報量は，冗長性を廃した場合のデータ表現に必要な符号長と捉えることができる．先述の4つの文字からなるデータを表現するには通常は2ビット（$= H_{max}$）の符号長が必要である．たとえば，A を 00，B を 01，C を 10，D を 11 のように2ビットの符号で表す．一方，出現率に偏りがある場合，特に先ほどの例では 1.75 ビットの符号長でデータを表現できる可能性を示している．たとえば，A を 0，B を 10，C を 110，D を 111 のような符号で表すと，その平均符号長は $1 \times 1/2 + 2 \times 1/4 + 3 \times 1/8 + 3 \times 1/8 = 1.75$ ビットとなる．すなわち，出現率に偏りがある場合は，少ないビット数で情報を表現することができる．これは，まさにデータ圧縮（特に可逆圧縮）の基本原理に関わることであり，出現率に偏りがあれば，情報量を保持したままデータ量を圧縮できることを意味する．

3 符号化

出現率に偏りがあるデータを効率的に符号化する方法は**エントロピー符号化**と総称される．エントロピー符号化では，出現率に応じて割り当てる符号の長さが異なる．一般的には，出現率の高いデータには短い符号を割り当て，出現率の低いデータには長い符号を割り当てる．エントロピー符号化の方法としては，**シャノン・ファノ符号化**，**ハフマン符号化**，**算術符号化**が有名である．また，エントロピー符号化と組み合わせることでさらに効果的な符号化法の一つに**ランレングス符号化**がある．ファクシミリ（FAX）では，ランレングス符号化とハフマン符号化を組み合わせたデータ圧縮処理が使われている．

ランレングス符号化は，同じデータ値が連続する場合に有効な符号化法であ

る．同じデータ値が並んでいるひとかたまりをランと呼び，ランの長さとデータ値を組み合わせて表現する．たとえば，ある数値データとして 1 1 1 1 0 0 1 1 1 1 1 2 2 2 1 1 1 3 3 3 を仮定する．これをランレングス符号化すると 41 20 51 32 31 33 で表すことができる．最初のランに着目すると，1 というデータが 4 つ並んでいるので 41 と表現している．ひとつの数値を 1 バイトで表現すると仮定すると，元データは 20 バイト必要であるが，ランレングス符号化後は 12 バイトで事足りる．

　ハフマン符号化は文字列や画像データなどのデータ圧縮処理に実用されている符号化法の一つである．ハフマン符号化では，まず各データ値の出現率を求める．次に，各データ値を出現率に応じた重みを持った葉と捉え，**ハフマン木**と呼ばれる木構造を構築する．そして，ハフマン木から各データ値に割り当てるビット列を決定する．ハフマン木の作成手順を以下に示す．

① 出現率の低い 2 つのデータ値を葉とする．2 つの葉をまとめて新たなデータ値とし，2 つの葉から枝を伸ばす．新たなデータ値の出現率は元の 2 つの葉の出現率の合計値とする．枝には 0 か 1 の符号をつける．

② ①で作成した新たなデータ値を含め次に出現率の低い 2 つデータ値で①の処理を行う．

③ これをすべてのデータ値が木に結び付けられるまで処理を繰り返す．

　ハフマン木の作成例を**図 5-8** に示す．ハフマン木を作成できれば，根から枝を辿ることで各データ値を符号化することができる．この例では，データ値 A は 1 に，データ値 B は 01 に，データ値 C は 000 に，データ値 D は 001 に符号化される．

　シャノン・ファノ符号化の手順を以下に示す．

① データ値を出現率の大きい順に並び替え一つのグループとみなす．

② グループを出現率の合計ができるだけ等しくなるように二分割する（二分木作成）．

③ 分割した片方のグループに 0 をもう片方のグループに 1 を割り当てる．

④ 分割してできた 2 つのグループそれぞれに対してさらに②③を行う．

⑤ これをすべてのデータ値が木に結び付けられるまで処理をくり返す．

　ハフマン符号化と同様に作成した二分木の枝を辿ることで各データ値を符号化することができる．**図 5-9** に 8 つの文字（A，B，C，D，E，F，G，H）か

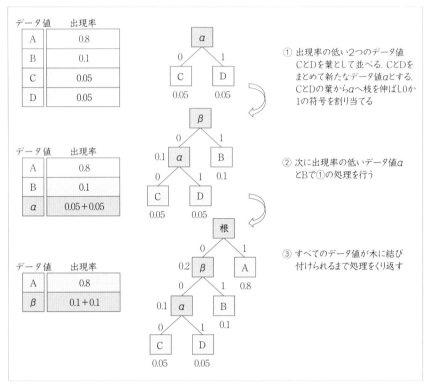

図 5-8. ハフマン木の作成手順

らなるデータを仮定してシャノン・ファノ符号化した例を示す. この場合の平均符号長は 2.664 ビットになる. 同じデータをハフマン符号化した場合を図 5-10 に示す. この場合の平均符号長は 2.66 ビットになる. 理論上の最小符号長（平均情報量）は約 2.59 ビットであり，ハフマン符号は少しだけこれに近いことがわかる. シャノン・ファノ符号化では，平均符号長が最少（コンパクト符号）になるとは限らないので，現在は実用されていない. 一方，ハフマン符号化はコンパクト符号の一つの構成法として実用されている.

算術符号化の手順を以下に示す.

① データ値を出現率の大きい順に並び替え，番号 $i = 1, 2, \cdots$ を付して出現率を $P(i)$ とする.

② 累積確率（$P(0) \sim P(i\text{-}1)$ の和：ただし，$P(0) = 0$ とする）を求める.

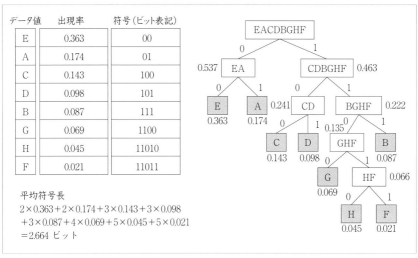

図 5-9. シャノン・ファノ符号化

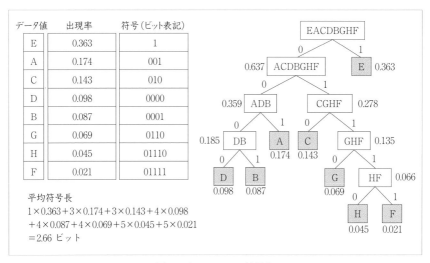

図 5-10. ハフマン符号化

データ値	出現率 $P(i)$	番号 i	累積確率	累積確率 2進数	符号 （ビット表記）
E	0.363	1	0.00	0.00000	00
A	0.174	2	0.363	0.01011	01
C	0.143	3	0.537	0.10001	100
D	0.098	4	0.68	0.10101	101
B	0.087	5	0.778	0.11000	1100
G	0.069	6	0.865	0.11011	1101
H	0.045	7	0.934	0.11101	1110
F	0.021	8	0.979	0.11111	1111

平均符号長
$2 \times 0.363 + 2 \times 0.174 + 3 \times 0.143 + 3 \times 0.098$
$+ 4 \times 0.087 + 4 \times 0.069 + 4 \times 0.045 + 4 \times 0.021$
$= 2.685$ ビット

図 5-11. 算術符号化

③ 累積確率を 2 進数に変換し，小数点以下について他と区別できる最小桁数で
表示したものを符号とする．

図 5-11 に先の例と同じ 8 つの文字（A，B，C，D，E，F，G，H）からなる
データを算術符号化した場合を示す．この場合の平均符号長は 2.685 ビットに
なる．算術符号化は，データ列全体を一つの符号列として置き換える方法であ
る．データ列を 0 と 1 の間の有理数で表し，符号化と復号化に算術演算を利用
するため，この名称がつけられた．理論上ではハフマン符号化よりも効率的に
圧縮できることが知られており実用されている．

4 可逆圧縮と非可逆圧縮

データ圧縮法は，可逆圧縮（lossless）と非可逆圧縮（lossy）に大別できる．
可逆圧縮は，圧縮後のデータから完全に元のデータを復元することができる．
一方，非可逆圧縮は，圧縮後のデータから完全には元のデータを復元すること
ができない．言い換えれば，可逆圧縮はデータの再現性を完全に保持したまま
圧縮する方法であり，非可逆圧縮はデータの一部を間引く，あるいはデータ値
を圧縮に都合の良いように変化させて圧縮する方法である（図 5-12）．ただし，

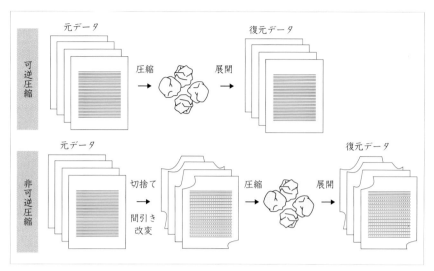

図 5-12.　可逆圧縮と非可逆圧縮

　非可逆圧縮において間引く・改変するのは，冗長な部分や人が認知しないデータである．核心的なデータは保持し，不要と思われるデータのみを間引く・改変するのである．特に画像や動画の圧縮では，人間の視聴覚特性を利用して，間引き・改変による劣化を目立たなくしている．つまり，人間の感覚に伝わりにくい情報はデータを大幅に減らし，伝わりやすい情報はデータを多く残すようにしている．そのため，一般的に圧縮効率は非可逆圧縮の方が可逆圧縮よりも優れており，非可逆圧縮のほうがより小さいデータ量に圧縮できる．

　圧縮率は，圧縮後のデータ量と元のデータ量の割合で表される．たとえば，100 メガバイトのデータが 10 メガバイトに圧縮されたとする．この場合，圧縮率は 10/100，すなわち 0.1 あるいは 1/10（百分率では 10％）となる．一方，(100-10)/100，すなわち 0.9 あるいは 9/10（百分率では 90％）を圧縮率とする場合もある．前者は，値が小さいほどより少ないデータ量に圧縮できていることを表し，後者はその逆である．一般的には前者のほうが直感的でわかりやすい．いずれの場合も慣例的に，よく圧縮できた（より少ないデータ量に圧縮された）状態を「圧縮率が高い」と表現する．逆にあまり圧縮できなかった（比較的多めのデータ量に圧縮された）状態を「圧縮率が低い」と表現する．さら

に，データ圧縮の効率は圧縮比で表されることも多い．圧縮比は，圧縮前と圧縮後のデータ量の比である．先の100メガバイトを10メガバイトに圧縮した例では10：1と表記される．あるいは比の値（圧縮前のデータ量が圧縮後のデータ量の何倍かを表す値）である10倍と表すこともある．この値が大きいほどより少ないデータ量に圧縮できていることになる．

　圧縮率は，可逆圧縮でおよそ1/2〜1/3程度，非可逆圧縮でおよそ1/10〜1/100程度とされている．ランレングス符号化やハフマン符号化などの各種符号化法は可逆圧縮に該当する．一方，非可逆圧縮には**離散コサイン変換**（discrete cosine transform：**DCT**）や**離散ウェーブレット変換**（discrete wavelet transform：**DWT**）による方法が画像圧縮で利用されている．どちらも離散信号を周波数領域へ変換する方法であり，周波数領域で人が感知しにくい高周波成分を切り捨てることで圧縮効率を高めている．DCTはフーリエ変換の基底関数のうちでコサイン関数のみを用いる変換である．さまざまな振幅・周波数の余弦波を重ね合わせることで任意の信号波形を表現する変換といえる．DCTは画像圧縮の効率面でフーリエ変換より優れていることが立証されている．DWTは基底関数としてウェーブレット関数とスケーリング関数を用いる変換である．基本となる短い波形（ウェーブレット）をベースに，スケーリング（伸長と位相を変化）させた複数の波形を重ね合わせることで任意の信号波形を表現する変換である．ちなみにウェーブレットは小さな波を意味する用語である．

　非可逆圧縮のおよその処理方針は，先に述べたように，データを間引く，または，圧縮効率が高くなるようにデータ値を改変することである．前者は，たとえば，信号数（画像ではマトリクス数）を直接的に間引いてデータ量そのものを削減することが考えられる．これは実際に画像圧縮（後述のJPEG）でカラー画像を扱うときに利用されている．後者は，たとえば，ランレングス符号化しやすいようにデータ値を同じ値が並ぶように変換する処理などが考えられる．こちらもJPEGで高周波数成分を切り捨てるときに用いられている．こうした非可逆処理は単体でも非可逆圧縮として成り立つが，実際は，圧縮率を高めるために可逆圧縮と組み合わせて用いることが多い（図5-13）．そして，その組み合わせた処理全体が非可逆圧縮と称される．したがって，非可逆圧縮は，可逆圧縮を行うに先立ってデータを加工することによって圧縮率を高める方法であるとも考えられる．

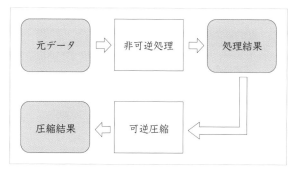

図 5-13. 非可逆圧縮の処理手順

5 画像圧縮技術

　われわれの身の回りに溢れているデジタル画像には何らかの画像圧縮技術が施されているのが一般的である．画像圧縮を行わない，いわゆる RAW（ロー）形式で画像を扱うことは稀である．代表的な画像形式や圧縮技術を表 5-4 に示す．LZ 法は，データ列に着目して，それが以前に出現したことがあれば，既出であることを利用してそのデータ列を何らかの符号に置き換えることで圧縮を行う方法である．たとえば，A B C D E A B C D A B C D E A B C D A B C D E A B C D のようなデータを仮定すると，6〜9 番目のデータ値 A B C D は，先頭から 4 番目までのデータ列に一致する．このようなデータ列は，既出データの開始位置と列長を用いた符号に置き換える．この例では，先頭のインデックスと列長から［1, 4］と，または現データからの相対位置（いくつ前から）と列長で［5, 4］と置き換えることができる．さらに続く 10〜18 番目のデータ値 A B C D E A B C D A B C D E A B C D は，同様に，［1, 18］または［9, 18］と置き換えることができる．こうした LZ 法は，zip や gzip などのファイルのアーカイブ・圧縮法として活用されている．画像では PNG（portable network graphics），GIF（graphics interchange format），TIFF（tagged image file format）などで採用されており，これらは可逆圧縮の画像形式に該当する．一方，非可逆圧縮の画像形式としては JPEG（joint photographic experts group）と JPEG2000 が主に使われている．普及率では圧倒的に JPEG が上

表 5-4.　代表的な画像形式と圧縮技術

	可逆圧縮	非可逆圧縮
圧縮率	1/2〜1/3	1/10〜1/100
圧縮技術	LZ 法	DCT
	エントロピー符号化	DWT
画像形式	PNG, TIFF, GIF, …	JPEG
		JPEG2000

回っている.

　圧縮効率については，一般的に，非可逆圧縮の画像形式のほうが可逆圧縮の画像形式よりも優れている. ただし，画像の性質によっては可逆圧縮のほうが優位な場合もある. 特にベタ塗りの多い画像（アイコンやイラストなど）にはGIF や PNG の方が適している. 一方，色や濃淡が離散している写真や自然画像には JPEG のほうが適している. 図 5-14 にベタ塗り画像と自然画像を JPEGと GIF で保存したときの比較を示す. BMP（bitmap）は Windows OS 用に開発された画像形式である. 通常は非圧縮であるので，この形式で保存した場合を元画像のデータ量とする. ベタ塗り画像における圧縮率は JPEG で約 1/17，GIF で約 1/179 である. 自然画像における圧縮率は JPEG で約 1/16，GIF で約1/9 である. JPEG ではどちらも同程度の圧縮率であるが，GIF では大きな差が生じており，ベタ塗り画像では JPEG よりも大幅に圧縮率が高いことがわかる.

　図 5-15 に JPEG の圧縮処理の模式図を示す. JPEG 処理では，まずは画像を8×8 画素のブロックに分ける. そして，そのブロック単位で処理を行う. これは，主に計算時間を節約するためである. 圧縮処理は，最初に非可逆処理，続けて可逆処理を行う. 非可逆処理の第 1 ステップと第 2 ステップはどちらも人間の目の性質を考慮した処理である.

　第 1 ステップは，人間の目は色の変化（色差）にはあまり敏感ではない，という性質を利用している. 色差を扱うために JPEG では YCbCr 表色系を利用している. Y は輝度，Cb は輝度と青レベルの差，Cr は輝度と赤レベルの差である. 自然画像では Y 成分は画質に大きく影響するため間引きは行わない. 一方，Cb，Cr の色差成分は変化の範囲がそれほど広くなく画質に与える影響もY 成分ほど大きくない. そこで，色差のデータを間引くことでデータ量を削減するのである. 具体的には，Cb，Cr の色差成分については，サンプリング比

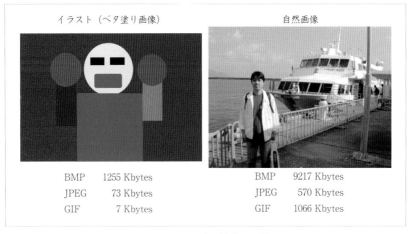

イラスト（ベタ塗り画像）　　　　　自然画像

BMP	1255 Kbytes
JPEG	73 Kbytes
GIF	7 Kbytes

BMP	9217 Kbytes
JPEG	570 Kbytes
GIF	1066 Kbytes

図 5-14．画像圧縮率の比較

図 5-15．JPEG の圧縮処理の模式図

を 2：1 として縦横ともに半分に間引く．

　第 2 ステップは，人間の目は高周波数成分の変化にはあまり敏感ではない，という性質を利用している．大まかには，8×8 画素のブロックに DCT を実施してローパスフィルタのような処理を行っている（図 5-16）．JPEG での DCT を式 5.5 に，逆 DCT を式 5.6 に示す．

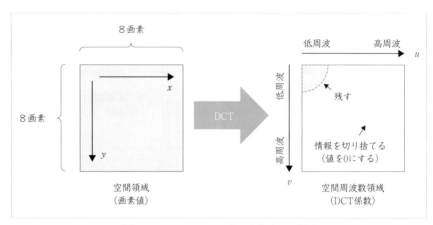

図 5-16. DCT による高周波数成分の削減

$$D_{vu} = \frac{1}{4} C_u C_v \sum_{x=0}^{7} \sum_{y=0}^{7} S_{yx} \cos \frac{(2x+1)u\pi}{16} \cos \frac{(2y+1)v\pi}{16}$$ 　5.5

$$S_{yx} = \frac{1}{4} \sum_{u=0}^{7} \sum_{v=0}^{7} C_u C_v D_{vu} \cos \frac{(2x+1)u\pi}{16} \cos \frac{(2y+1)v\pi}{16}$$ 　5.6

$$C_u, \quad C_v = \begin{cases} \dfrac{1}{\sqrt{2}} & u, \ v = 0 \ \text{のとき} \\ 1 & \text{それ以外のとき} \end{cases}$$

S_{yx} は画素値,D_{vu} は DCT 係数を表す.x, y は空間領域での画素の座標であり,u, v は空間周波数領域での画素の座標である.x, y, u, v の変化量が 0〜7 となっているのは,JPEG が 8×8 画素のブロックで処理を行っているからである.

高周波数成分を削減する処理は,JPEG では量子化テーブルを利用して実施している(図 5-17).具体的には各 DCT 係数を量子化テーブルの対応する値で割って値を小さくする.復元時には逆に量子化テーブルの値を掛けて元に戻す.このような量子化を経て復元される画像には画質の劣化(歪み)が生じる.しかし,その劣化を人間の目には気にならない程度に調整して抑えることが可能である.つまり,量子化テーブルを変えることによって,情報の削減量と画質を調整するのである.量子化テーブルでは,左上から右側,下側,右下側に向かって比較的大きな値になるように設定されている.これは,DCT 係数の領

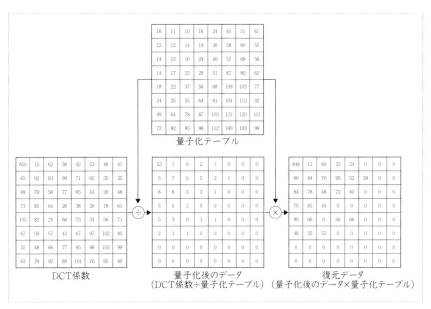

図 5-17. 量子化と逆量子化

域で，高周波成分が集まっている領域の値を 0 に置き換えて情報を切り捨てるためである．**図 5-18** に DCT と量子化を経て復元した画像例を示す．

　JPEG の可逆処理では，量子化後のデータに対してランレングス符号化とハフマン符号化を組み合わせたエントロピー符号化を実施している．このとき右下側に 0 が偏っていることを考慮して，左上からジグザグにスキャンしてランを数える．これによってランの数を減らすことができる（**図 5-19**）．また，JPEG では 0 のランレングスとそれ以外の値を組としてランレングス符号化を行っている．これも 0 が右下側に偏って出現する性質を利用して圧縮率を高めるための工夫の一つである．この他にも，ハフマン符号化の段階では，ランレングス符号化後のデータ値をそのまま符号化せず，データ値を表現するために必要なビット数をハフマン符号化し，その符号語に続いてデータ値を必要最小限のビット数で記録する方式を採用している．こうすることで，データ値をそのままハフマン符号化すると 256 種類の符号語が必要になるところを，8 種類の符号語で事足りるようにしている．また，各ブロックにおける DCT 係数の DC 成分［座標（0, 0）の DCT 係数］については，前のブロックの DC 成分と

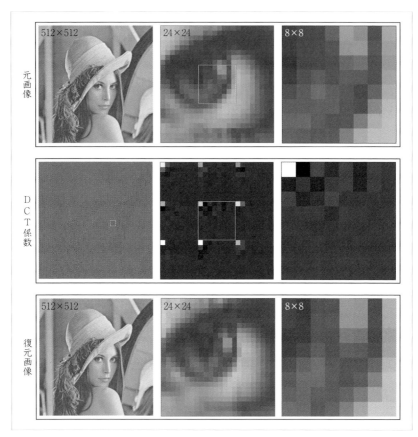

図 5-18．DCT＋量子化で復元した画像例

の差を記録した上でその差分値のみで別途ハフマン符号化を行う．DC 成分は
ブロック内のベースとなる値であり，ブロック内では突出して大きな値にな
る．そのため，AD 成分［座標（0, 0）以外の DCT 係数］と混ぜて符号化する
と圧縮効率が悪くなってしまう．こうした理由から DC 成分と AD 成分を分け
てそれぞれをハフマン符号化するのである．これも圧縮率を上げるための工夫
の一つである．

　JPEG は非常に優れた圧縮形式であり，1/10 程度の圧縮率では人の目では元
画像との違いをほぼ感知できない．しかしながら，1/20〜1/30 程度まで圧縮率

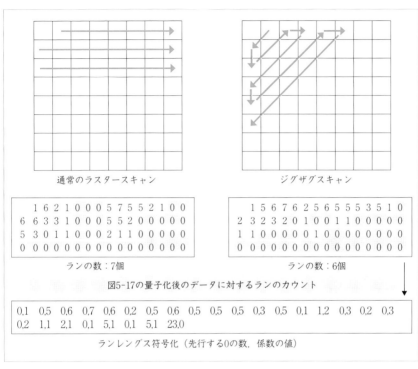

通常のラスタースキャン　　　　　　　　　ジグザグスキャン

1	6	2	1	0	0	0	0	5	7	5	5	2	1	0	0
6	6	3	3	1	0	0	0	5	5	2	0	0	0	0	0
5	3	0	1	1	0	0	0	2	1	1	0	0	0	0	0
0	0	0	0	0	0	0	0	0	0	0	0	0	0	0	0

1	5	6	7	6	2	5	6	5	5	5	3	5	1	0
2	3	2	3	2	0	1	0	0	1	1	0	0	0	0
1	1	0	0	0	0	1	0	0	0	0	0	0	0	0
0	0	0	0	0	0	0	0	0	0	0	0	0	0	0

ランの数：7個　　　　　　　　　　　　　　ランの数：6個

図5-17の量子化後のデータに対するランのカウント

| 0,1 | 0,5 | 0,6 | 0,7 | 0,6 | 0,2 | 0,5 | 0,6 | 0,5 | 0,5 | 0,5 | 0,3 | 0,5 | 0,1 | 1,2 | 0,3 | 0,2 | 0,3 |
| 0,2 | 1,1 | 2,1 | 0,1 | 5,1 | 0,1 | 5,1 | 23,0 | | | | | | | | | | |

ランレングス符号化（先行する0の数，係数の値）

図 5-19. JPEG でのランレングス符号化

を上げると画質の劣化が目立ってくる．こうした画質の劣化は，**モスキートノ イズ**と**ブロックノイズ**として現れる．モスキートノイズはエッジ部分に細かい ギザギザが残り，蚊の大群がいるようなモヤモヤしたノイズとして見える．ブ ロックノイズは，8×8画素のブロック間の歪であり，ブロックを一つの単位と したモザイクとして見える．どちらのノイズも高周波成分を削り過ぎることが 原因で生じる．

　JPEG2000 では，入力画像に対して DWT（discrete wavelet transform）に よる周波数変換を施し，変換した DWT 係数に対して量子化を行った後，エン トロピー符号化を適用することでデータ量の圧縮を行う．JPEG2000 と JPEG の圧縮処理の違いは，大雑把に言えば，DCT の代わりに DWT を，エントロ ピー符号化には算術符号化を採用している 2 点といえる．DWT はフィルタバ ンクで実施され，**図5-20** のように，フィルタによって 4 つのサブバンドに分

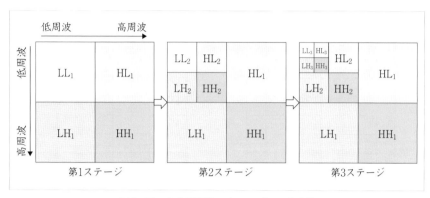

低周波 → 高周波

低周波

高周波

LL_1 HL_1 LH_1 HH_1

第1ステージ

LL_2 HL_2 LH_2 HH_2 HL_1 LH_1 HH_1

第2ステージ

LL_3 HL_3 LH_3 HH_3 HL_2 LH_2 HH_2 HL_1 LH_1 HH_1

第3ステージ

図 5-20. 2 次元画像のウェーブレット変換

割することをくり返す．画像の水平方向と垂直方向それぞれにフィルタリング
を行い，4 つの情報（LL，LH，HL，HH）に分解する．LL は水平・垂直方向
ともにローパスフィルタリングを行った成分である．LH は水平方向にローパ
スフィルタリングを，垂直方向にハイパスフィルタリングを行った成分であ
る．HL は水平方向にはハイパスフィルタリングを，垂直方向にはローパス
フィルタリングを行った成分である．HH は水平・垂直方向ともにハイパス
フィルタリングを行った成分である．DWT による非可逆処理の基本方針は，
高周波数成分に該当する LH，HL，HH の DWT 係数に対して，絶対値の大き
い DWT 係数のみを残し，残りの係数を 0（あるいは 0 に近い値）にして再構
成することである（図 5-21）．これは，絶対値が大きい順に上位数パーセント
の DWT 係数にエネルギー（データ中に存在する頻度の高いパターン）が集中
するからである．絶対値の小さい DWT 係数の成分は重要度の低い高周波数成
分と捉えることができる．したがって，絶対値の大きい DWT 係数のみを残す
ことで，画像の特徴を保存したまま少ないデータ量で画像を再構成することが
できる．JPEG2000 ではこれに類する処理を量子化によって実行している．

　コンピュータ上で作成した矩形波パターンに対して，DWT により圧縮シ
ミュレーションを実施した例を図 5-22 に示す．0.05 LP（line pairs）/mm〜10.0
LP/mm の矩形波パターンに DWT を実行し，DWT 係数の使用率（WCR：
wavelet coefficient rate）を決めて再構成を行った．MTF（modulation transfer
function）と MSE（mean square error）の測定結果によると，WCR≧30％で

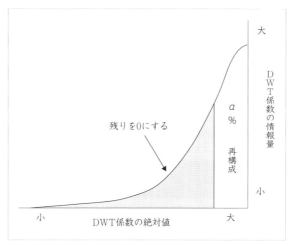

図 5-21．DWT による非可逆処理の基本方針

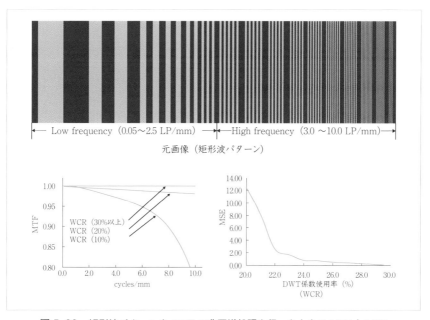

図 5-22．矩形波パターンを DWT で非可逆処理を行ったときの MTF と MSE

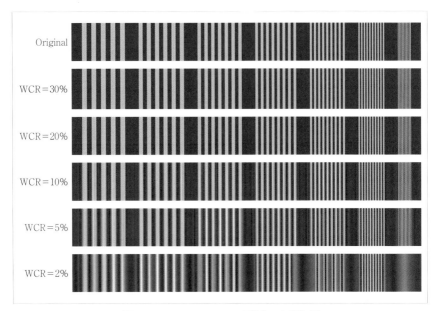

図 5-23．WCR≦30％で再構成した画像例

完全に元データを保持できている結果となった．図5-23にWCR≦30％で再構成した画像例を示す．このシミュレーションの結果では，約70％のDWT係数の情報を切り捨てても元画像を再現できることがわかった．図5-24には胸部X線画像に対して，WCR＝1％，3％，5％，7％で再構成したときの画像例を示す．視覚的には，WCR≧10％程度であれば臨床上は特に影響がないことが考察された．

　こうしたDWTによる非可逆処理（量子化）の後には，DWT係数が0になっている割合が高いので，その後のエントロピー符号化が有効に働くようになる．DWTは画像全体に行われるので，JPEGにおいて高圧縮率で保存したときに目立っていたブロックノイズやモスキートノイズがJPEG2000では発生しない．そのため，圧縮率を大幅に上げることが可能であり，画質を良好に保ったまま1/100程度まで圧縮できる場合もある．問題点としては処理速度が遅い点が挙げられる．

（近藤世範）

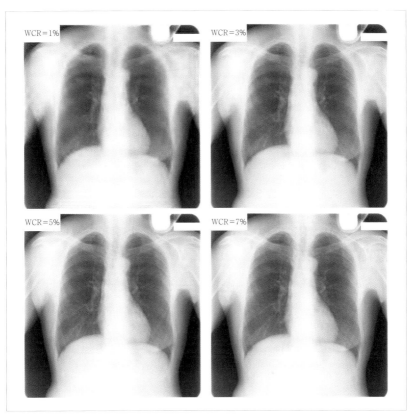

図 5-24. WCR＝1％，3％，5％，7％で再構成した胸部 X 線画像

C フィルタリング

画像に含まれているエッジだけの成分を描出したり，あるいは，特定の空間周波数成分だけの画像に変換する操作を**フィルタリング** filtering という．画像処理においては，空間領域で行うフィルタリングと，空間周波数領域で行うフィルタリングがある．

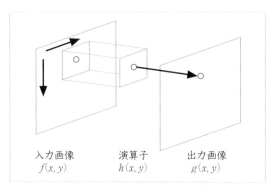

入力画像　　　　演算子　　　出力画像
$f(x, y)$　　　　$h(x, y)$　　　$g(x, y)$

図5-25. 空間フィルタリング

1 空間フィルタリング

　空間フィルタリングは，特定の性質をもった画像に変換するために最も頻繁に使用されている画像処理の基本技術の1つである．図5-25に示すように，入力画像内の注目している画素とその近傍（局所領域）に含まれる画素の画素値$f(x, y)$に，ある重み付け$h(x, y)$をしたあとにそれらを加算し，注目している画素の新しい画素値$g(x, y)$とするような処理を空間フィルタリングという．二次元重み係数行列のマトリックスサイズを$(2K+1) \times (2L+1)$とすれば，空間フィルタリングは次のように表される．

$$g(x, y) = \sum_{k=-K}^{K} \sum_{l=-L}^{L} f(x+k, y+l) h(k+K+1, l+L+1) \qquad 5.7$$

　重み係数行列のことを**フィルタ**，または**演算子**（オペレータ，operator）と呼ぶことが多い．このような演算をラスター走査をしながら行い，最終的にフィルタで特徴付けられた出力画像が得られる．

a 平滑化フィルタ

　画像に含まれている雑音を低減したり，あるいは，画像の濃度変動を滑らかにしてぼかすために**平滑化フィルタリング**を行う．平滑化にはすべての濃度変動を同じように平滑化する方法と，エッジなどの大きな濃度変動を保存しながら小さな濃度変動だけを平滑化する方法とに大別される．前者の代表として移

動平均フィルタ, 加重平均フィルタ, ガウシャンフィルタをここでは取り上げ, 後者の代表としてメディアンフィルタを説明する.

1) 移動平均フィルタ

注目画素を中心とする局所領域の画素値の平均を出力とするフィルタである. 局所領域を大きくすれば画像も大きくボケるので, 雑音低減のためには次のような3×3のフィルタが使われる.

$$h = \frac{1}{9}\begin{bmatrix} 1 & 1 & 1 \\ 1 & 1 & 1 \\ 1 & 1 & 1 \end{bmatrix}$$

5.8

式5.8の移動平均フィルタによる処理画像を図5-26 bに示す. 雑音は減少しているが, 肺血管などがボケているのがわかる.

2) 加重平均フィルタ

移動平均フィルタでは局所領域のすべての画素に対して同じ重み係数が使用されているのに対して, 加重平均フィルタでは注目画素に近いほど重み係数が大きくなっている. つまり, 注目画素に近いほど, 平均値に対する影響が大きくなっている. したがって, 加重平均フィルタは移動平均フィルタと比べて, ゆるやかな平滑化を行うことが可能である. いろいろな重み係数が試みられているが, 代表的な加重平均フィルタを下に示す.

$$h = \frac{1}{16}\begin{bmatrix} 1 & 2 & 1 \\ 2 & 4 & 2 \\ 1 & 2 & 1 \end{bmatrix}$$

5.9

式5.9の加重平均フィルタによる処理画像を図5-26 cに示す. 移動平均フィルタに比べて, 画像のボケが小さいことが処理画像からもわかる.

3) ガウシャンフィルタ

マトリックスサイズが3×3よりも大きな加重平均フィルタとしてガウシャンフィルタ Gaussian filter が使われる. フィルタの中心に対して次のような正規分布 $h(x, y)$ を重み係数として用いる.

$$h(x, y) = e^{-(x^2 + y^2)/\sigma^2}$$

5.10

ここで, σ は正規分布の標準偏差であり, フィルタサイズの1/4を目安として設定されることが多い. また, フィルタの重み係数の合計が1となるように正規化しなければならない. フィルタサイズ7×7のガウシャンフィルタによる

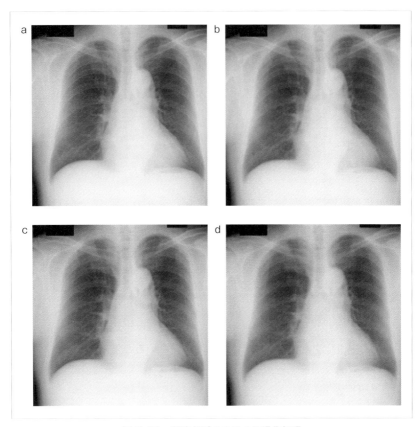

図 5-26．雑音低減のための平滑化処理
a：オリジナル画像，b：移動平均フィルタによる処理画像，
c：加重平均フィルタによる処理画像，d：ガウシャンフィルタによる処理画像

処理画像を図 5-26 d に示す．フィルタサイズが大きくなっているので，画像のボケも大きくなっている．

4）メディアンフィルタ

メディアンフィルタは局所領域の画素値のヒストグラムから中央値（メディアン）median を求めて出力するフィルタである．局所領域に含まれる画素が N 個あるときに，それらの画素値を小さい順に並べ，$N/2$ 番目の画素値を中央値という．したがって，画像にスパイク状雑音（ごま塩雑音ともいう）が含まれ

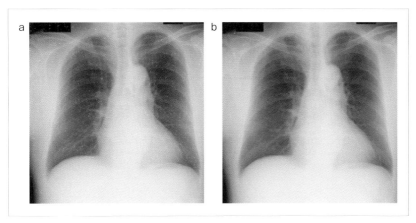

図 5-27. メディアンフィルタによるスパイク状雑音の除去
a：スパイク状雑音を加えたオリジナル画像，b：処理画像

ていると，画像のボケを抑えながら，ほぼ完全に除去することが可能である．
スパイク状雑音を加えた画像を，フィルタサイズ3×3のメディアンフィルタで
処理した結果を図 5-27 に示す．スパイク状雑音は完全に除去され，血管影の
ボケも小さいことがわかる．

b エッジ検出フィルタ

たとえば，胸部画像の肋骨の境界のように，ステップ状の濃度変化を有する
パターンを**エッジ**という．したがって，図 5-28 に示すプロファイルでは2つ
のエッジをもっている．エッジは濃度変化が急激なために，濃度変化の勾配
gradient を表す一次微分を計算することで求めることが可能である．ディジタ
ル画像では一次微分は差分で代用される．一次元画像 $f(x)$ の着目する点 x にお
ける微分 $g(x)$ は次式で求める．

$$g(x) = f(x+1) - f(x-1) \hspace{3cm} 5.11$$

二次元画像では，微分する方向は水平方向（x 方向）と垂直方向（y 方向）の2
つを考える必要がある．一次元の微分である式 5.11 を，そのまま二次元の空間
フィルタに拡張したものが，下に示す Prewitt フィルタである．

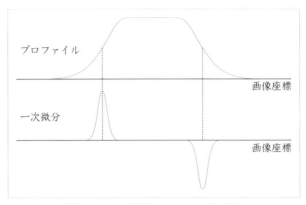

図 5-28.　一次微分によるエッジの検出

$$h_x = \begin{bmatrix} -1 & 0 & 1 \\ -1 & 0 & 1 \\ -1 & 0 & 1 \end{bmatrix}, \qquad h_y = \begin{bmatrix} -1 & -1 & -1 \\ 0 & 0 & 0 \\ 1 & 1 & 1 \end{bmatrix} \qquad\qquad 5.12$$

ここで，h_x および h_y はそれぞれ x 方向と y 方向の微分を行うフィルタである．Prewitt フィルタは局所領域の微分に対する重み付けが一様であるが，着目点（フィルタ中心）に近いほど微分に寄与する割合を大きくするために，次のような Sobel フィルタがよく使われる．

$$h_x = \begin{bmatrix} -1 & 0 & 1 \\ -2 & 0 & 2 \\ -1 & 0 & 1 \end{bmatrix}, \qquad h_y = \begin{bmatrix} -1 & -2 & -1 \\ 0 & 0 & 0 \\ 1 & 2 & 1 \end{bmatrix} \qquad\qquad 5.13$$

　上に述べたエッジ検出フィルタ h_x および h_y を，入力画像 $f(x, y)$ に対してフィルタリングすることで，水平方向のエッジ成分 $g_x(x, y)$ と，垂直方向のエッジ成分 $g_y(x, y)$ が求められる．したがって，図 5-29 に示すように，エッジは強度 $g(x, y)$ と方向 θ をもつベクトルで表され，$g_x(x, y)$ と $g_y(x, y)$ のベクトル和から求めることができる．エッジの強度は，

$$g(x, y) = \sqrt{g_x(x, y)^2 + g_y(x, y)^2} \qquad\qquad 5.14$$

で求められ，またエッジの方向は，

$$\theta = \tan^{-1} g_y(x, y)/g_x(x, y) \qquad\qquad 5.15$$

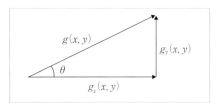

図 5-29.　エッジの合成

で求まる．エッジ検出フィルタは微分によって濃度変化を強調しているために，画像に含まれている雑音も同時に強調することになる．したがって，前に述べた平滑化フィルタリングで雑音を低減させた後に，エッジ検出フィルタで処理するなどの工夫が望ましい．

　胸部画像に対する Sobel フィルタでの処理画像を図 5-30 に示す．水平方向のエッジ成分（濃度の傾きが水平方向）画像では心臓などの縦隔境界が描出され，また垂直成分画像では横隔膜境界と後部肋骨のエッジがよく描出されている．さらに，式 5.14 で合成されたエッジ強度画像ではすべての方向のエッジが描出された画像になっている．ただし，水平成分と垂直成分は絶対値で表示していることに注意されたい．図 5-30 で用いた胸部画像に対して，式 5.15 で求めたエッジの方向のヒストグラムを図 5-31 に示す．エッジ強度画像の図 5-30 d と比較するとわかるように，縦隔境界に対応した 2 つのピークと，肋骨エッジに対応した 2 つのピークがヒストグラム中に見ることができる．

c 線検出フィルタ

　胸部画像中の細かな肺血管などの線状パターンを検出するには，**線検出フィルタ**を用いる．線検出のために，これまでいろいろなフィルタが考案されているが，ここではテンプレートを用いて線を検出する **VanderBrug フィルタ**を説明する．

　VanderBrug テンプレートの最小要素は，図 5-32 に示すように 2×2 の画素からなる小領域である．最小要素を複数の画素としたのは，雑音による影響を抑えるためである．さらに，最小要素 3 個の集合で，3 つの領域 A，B，C を作る．図中（1）〜（8）までは，最小要素が 1 画素だけズレて線の方向を示している．まず，（1）〜（8）のすべてのテンプレートに対して，A，B，C から次

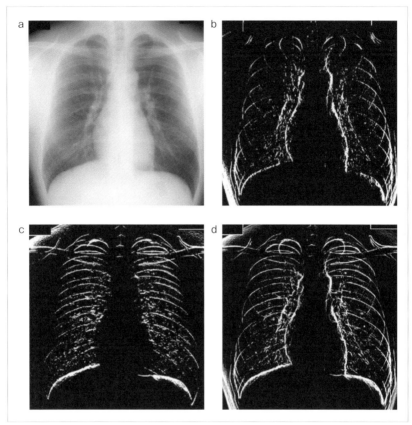

図5-30. Sobel フィルタによるエッジ検出
a：オリジナル画像，b：水平方向のエッジ成分，
c：垂直方向のエッジ成分，d：合成されたエッジ強度

の計算を行う．

$$E_i = \begin{cases} 2\,B_i - A_i - C_i, & \text{(if } B_i > A_i \text{ and } B_i > C_i) \\ 0 & \text{（その他の場合）} \end{cases}$$

5.16

　ただし，$i = 1, 2, \cdots\cdots 8$ である．8方向のテンプレートの出力 E_i の最大値と，そのときの方向を示すテンプレートの番号をフィルタの出力とすれば，線の強さと方向を求めることができる．VanderBrug フィルタは1つの注目画素に対して8個のテンプレートの計算が必要なために，処理に要する時間が長く

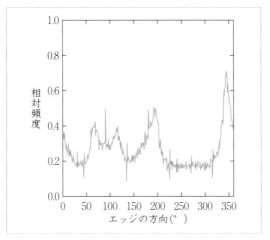

図 5-31.　エッジの方向のヒストグラム

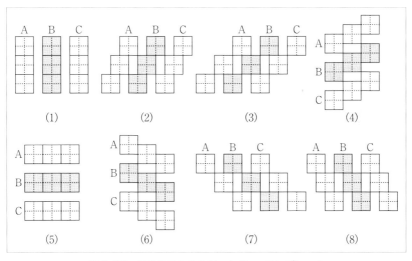

図 5-32.　線検出のための VanderBrug テンプレート

なる．胸部画像を VanderBrug フィルタで処理した画像を**図 5-33** に示す．
ここに示した処理画像では，VanderBrug フィルタ出力画像のしきい値処理，
および線を細くする処理（細線化処理）を行って，最後にオリジナル画像に重ね

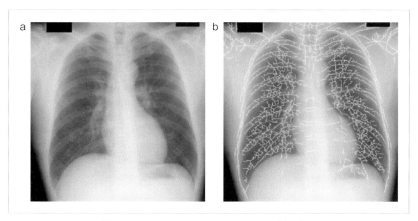

図 5-33. VanderBrug フィルタによる線の検出
a：オリジナル画像
b：処理画像（検出された線をオリジナル画像に重ねて表示）

て表示している．肋骨のエッジも描出されているが，多数の肺血管がよく描出されていることが処理画像からわかる．

2 空間周波数フィルタリング

　空間周波数フィルタリングでは空間周波数に基づいた画像処理を行うために，二次元のディジタル画像を離散フーリエ変換して，空間領域の画像データから空間周波数領域の画像データに変換しておく必要がある．第1章でも述べたように，離散フーリエ変換は高速フーリエ変換（FFT）で行われる．図 5-34 に高速フーリエ変換で求めた胸部画像のパワースペクトルを示している．図中，パワースペクトルは中心の空間周波数 0 cycles/mm 近傍の強度が，高空間周波数領域の強度と比べて極端に大きなために，パワースペクトルの自然対数で表示されている．したがって，図から胸部画像のパワースペクトルの成分のほとんどは低空間周波数領域に集中しており，また，二次元空間周波数領域の u 軸と v 軸上の強度も比較的大きなことがわかる．

　前述の空間フィルタリングでは，式 5.7 のように画素値と重み係数の積和と，ラスター走査が必要であった．ところが，空間周波数フィルタリングでは，図 5-35 と次式で示すように，単純な積だけとなる．

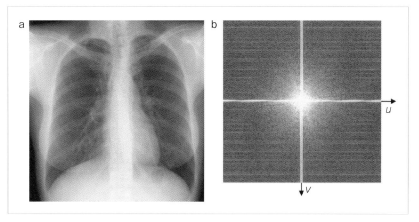

図 5-34．胸部画像のフーリエ変換
a：オリジナル画像，b：高速フーリエ変換から求めたパワースペクトル

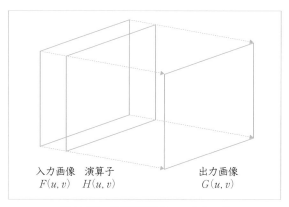

入力画像　演算子　　　　　　　　出力画像
$F(u, v)$　$H(u, v)$　　　　　　　　$G(u, v)$

図 5-35．空間周波数フィルタリング

$$G(u, v) = F(u, v)H(u, v) \qquad 5.17$$

ここで，$F(u, v)$，$H(u, v)$，$G(u, v)$ は，それぞれ，入力画像 $f(x, y)$，演算子 $h(x, y)$，出力画像 $g(x, y)$ のフーリエ変換である．一般に，フーリエ変換は複素数であるから，式 5.17 の積は，複素数の積算であることに注意する必要がある．また，空間周波数フィルタリングではラスタ走査は必要としないが，$F(u, v)$ と $H(u, v)$ のデータサイズを同じにさせる必要がある．さらに，空

図 5-36.　空間周波数領域における
画像処理の手順

間周波数フィルタリングで処理された出力画像 $g(x, y)$ を得るためには，$G(u, v)$ を逆フーリエ変換しなければならない．結局，空間周波数領域で画像処理を行うためには，図 5-36 に示すように，まず入力画像をフーリエ変換し，演算子のフーリエ変換との間で空間周波数領域でのフィルタリングを行い，その結果を逆フーリエ変換することになる．ちなみに，演算子の空間領域における表現を知ることができなくても，空間周波数領域での表現だけがわかっていれば処理画像が得られる．

　空間周波数領域のフィルタ（演算子のフーリエ変換）もいろいろなものが考案されている．本項では最も代表的な空間周波数領域のフィルタである**低域通過フィルタ** low pass filter，**高域通過フィルタ** high pass filter，**帯域通過フィルタ** band pass filter について説明する．

a　低域通過フィルタ

　低域通過フィルタは図 5-37 a に示すように，空間周波数が遮断周波数 f_0 以下での重み係数が 1，f_0 より高い周波数では重み係数が 0 となるようなフィルタである．式で表せば，

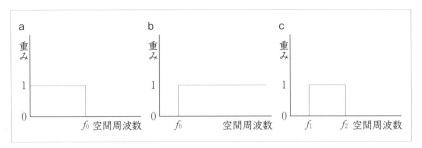

図 5-37. 代表的な空間周波数フィルタリング
a：低域通過フィルタ，b：高域通過フィルタ，c：帯域通過フィルタ

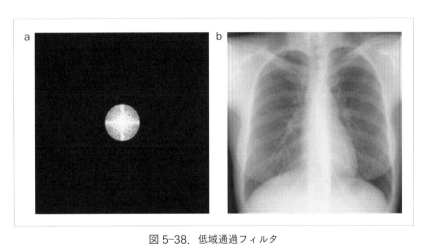

図 5-38. 低域通過フィルタ
a：低域通過フィルタ（$f_0 = 0.140$ cycles/mm）処理後のパワースペクトル
b：逆フーリエ変換から求めた画像

$$H(u,\ v) = \begin{cases} 1, & \sqrt{u^2 + v^2} \leq f_0 \\ 0, & （その他の場合） \end{cases} \qquad 5.18$$

図 5-34 b のパワースペクトルで示したフーリエ変換に対して，遮断周波数 f_0
が 0.140 cycles/mm の低域通過フィルタで処理した後のパワースペクトルと，
その逆フーリエ変換から求めた画像を図 5-38 に示す．対象としたディジタル
胸部画像（図 5-34）のサンプリング距離は 0.7 mm であるために，最大空間周

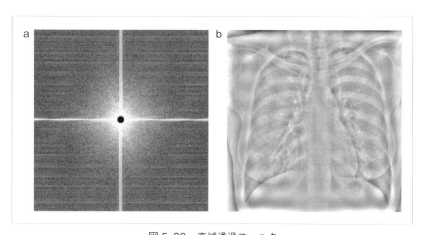

図 5-39.　高域通過フィルタ
a：高域通過フィルタ（$f_0 = 0.028$ cycles/mm）処理後のパワースペクトル
b：逆フーリエ変換から求めた画像

波数は 0.714 cycles/mm になっている．図 5-38 から，低域通過フィルタで処理した画像は，画像の濃淡のコントラストはオリジナル画像に近いが，高周波成分が欠落しているために，肋骨エッジや肺血管などの細かな陰影がボケていることがわかる．また，空間周波数領域の u 軸と v 軸上の比較的大きな成分のために，水平および垂直の縞模様が現れている．

b 高域通過フィルタ

図 5-37 b の高域通過フィルタは次式で表現され，遮断周波数 f_0 以上の周波数成分だけが通過することになる．

$$H(u, v) = \begin{cases} 1, & \sqrt{u^2 + v^2} \geq f_0 \\ 0, & （その他の場合） \end{cases}$$　　　　5.19

遮断周波数 f_0 が 0.028 cycles/mm の高域通過フィルタで処理した後のパワースペクトルと，その逆フーリエ変換から求めた画像を図 5-39 に示す．ゼロ周波数近傍の成分が欠落しているために，濃淡コントラストは失われているものの，高周波成分が比較的多く含まれる肋骨エッジや肺血管などの細かな陰影が描出されている．

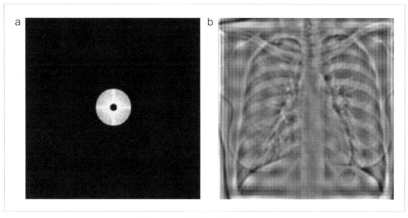

図 5-40．帯域通過フィルタ
a：帯域通過フィルタ（$f_1 = 0.028$，$f_2 = 0.140$ cycles/mm）処理後のパワースペクトル
b：逆フーリエ変換から求めた画像

c 帯域通過フィルタ

　図 5-37 c の帯域通過フィルタは次式で表現され，遮断周波数 f_1 と f_2 間の周波数成分だけが通過することになる．

$$H(u,\ v) = \begin{cases} 1, & f_1 \leq \sqrt{u^2 + v^2} \leq f_2 \\ 0, & \text{（その他の場合）} \end{cases} \qquad 5.20$$

　遮断周波数 f_1 が 0.028 cycles/mm，f_2 が 0.140 cycles/mm の帯域通過フィルタで処理した後のパワースペクトルと，その逆フーリエ変換から求めた画像を図 5-40 に示す．やはりゼロ周波数近傍の成分が欠落しているために，ゆるやかな濃度変化の情報は失われているし，また，高周波数成分も同時に欠落しているのでボケも目立っている．

D 画像診断で使われる画像処理技術

　どのような画像処理が診断に役に立つのかという問題は重要である．これには 2 つの観点から考える必要がある．一つは，前もって病巣の種類や場所がわ

かっている場合，その病巣の性質をより明らかにするような画像処理，もう一つは，病巣があるかないかわからない場合に，画像診断で見落としが起こらないように，画像全体を明瞭に観察できる画質に改善する処理である．これまでに述べたフィルタリングは，前者の目的で使われることが多いが，臨床現場で撮影されるほとんどの胸部単純画像では後者の画像処理が要求される．しかし，胸部画像にはX線吸収が最も低い空気（肺野），中程度の軟部組織（横隔膜および縦隔），また，最も高い骨（肋骨や椎体）などが含まれており，通常の撮影で胸部のすべての領域を最適に描出することはほとんど不可能である．そのため，一般には病変の出現頻度が最も高い肺野を最適に描出するような撮影がなされている．したがって，最適に描出されていない横隔膜や縦隔と重なる肺を明瞭に描出することが，胸部画像の画像処理にとって最も重要となる．ここでは，臨床の現場でよく使われている階調処理，ボケマスク処理およびサブトラクション subtraction 処理などについて解説する．

1 階調処理

a ウインドーイング

階調処理とは図 5-41 に示すような濃度変換曲線で画素値が変換される処理をいう．濃度変換曲線は線形の場合もあるし，非線形も多く使用されている．最も単純な画像処理ではあるが，その効果は大きい．フィルム増感紙系の画像でたとえると，いろいろなフィルム特性曲線を使って画像を撮影していることに相当する．また，liquid crystal display（LCD）モニターで画像を観察するときに行う階調処理はウインドーイング windowing といわれ，通常は図 5-42 に示すように，ある特定の画素値の範囲（ウインドウ幅という）をモニターで表示できる最大の階調数に拡大して，関心のある領域のコントラストだけを強調することである．したがって，その範囲外の画素値をもつ領域は黒または白で塗りつぶされる．図 5-43 に computed radiography（CR）で撮影した胸部画像に対して，低濃度領域にウインドウ中心を置いた処理画像を示す．ウインドーイングによってオリジナル画像の横隔膜と重なる部位にある結節状陰影が明瞭に描出されている．

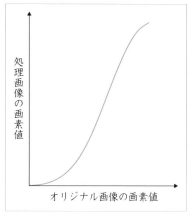

図5-41. 階調処理における濃度変換曲線

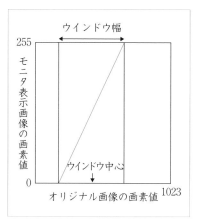

図5-42. ウインドーイング

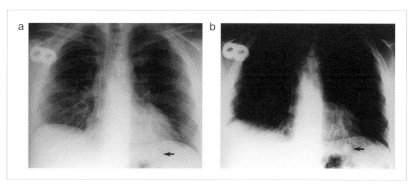

図5-43. 胸部画像のウインドーイング
a：オリジナル画像，b：ウインドーイング処理画像

b DR圧縮

　階調処理の一種にdynamic range（DR）圧縮がある．上に述べた単純な階調処理は胸部画像全体の処理であるのに対し，DR圧縮はしきい値以上の高濃度部の濃度はそのままに保ち，低濃度部のみに作用させた局所的な階調処理である．ディジタル画像でもフィルムにハードコピーして画像診断することもある

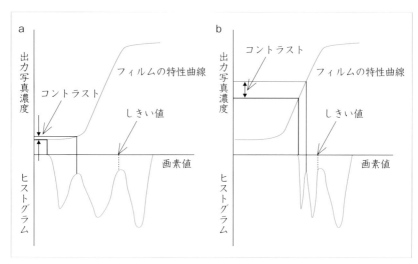

図 5-44.　DR 圧縮によるヒストグラムの変換
a：オリジナル画像のヒストグラムと出力写真濃度
b：DR 圧縮後のヒストグラムと出力写真濃度

が，その場合問題となるのは図 5-44 a に示すように，縦隔などの低濃度部は
フィルム特性曲線の傾きが小さいために低コントラストになってしまうことで
ある．これを回避するには，図 5-44 b のようにしきい値以下の低濃度を高濃
度側に移動させればコントラストは高くなる．このことは画像のもつ低濃度領
域に対応するヒストグラムの幅を狭める（ダイナミックレンジを圧縮）ことを
意味している．実際は，次式および図 5-45 に示すように，着目する画素近傍
の平均画素値に対応した補正信号を原画像に加算して処理している．

$$g(x,\ y) = f(x,\ y) + h[f_{avg}(x,\ y)] \hspace{2cm} 5.21$$

ここで，$f(x,\ y)$ および $g(x,\ y)$ は，それぞれ，入力画像および出力画像で，
$f_{avg}(x,\ y)$ は，入力画像の座標 $(x,\ y)$ を中心とする局所領域（マスクという）
の平均画素値である．また，第 2 項は補正値を示している．図 5-46 に DR 圧
縮の処理例を示す．肺野の濃度およびコントラストは保持されたまま，縦隔部
の濃度とコントラストが増大している様子がわかる．

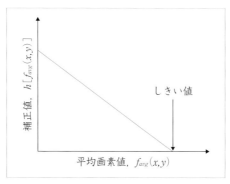

図 5-45．DR 圧縮に使われる補正信号

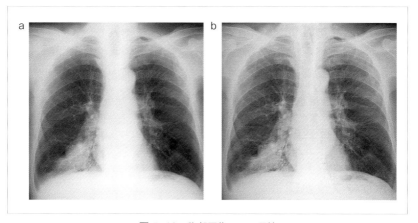

図 5-46．胸部画像の DR 圧縮
a：オリジナル画像，b：DR 圧縮による処理画像

c ヒストグラム平坦化

　一般に画像のピクセル値の分布は，あるピクセル値の範囲に偏って分布する．いま，n 階調数のオリジナル画像のヒストグラムを，図 5-47 a に示すように，面積が同じになるようにヒストグラムを m 分割（$m < n$）したとする．それぞれの分割した範囲に含まれるピクセル値には，分割領域の最小ピクセル値を与えてやれば，処理後の画像の階調数は実質的に m 階調で，図 5-47 b に示

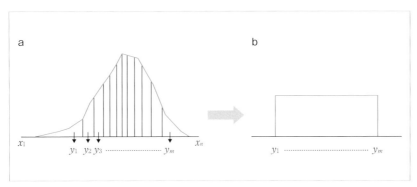

図 5-47．ヒストグラム平坦化の概念図

すように，ピクセル値の分布は平坦な一様分布となる．このような階調処理は**ヒストグラム平坦化 histogram equalization** といわれる．オリジナル画像のピクセル値が特定の値の近傍に集中している場合，ヒストグラム平坦化を行うことで画像のコントラストは高くなる．しかし，頻度が小さい領域のコントラストは消失してしまうのが欠点である．図 5-48 に胸部単純 X 線写真にヒストグラム平坦化を行った例を示す．処理後のヒストグラムは大体平坦になっていて，処理後の画像では中上肺野および縦隔でコントラストが高くなっているが，下肺野は黒すぎてコントラストは低下していることがわかる．

2 ボケマスク処理

　臨床で画像の鮮鋭化の手段として最も頻繁に使われているのが**ボケマスク**（**unsharp mask**）**処理**である．鮮鋭化とは画像がもっているエッジなどの高周波成分のコントラストを増大させることをいう．しかし，前に述べた Sobelフィルタなどのエッジ検出フィルタとは目的が違うことに注意を払う必要がある．エッジ検出フィルタはエッジだけを描出するが，ここで述べる鮮鋭化はエッジのコントラストを増大させる．ボケマスク処理は次式に示すように，注目画素を含む局所領域（マスク）の平均画素値 $f_{avg}(x, y)$ とオリジナル画像の画素値 $f(x, y)$ の差に重み係数 w を乗算して，それをオリジナル画像の画素値に加えた値を処理画像の画素値 $g(x, y)$ として得られる．

$$g(x, y) = f(x, y) + w \{f(x, y) - f_{avg}(x, y)\}$$

5.22

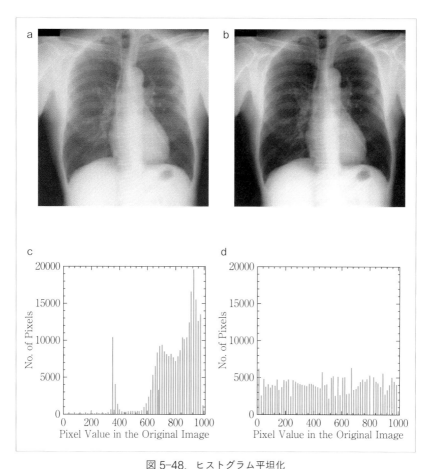

図 5-48. ヒストグラム平坦化
a：オリジナル画像，b：ヒストグラム平坦化による処理画像，
c：オリジナル画像のヒストグラム，d：処理画像のヒストグラム

重み係数は強調の度合いを決定し，また，**マスクサイズ**は強調する対象パターンを決定する．すなわち，マスクサイズを大きくすれば，椎体などの大きな構造パターンが強調され，また，マスクサイズを小さくすれば細かな肺血管などが強調される．このことは，ボケマスク処理が別名**周波数強調処理**と呼ばれる所以である．つまり，マスクサイズを大きくすれば低空間周波数領域を強調し，また小さくすれば高周波数領域を強調するので，マスクサイズの選択によって

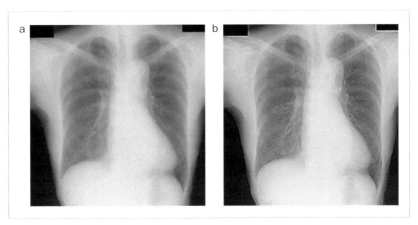

図 5-49. ボケマスク処理
a：オリジナル画像，b：ボケマスク処理画像

強調したい空間周波数領域を選ぶことが可能となる．図 5-49 a の胸部画像を，マスクサイズ 4.9×4.9 mm，重み係数 1.5 でボケマスク処理した画像を図 5-49 b に示す．比較的小さなマスクサイズを使用したために，肺血管などの小さなパターンが強調されていることがわかる．しかし，ボケマスク処理は雑音も同時に強調するので，粒状性の悪い画像となる．

3 サブトラクション処理

これまでに述べた画像処理は 1 枚の画像の画質改善が目的であったが，ここで述べるサブトラクション処理は，異なる 2 枚の画像間のサブトラクションから特定の物質または陰影だけを描出するのが目的である．胸部単純 X 線画像に応用されるサブトラクション処理には**エネルギーサブトラクション**と**経時サブトラクション**がある．

a エネルギーサブトラクション

エネルギーサブトラクションでは，低エネルギーおよび高エネルギー X 線で撮影された 2 枚の画像を加重サブトラクションすることで，骨陰影を消去した**軟部組織画像**や，あるいは軟部組織を消去した**骨画像**などを作ることができる．X 線エネルギーの異なる 2 つの画像を得るには，高電圧（たとえば 120 kVp）

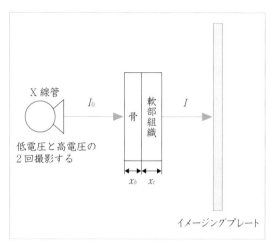

図 5-50.　エネルギーサブトラクションの撮影
（2 回曝射法）

と低電圧（60 kVp）の 2 回の曝射で撮影を行えばよい．実際の撮影に用いる X
線のスペクトルは連続であるが，エネルギーサブトラクションの原理の説明を
単純にするために単一（単色）スペクトルで考える．図 5-50 に示すように被
写体の骨および軟部組織の厚みを，それぞれ，x_b および x_t とする．線減弱係数
は物質固有の値であるが，X 線エネルギーに依存して変化する．そこで，骨の
低および高エネルギーの線減弱係数を μ_{bL} と μ_{bH}，また，軟部組織の線減弱係数
を μ_{tL} と μ_{tH} とする．したがって，低電圧撮影でイメージングプレートに到達す
る X 線の強度は式 5.23 のようになる．

$$I = I_0\, e^{-(\mu_{bL}x_b + \mu_{tL}x_t)} \qquad\qquad 5.23$$

　ここで，I_0 および I はそれぞれ被写体への入射 X 線および透過 X 線強度であ
る．イメージングプレートに到達した X 線は A/D 変換後に対数変換されるの
で，結局，低エネルギー画像の信号 Q_L および高エネルギー画像の信号 Q_H は以
下のようになる．

$$Q_L = -\mu_{bL}x_b - \mu_{tL}x_t + c_L \qquad\qquad 5.24$$
$$Q_H = -\mu_{bH}x_b - \mu_{tH}x_t + c_H \qquad\qquad 5.25$$

　ここで，c_L および c_H は常数である．次に Q_L と Q_H に，それぞれ，重み係数
w_L と w_H を積算して減算を行ったサブトラクション画像の信号 Q_{sub} は，

$$Q_{sub} = w_H Q_H - w_L Q_L$$
$$= (w_L \mu_{bL} - w_H \mu_{bH})x_b + (w_L \mu_{tL} - w_H \mu_{tH})x_t + w_H c_H - w_L c_L \qquad 5.26$$

となる．一般に $\mu_{bH}/\mu_{bL} \neq \mu_{tH}/\mu_{tL}$，であるから，もし，重み係数を

$$w_L/w_H = \mu_{bH}/\mu_{bL} \qquad 5.27$$

を満足するように選べば，式 5.26 の第 1 項のみが 0 となり，骨の消去された軟部組織画像が得られる．また，

$$w_L/w_H = \mu_{tH}/\mu_{tL} \qquad 5.28$$

が満たされれば，軟部組織の消去された骨画像が得られることになる．2 回曝射法はサブトラクション画像の粒状性に優れているけれども，被写体の体動によるアーチファクト（障害陰影）が大きい．そのため，2 枚のイメージングプレートで厚さ 0.5〜1.0 mm の銅板を挟んで撮影する 1 回曝射法が頻用されている．1 回曝射法では被写体を透過した X 線は 2 枚のイメージングプレートにそれぞれ画像を形成する．銅板透過後の X 線は低エネルギー成分が銅板で吸収されて高エネルギー成分を多く含んだスペクトルとなっているため，銅板の前後で低エネルギー画像と高エネルギー画像が 1 回の曝射によって撮影されることになる．図 5-51 に胸部 CR 画像のエネルギーサブトラクション画像を示す．軟部組織画像では肋骨と重なる結節状陰影が見やすくなり，また石灰化陰影などは骨画像で明瞭に描出される．

b 経時サブトラクション

経時サブトラクションは血管造影で古くから使われている手法で，造影剤注入後の画像から，造影剤注入前の画像を引き算することで，造影剤注入部位，すなわち血管だけを高いコントラストで描出することができる．このような血管造影における手法は，digital subtraction angiography（DSA）と呼ばれている．しかし，経時サブトラクションを胸部単純 X 線写真に応用する場合，血管造影と違って，引き算に使う 2 枚の画像の撮影間隔が非常に長いので，対象となる肺野の画像上の位置や形の変動が大きい場合が多く，DSA とは異なる技術が必要となる．

したがって，ここで述べる経時サブトラクションは，撮影時期の異なる 2 枚の胸部画像から，この期間中に出現した新しい病巣陰影や，すでに存在する陰影の変化分だけを描出する手法であるといえる．たとえば肺がん集団検診の場

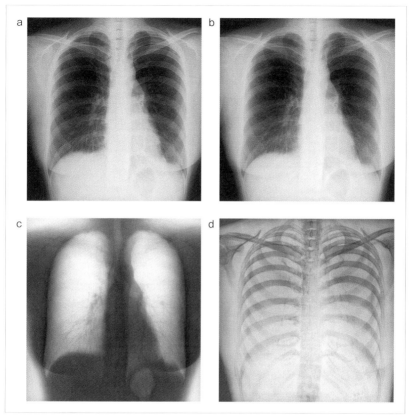

図 5-51．エネルギーサブトラクション
a：低エネルギー画像，b：高エネルギー画像，c：軟部組織画像，d：骨画像

合，今年撮影した画像（現在画像）から昨年撮影した画像（過去画像）をサブ
トラクションすると，今年になって出現した微細な肺がん陰影でも確実に発見
できる可能性がある．しかし，撮影時期が異なるために，撮影条件，患者体位
および息止め位相などが異なる場合が多いので，単純なサブトラクションでは
アーチファクトの多い画像となってしまう．まず平滑化された低解像度画像を
使って，過去画像を平行および回転移動させることによって2画像間の大体の
位置を合わせる．しかし，肺野の形状は通常，過去画像と現在画像では異なっ
ているのが普通であるから画像の変形（warping）を行って肺野の形状を一致

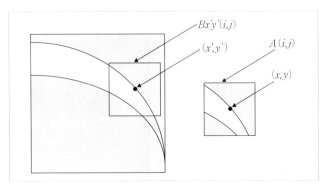

図 5-52. 局所移動量決定のためのローカルマッチング

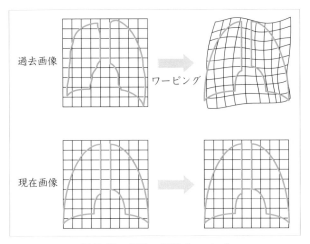

図 5-53. 画像の変形（warping）

させる．現在画像上の位置（x, y）における解剖学的構造が，過去画像上の位置（x', y'）に対応しており，

$$x' = x + \Delta x \tag{5.29}$$

$$y' = y + \Delta y \tag{5.30}$$

で表されるとすれば，局所の移動量 Δx, Δy を求めることによって，過去画像を現在画像の肺野形状と一致させるように変形することが可能である．移動量 Δx, Δy は図 5-52 に示すように，現在画像から切り出したテンプレート画像 A

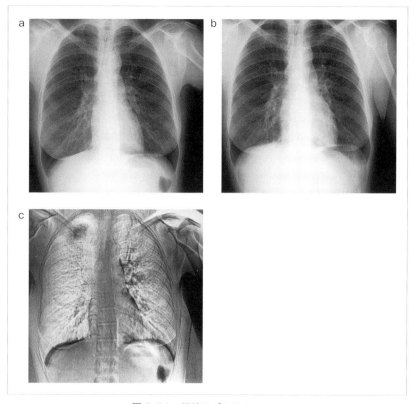

図 5-54.　経時サブトラクション
a：過去画像，b：現在画像，c：サブトラクション画像

を過去画像上の探索領域内で，式 5.31 で表される相互相関 $C_{x'y'}$ が最大となる
ような移動量から求めることができる．このような手法は**テンプレートマッチ
ング**と呼ばれ，類似パターンを探索する有力な方法である．

$$C_{x'y'} = \frac{1}{IJ}\sum_{j=1}^{J}\sum_{i=1}^{I} \frac{\{A(i, j) - \overline{a}\}\{B_{x'y'}(i, j) - \overline{b}\}}{\sigma_a \sigma_b}$$

5.31

ここで，B は探索領域上の画像で $\overline{a}$，$\overline{b}$，および，σ_a，σ_b は画像 A と B の平均
ピクセル値および標準偏差である．画像 A と B が完全に一致したときには $C_{x'y'}$
$= 1$ となる．このようなテンプレートと探索領域をそれぞれ，現在画像と過去
画像の上に数多く設けることによって求めた局所移動量（変形量）を用いて，

図5-53に示すように過去画像の変形が可能となる．図5-54に経時サブトラクションの1例を示す．サブトラクションによって新しく出現した右上肺野の腫瘍が明瞭に描出されていることがわかる．

4 骨陰影抑制処理

　胸部単純画像において腫瘍などの軟部組織に発生した病変と肋骨や鎖骨が重なると読影が困難になる場合が多い．そこで，胸部画像から骨陰影を除去できれば，骨と重なる病変の読影が容易になったり，あるいは，その病変が軟部組織由来の病変か骨由来の病変かの区別が容易になったりする．前述したエネルギーサブトラクションは骨陰影を抑制する一つの方法であるが，高エネルギーと低エネルギーで撮影された2枚の画像を必要とするために患者被ばく線量が増大する．そこで，通常の照射線量で撮影されたディジタル胸部画像から，画像処理によって骨陰影のコントラストを抑制する骨陰影抑制処理が開発され，臨床でも導入されている．

　骨陰影抑制（bone suppression）は主に2つの方法で行われている．一つはエネルギーサブトラクションで骨陰影を消去した軟部組織画像を教師画像として学習したニューラルネットワークを用いる方法である．学習には多数の胸部画像と多大な学習時間を必要とするが，学習ずみのニューラルネットワークに通常の胸部画像を入力すると，短時間で骨陰影のコントラストが抑制された出

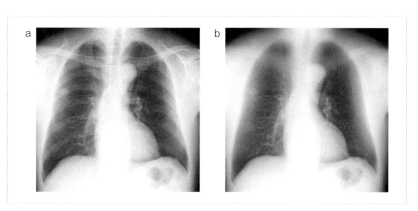

図 5-55．骨陰影抑制処理
a：通常の胸部画像，b：骨陰影抑制処理画像

力画像が得られる．他の一つは，パターン認識の手法を用いて骨陰影を認識し，骨陰影のみをオリジナル画像から除去することで骨陰影抑制処理画像を得る方法である．図5-55に後者の手法による骨陰影抑制処理を示す．同図aはCRで撮影された通常の胸部画像である．画像aに対して骨陰影抑制処理を適用した画像がbである．肋骨がほぼ消去され，右肺にある腫瘍が明瞭に描出されていることがわかる．

5 散乱線補正処理

X線と被写体との相互作用で発生した散乱線は，進行方向が変わるために画像のコントラストを低下させる．そこで，通常のX線撮影では，散乱線を除去するためにグリッドを使用してコントラストを改善している．しかし，X線管とグリッドおよび検出器のアラインメントを正確に保たないと，X線の斜入射などにより画像信号に大きな変動を与えてしまう．そのために，手術場や病棟におけるポータブル撮影では患者撮影体位を正しく保つのが困難となり，斜入射の影響が少ない低格子比のグリッドや，あるいはグリッドなしで撮影することもあり，低コントラストのX線画像が撮影されることが起こる．

散乱線補正処理(バーチャルグリッドと称しているメーカーもある)はグリッドを使用しないで撮影した画像から画素ごとに散乱線を除去して，グリッドを装着して撮影した画像と同等のコントラストに変換する処理技術である．その処理の概要を図5-56に示す．まず，撮影されたディジタルX線画像の画素ごとの散乱線含有率を推定する．画素値は検出器に到達するX線量を表しているので，X線管電圧，管電流，撮影距離が既知であれば，被写体がないときのX線量（画素値）は計算できる．したがって，被写体があるときの画素値との差からX線の吸収率が求まり，被写体を均質な物質であると仮定すればその体厚も画素ごとに推定することができる．さらに，事前に測定していた体厚と散乱線含有率の関係から，画素ごとの散乱線含有率が推定できることになる．散乱線含有率がわかるとそれぞれの画素値に占める一次X線量と散乱線量が求まり，散乱線に相当する画素値を減算することで，画像コントラストを改善することが可能になる．

しかし，このままではノイズは除去されていないので，散乱線除去により画素値が減少することによるコントラスト対ノイズ比（CNR）が低下する．単純

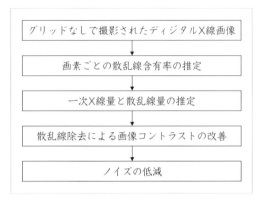

図 5-56. 散乱線補正処理の概要

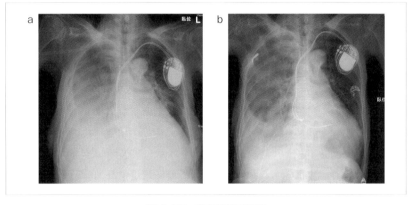

図 5-57. 散乱線補正処理
a：低格子比（3：1）グリッドを用いたポータブル撮影，b：グリッドなし画像に対する
散乱線補正処理画像

な平滑化では信号成分も平滑化されるので，パターン分析などにより信号領域
とノイズ領域を分離して，それぞれノイズ除去フィルタで平滑化を行っている．

　図 5-57 に胸部単純写真に散乱線補正処理を適用した症例を示す．図中の a
は CR を用いたポータブル撮影画像で，低格子比（3：1）のグリッドを装着し
て撮影したためにコントラストが低い画像となっている．それに対して，グ
リッドなしの画像に散乱線補正処理を適用した b は，画像全体でコントラスト

が高くなり，特に右肺野や縦隔の描出が改善されている．ただし，2枚の画像は撮影日が異なっていることに注意してほしい．

E | しきい値処理

　たとえば，胸部単純X線画像の腫瘤陰影を検出する場合，しきい値処理によって2値画像を作って候補陰影を抽出する操作を行う．このように，しきい値処理は画像から特定の陰影を抽出，あるいは検出するための手法であり，処理結果である2値画像は，一般に0（背景）と1（対象）の2値で表現される．2値画像に対しては，抽出された陰影の形状に関する特徴量を求める手法が数多く考案されている．したがって，しきい値処理は第6章で述べるようなコンピュータ支援診断では最も基本的な手法の一つとなっている．

1 2値化のためのしきい値決定法

a 固定しきい値処理

　経験的に決定したしきい値 T を境目にして，画素値を0か1に変換する処理である．すなわち，

$$g(x,\ y) = \begin{cases} 1, & \text{if } f(x,\ y) \geq T \\ 0, & \text{その他の場合} \end{cases} \qquad 5.32$$

ここで，$f(x,\ y)$ はオリジナル画像，また $g(x,\ y)$ はしきい値処理された画像である．対象画像の撮影条件に変化がなければ，試行錯誤して決定されたしきい値をすべての画像に対して適用可能である．図5-58 a の胸部CT画像を，しきい値 $T=250$ で2値化した処理画像を図5-58 b に示す．肺野内ではコントラストの大きな肺血管と，右肺野の腫瘤影が抽出されている．ただし，図5-58 a のオリジナル画像では画素値を0〜1023の10ビット階調に変換していることに注意してほしい．

b パーセンタイル法

　画像内での背景，または，対象物の面積比率（パーセンタイル）が推定でき

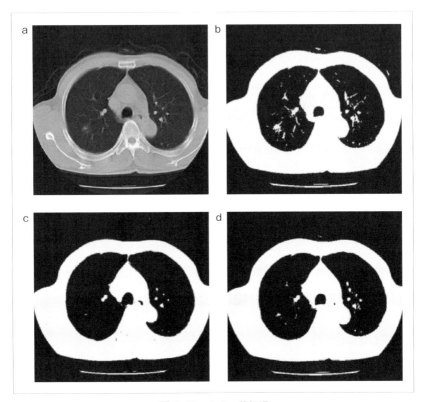

図 5-58.　しきい値処理
a：オリジナル画像，b：固定しきい値法（しきい値 $T=250$），
c：パーセンタイル法（パーセンタイル＝70%，$T=555$），d：判別分析法（$T=382$）

る場合，図 5-59 に示すように，2 値画像中の背景 0 の割合が p%となるように
しきい値 T を決めればよい．この方法は最も単純なしきい値決定法ではある
が，対象のサイズが既知の場合には有効な手法である．図 5-58 c に $p=70$%で
のパーセンタイル法によるしきい値処理の結果を示す．この場合，しきい値は
$T=555$ と決定されている．処理画像から，肺野が背景としてよく分離されて
いることがわかる．

c 判別分析法

　パーセンタイル法は背景，または，対象物の面積比率が前もってわかってい

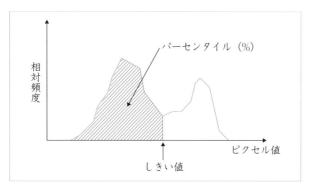

図 5-59. パーセンタイル法によるしきい値の決定

る必要があるので，しきい値の自動決定法とはいえない．それに対してここで述べる判別分析法は，画素値のヒストグラムから，背景と対象を分離するしきい値を自動決定する手法である．その原理は至って簡単で，あるしきい値 t によってヒストグラムを2つの部分（2クラスという）に分割した場合，式 5.33 で表されるクラス間分散 $\sigma^2(t)$ が最大となるしきい値 T を選べば，そのときが2つのクラスの分離が最適であるという考え方である（大津の方法ともいわれる）．

$$\sigma^2(t) = \omega_0(\mu_0 - \mu)^2 + \omega_1(\mu_1 - \mu)^2 \qquad \text{5.33}$$

ただし，n_i を階調レベル i の画素数，L を最大画素値，N を全画素数，また，$p_i = n_i/N$ としたとき，

$$\omega_0 = \sum_{i=0}^{t} p_i \qquad\qquad \omega_1 = \sum_{i=t+1}^{L} p_i$$

$$\mu_0 = \sum_{i=0}^{t} ip_i / \omega_0 \qquad \mu_1 = \sum_{i=t+1}^{L} ip_i / \omega_1 \qquad \mu = \sum_{i=0}^{L} ip_i$$

したがって，式 5.33 は，画像の階調レベルが $\{0, 1, 2, ..., L\}$ のとき，しきい値 t でヒストグラムを階調レベルが $\{0, 1, 2, ..., t\}$ と $\{t+1, t+2, ..., L\}$ の2つのクラスに分割したときの，それぞれのクラスの分散の加重和，すなわちクラス間分散に相当している．図 5-58 d に判別分析法で自動決定されたしきい値 $T = 382$ での処理画像を示す．空気を多く含む肺野が背景として自動的に分離されていることがわかる．

2　連結成分のラベリング

　しきい値処理で得られた2値画像の中で，画素値が1である画素どうしが，つながっているのか離れているのかを判断するには，連結性の定義が必要になる．図5-60aに示すように上下左右だけの連結しか認めない場合を4連結といい，また，同図bのように上下左右および斜め方向の連結も認める場合を8連結と呼ぶ．したがって，同図cを4連結で見ると，画素A，B，Cは連結しているが，CとDは離れていることになる．しかし，同じ図を8連結で見れば，A，B，C，Dのすべてが連結していることになる．

　連結した画素の集まりは連結成分，あるいは，アイランドislandと呼ばれる．個々の連結成分の形状特徴量，たとえば，面積を求めることを考える．図5-61aの2値画像では，3つの連結成分の画素値はすべてが1で，個々の連結成分を区別できない．したがって，合計の面積は求めることができても，それぞれの連結成分の面積を計算することはできない．しかし，同図bに示すように，もし，それぞれの連結成分の画素値に異なる値が与えられていれば，個々の連結成分を区別することができるので，それぞれの連結成分の面積を求めることが可能となる．このように，連結成分ごとに異なる画素値を割り振る操作をラベリング（labeling）といい，連結成分がもつ画素値をラベル，またラベルからなる画像をラベル画像と呼ぶ．

　ラベリングの手法はいくつかの方法が提案されているが，ここでは，連結性を4連結で定義した場合の2回走査による方式について，図5-61aに示す2値画像を例に用いて説明する．2値画像の左上からラスター走査をしながら画素

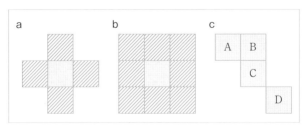

図5-60．2値画像における画素の連結性
a：4連結，b：8連結，c：連結画素

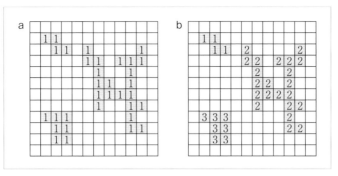

図5-61. 2値画像とラベル画像
a:2値画像, b:ラベル画像

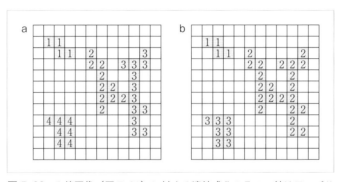

**図5-62. 2値画像（図5-61）に対する連結成分のラベル付けアルゴリ
ズム**
a:1回目の走査, b:2回目の走査

値を調べていき，画素値が1の画素に出会ったとき，次の処理を行う．

　①上の画素値が1ですでにラベルが付けられていれば，現在の画素にも同じ
ラベルを付ける．また，左の画素値も1で，かつ上と異なるラベルが付いてい
れば，同じ連結成分に異なるラベルが付けられたことになるので，その2つの
ラベルをテーブルに記録しておく．

　②上の画素値が0の場合，左の画素値が1ですでにラベルが付けられていれ
ば，左と同じラベルを付ける．

　③上も左も画素値が0の場合，新しいラベルを付ける．

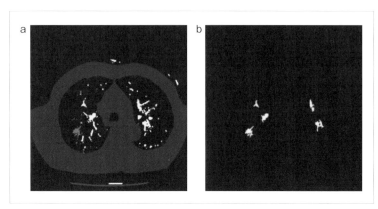

図 5-63. ラベル画像と陰影の選択
a：図 5-59 b の 2 値画像に対するラベル画像（8 連結）．明るい陰影ほどラベル番号が大きい
b：面積が 100～750 ピクセル数の範囲にある陰影のみを選択

　このような 1 回目の走査で，図 5-62 a のような中間結果が得られる．2 回目の走査では①で記録していた対応関係を基にしてラベルの更新を行い，図 5-62 b のような最終結果が得られる．ラベリングの例として，胸部 CT 画像から得られた図 5-58 b の 2 値画像に対してラベリングを行い，連結成分の面積から特定の陰影（面積が 100～750 ピクセルの範囲にある陰影）だけを選択した結果を図 5-63 に示している．ラベル画像から得られたそれぞれの連結成分のいろいろな形状特徴量は，第 6 章で述べる機械学習で用いられる．

（C～E：桂川茂彦）

F 3 次元画像処理など

1 ボリュームレンダリング

　ボリュームレンダリング（volume rendering：VR）は，ボクセルで構成されるボリュームデータに対して不透明度（opacity）を設定することで物体の表面のみならず内部構造も同時に可視化する方法である．この可視化法は CT や

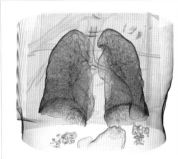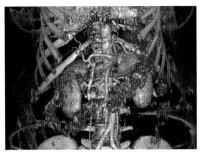

図 5-64．ボリュームレンダリング画像（左：肺 CT，右：腹部 CT）

MRIで取得されるさまざまな人体情報の観察に用いられる．視点を連続的に変えながら（物体を回転させながら）観察されることも多い．図 5-64 にボリュームレンダリングの画像例を示す．左は胸部 CT 画像から肺構造を描画したものであり，右は腹部 CT 画像から骨，臓器，血管などを写し出している．どちらも皮膚や肺などの表面から内部が透けて見えていることがわかる．ボリュームレンダリングは境界面を求める処理が不要であるため元データを高精度に表示できる方法であるといえる．また，形状があいまいなデータでも表現可能であり立体感の表現力に優れている．内部構造も可視化されるので物体の全容を把握しやすいことも利点である．一方，計算負荷は 3 次元画像表示法の中で最も大きい．

　もともと，レンダリングとは，コンピュータ内の 3 次元物体データについて，視点，光源などを考慮して二次元スクリーン面に投影変換して表示する技術である．ボリュームレンダリングでは，視線（あるいは光線＝レイ）上のボクセル値に不透明度を加味して積算することで投影面上のピクセル値を算出している（図 5-65）．この処理は**レイキャスティング**（ray：光線，cast：投げる）と呼ばれており，結果として，半透明な投影像が生成され物体の内部情報が可視化される．投影面上のピクセル値の決定にはアルファブレンディングのアルゴリズムが用いられる．投影面上のピクセル値に対する光線上のボクセルの寄与度は，光線の強さ×不透明度×色（or 輝度）で表される．光線の強さは一つ手前のボクセルまで到達した光線の強さと一つ手前のボクセルの透明度の積で表

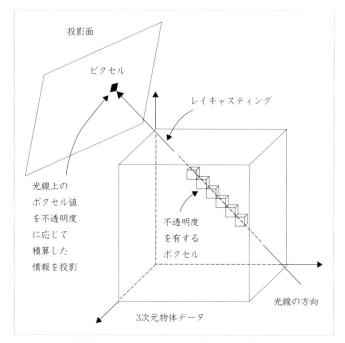

投影面

ピクセル

レイキャスティング

光線上の
ボクセル値
を不透明度
に応じて
積算した
情報を投影

不透明度
を有する
ボクセル

光線の方向

3次元物体データ

図 5-65．ボリュームレンダリングの概念図

される．透明度は1から不透明度を引いた値である．図5-66に光線上に色C_1，C_2，C_3と不透明度 a_1，a_2，a_3をもつ3つのボクセルを仮定したときのアルファブレンディングの例を示す．処理手順としては，光線の通路上のボクセル値に不透明度に従った係数を掛け，そのつど計算した輝度を加算していく．そして，不透明度に従って光線が弱くなりほぼゼロになるまでこの計算をくり返すことで投影面上の輝度が求められる．不透明度が高いとその物体の情報が強く反映されるため半透明の程度は低くなり物体の表面情報が強く写し出される．逆に，不透明度が低い場合はその物体の情報は弱く反映されるため半透明になり奥の物体が透けて見えるようになる．また，必要に応じて色付けを行うことでより実体感を持たせた投影図を作成することができる．どのボクセル値にどの程度の不透明度が設定されているかは**オパシティカーブ**で表現されることが多い．図5-67にオパシティカーブの例を示す．この例では，CT値100〜900の間を不透明度0〜1.0に線型に変化させている．

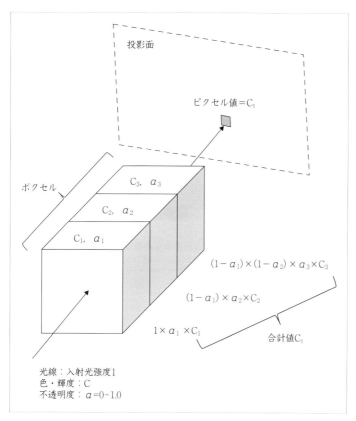

図 5-66. アルファブレンディングの原理

2 サーフェイスレンダリング

サーフェイスレンダリング(surface rendering:SR)は shaded surface display(SSD)とも呼ばれており,その名の通り,物体の表面を影づけして表示する方法である.表面の抽出にはしきい値処理が用いられる.たとえば,ボクセル値があるしきい値より大きいボクセル群を対象物体としそれ以外を背景領域とする2値化処理によって対象物体の領域を抽出する.そして,しきい値処理によって抽出されたボクセル群に対して視線上の最初の境界面の情報のみを投影する(図 5-68).ボリュームレンダリングと同様に,任意に視点を変えな

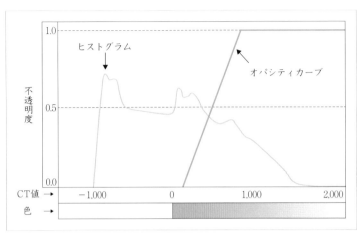

図 5-67．不透明度を調整するためのオパシティカーブ

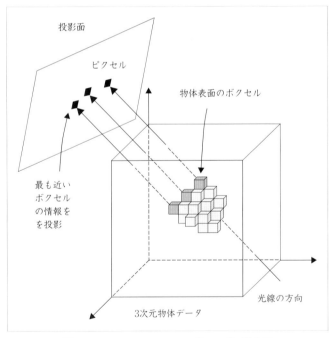

図 5-68．サーフェイスレンダリングの概念図

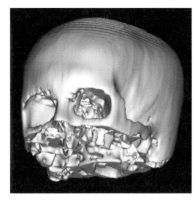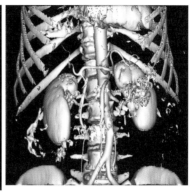

図 5-69．サーフェイスレンダリング画像（左：頭部 CT，右：腹部 CT）

がら観察することができる．図 5-69 にサーフェイスレンダリングの画像例を
示す．

　コンピュータグラフィックス（computer graphics：CG）では，物体の境界
面を多角形データ（**ポリゴン**）の集合で表す．ポリゴンは，通常は三角形か四
角形であることが多い．ポリゴン数が多いほどより滑らかな表面像を作成する
ことができる．仮想的に光源を設定し光源と境界面の角度と距離から光の反射
率を計算して陰影付けを行うことで立体的な投影像が得られる．一般的には観
察する方向から見て手前のものは明るく遠くのものは暗くする．CG における
代表的なアルゴリズムとして**レイトレーシング法**（光線追跡法）が知られてい
る．レイトレーシング法は光線（視線）と物体が最初に交わる交点を求め，そ
の点での反射や屈折などを考慮して物体の表面のみを表示する方法であり，ま
さにサーフェイスレンダリングそのものである．

　サーフェイスレンダリングの短所としては，対象物体の表面情報以外は保持
されないので元データ全体に対しての表現精度は低い点が挙げられる．また，
データ値が大きく異なる対象物体を複数同時に表示するためには，対象物体ご
とに領域抽出とレンダリングを行って合成する必要がある．一方，計算負荷は
ボリュームレンダリングと比べて格段に少ない．この点は大きな長所である．
また，表面情報のみではあるが，立体感の表現力に優れており，前後の位置情
報も保たれる．

3 curved MPR

curved MPR のフルスペルは curved multi planar reconstruction であり，CPR（curved planar reconstruction）と表記されることも多い．日本語では曲面多断面再構成法と訳される．3次元ボリュームデータ内に任意の曲面を設置しその曲面を平面に表示する方法である．特に CT angiography（CTA）での血管の観察でよく用いられる．curved MPR の基本原理を図5-70 に示す．手動または自動で決定した血管の中心点に沿った曲面を設置する．その曲面を平面に単純に伸ばして表示すると stretched CPR になる（図5-71 a）．一方，曲がりくねった血管を直線上のまっすぐな血管として表示することもできる．こちらは straightened CPR と呼ばれており（図5-71 b），血管内の狭窄率や狭窄の長さなどを定量的に評価するのに適している．図5-72 に curved MPR の画像例を示す．

curved MPR は MPR の応用型である．両者の違いは描画データが曲面か平面かである．MPR は多断面再構成法と呼ばれており，3次元ボリュームデータ内に任意の平面を設置しその平面のボクセル値を投影面上の値とする方法である．CT や MRI は一般的に横断面（axial plane）で撮影されるので，その3次

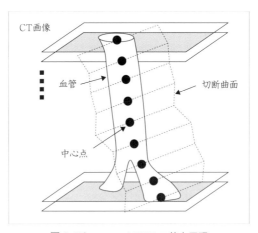

図5-70．curved MPR の基本原理

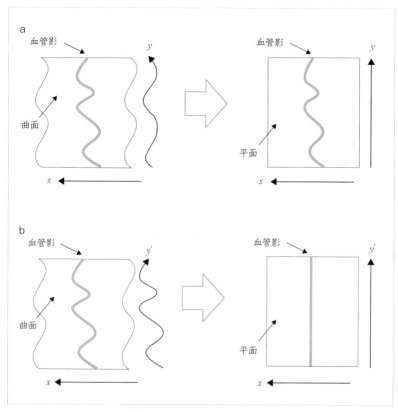

図 5-71. curved MPR の生成法
a：stretched CPR，b：straightened CPR

元ボリュームデータは横断面の複数枚のスライス画像で構成される．MPR に
よってそこから矢状断面（sagittal plane）や冠状断面（coronal plane）あるい
は任意の傾斜断面（oblique plane）の画像を得ることができる（図 5-73）．

4 MIP 法

MIP は maximum intensity projection の略であり**最大値投影法**と称される．
光線が通るボクセルの中で最も高いボクセル値を投影面上の値とする方法であ
る（図 5-74）．MIP 法は主に血管の描出に用いられており MRA（magnetic
resonance angiography）などでは標準的な観察法の一つになっている．図 5-

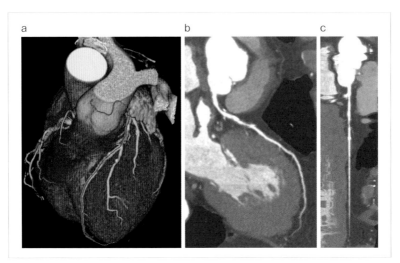

図 5-72. curved MPR 画像
a：冠動脈 CTA（VR 像），b：stretched CPR，c：straightened CPR

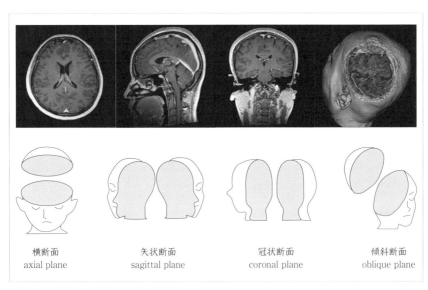

横断面	矢状断面	冠状断面	傾斜断面
axial plane	sagittal plane	coronal plane	oblique plane

図 5-73. MPR（上段：頭部 MRI）

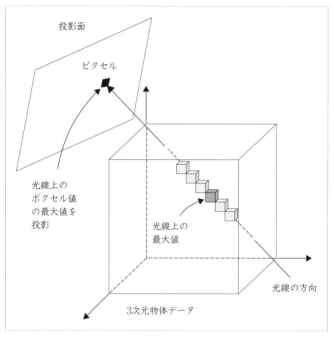

投影面

ピクセル

光線上の
ボクセル値
の最大値を
投影

光線上の
最大値

光線の方向

3次元物体データ

図 5-74. MIP 法の概念図

75 に MIP の画像例を示す．MRA や造影 CT では血管が高信号（高輝度）となるため MIP 法が非常に有効である．しきい値を設定する必要がなく微小な血管も描出されやすいのは MIP 法の大きな利点である．また，元の 3 次元物体データのボクセル値（CT 値や MRI の信号強度）が投影面のピクセル値に直接反映されるのも大きな利点と考えられる．処理の計算負荷は非常に小さい．視点を連続的に変えた複数の投影画像を動画にして観察することで構造物を擬似立体的に観察することも可能である．ただし，奥行き方向の前後関係は考慮されず光線上の明るい構造物が常に優先的に描画されてしまうという欠点がある．たとえば，手前に暗い構造物がありその背後に明るい構造物がある場合を仮定すると，描画されるのは常に背後の構造物であるため前後関係に矛盾が生じる．MIP の 1 方向だけの投影像では立体感に乏しく前後関係の位置情報が欠落している．

　派生型の MIP 法として，slab MIP，target MIP，weighted MIP が考案され

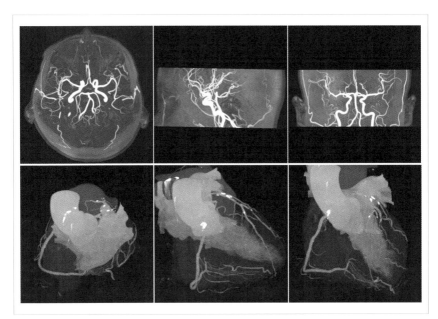

図 5-75. MIP 画像（上段：頭部 MRA，下段：冠動脈 CTA）

ている．slab MIP は奥行き方向に一定の厚みを持たせた範囲内のみで最大値を
投影する方法である．target MIP は高信号の物体との重なりを避けるために関
心領域を設定して最大値を投影する方法である．weighted MIP は奥行き方向
の距離に応じて手前のボクセルほど大きな重みづけをして最大値を投影する方
法である．

5 raysum 法

　raysum 法は光線上のボクセル値の平均値を投影面上の値とする方法であ
る（図 5-76）．いわゆる平均値投影法であり計算処理は MIP とほとんど同じで
最大値を取るか平均値を取るかの違いのみである．CT 画像を raysum 表示す
ると単純 X 線画像に似た画像が得られる．図 5-77 に raysum の画像例を示す．
ちなみに最小値投影法は minIP（minimum intensity projection）と呼ばれる．

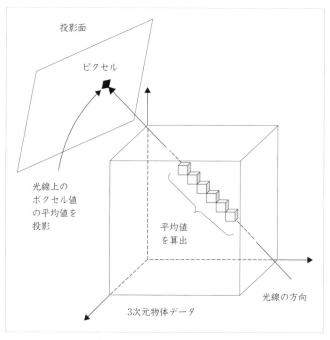

図 5-76. raysum 法の概念図

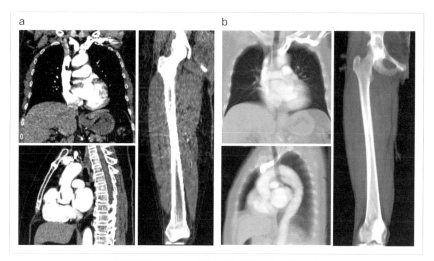

図 5-77. raysum 画像 (胸部 CT と下肢 CT)
a：CT 断面画像，b：raysum 画像

6 仮想内視鏡

　仮想内視鏡（virtual endoscopy：VE）はCT画像を用いて内視鏡のような画像を得ようという発想に基づいている．近年は大腸の検査方法として，実際の内視鏡検査（いわゆる大腸カメラ）以外に大腸CT（CT colonography：CTC）による仮想内視鏡が選択肢の一つになっている．CTCでは大腸を空気で膨らませてCT撮影を行う．そして，取得したCT画像から大腸管腔内の表面をサーフェイスレンダリングで表示し，フライスルーで観察することでポリープなどの検出を行う．図5-78に仮想内視鏡の画像例を示す．実際の内視

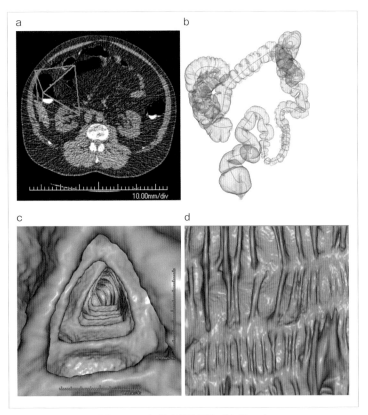

図5-78．仮想内視鏡画像（大腸CT）
a：CTC横断画像，b：大腸の管腔領域，c：フライスルー画像，d：展開画像

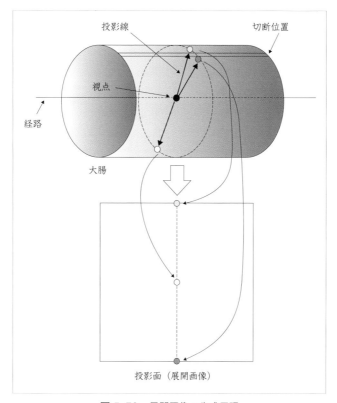

図 5-79. 展開画像の生成原理

鏡ではカメラの向きの制限によって通常は一方向からの視野に限られる．一方，仮想内視鏡では3次元空間のあらゆる方向からの視野画像を表示することができる．自由な方向から観察できるのは仮想内視鏡の大きな利点である．また，腸管を切開したような展開画像を作成することができる．図 5-79 に展開画像の生成原理を示す．図 5-78 d に示すように，展開画像によって広範囲の腸管内表面を一度に観察することができる．また，ひだ裏の観察も容易である．仮想内視鏡の欠点は管腔内の色がわからないことである．

7 トモシンセシス

トモシンセシス（tomosynthesis）は tomography（断層撮影法）と syn-

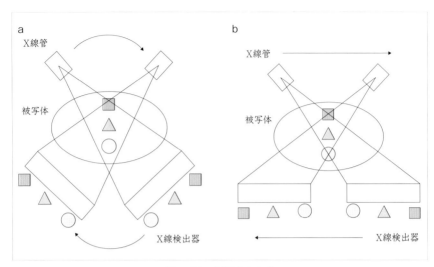

図 5-80. 断層走査方式
a：円弧断層走査，b：平行平面断層走査

thesis（統合・合成）を合わせた造語である．X線入射角度を変えながら連続撮影された一連の画像データを用いて受光面に平行な任意の断層画像を再構成するX線撮影法である．CTの円弧断層走査に対して，トモシンセシスは平行平面断層走査である（図5-80）．トモシンセシスの再構成処理には以前はシフト加算法が用いられていたが，現在はフィルタ逆投影法（filtered back projection法：FBP法）や逐次近似再構成法（iterative reconstruction法：IR法）が一般的に使われている．図5-81にシフト加算法により再構成原理を示す．シフト加算法では，X線入射角度ごとの投影像を走査方向に適量シフトして重ね合わせることで任意の高さの断層像を得ることができる．ただし，平行平面断層走査による断層撮影特有の流れ像などの障害陰影（アーチファクト）の低減が十分ではなかったためFBP法やIR法に置き換わったのである．FBP法は，平行平面断層走査で得た一連の投影画像に幾何学的変換を施して円弧断層走査の投影データに変換してからCTと同様の処理で断層像を再構成する方法である．IR法は，再構成した断層画像から投影画像を作成して実際の投影画像と比較して誤差修正を繰り返すことによってより正確な断層画像を得ようとする方法である．

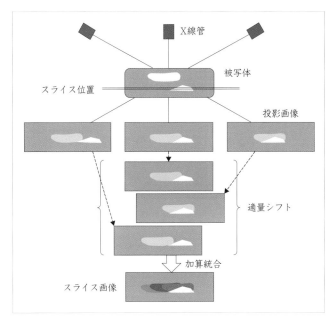

図 5-81．シフト加算法の原理

　トモシンセシスは乳腺領域や整形外科領域などで活用されている．乳房のトモシンセシス画像例を図 5-82 に示す．通常の乳房 X 線画像検査では病変と正常乳腺が重なることで診断が難しかった症例であっても，乳房トモシンセシスでは乳がんと正常乳腺が重ならない断面の断層画像を作成可能であるため病変検出率が向上し偽陰性の減少に寄与する．さらに，正常乳腺が重なり合うことで偽病変に見える所見も軽減できるため偽陽性の低減にも優れるとされている．

（近藤世範）

8　X 線動画解析技術

　呼吸状態を撮影した胸部 X 線動画像には，横隔膜・胸郭・心壁などの動き，呼吸や肺循環にともなう肺野や縦隔部の濃度変化などが描出されている．これらの動的な画像所見は，X 線動画解析技術により定量化・可視化され，心肺機能評価に利用される．以下に，処理概要と適用例を示す．

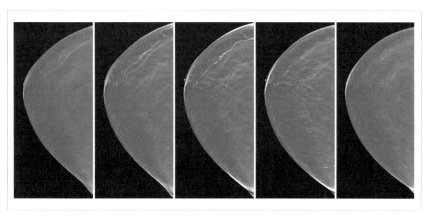

図 5-82.　トモシンセシス画像（乳房）

a 肺面積変化

　呼吸状態を撮影した胸部 X 線動画像の肺面積は，吸気量に応じて変化する．よって，肺面積の時間変化や最大変化量を算出することで，間接的な肺機能評価が可能になる．胸部 X 線動画像の肺面積変化は，全フレームを対象に認識された肺野領域について，その面積の時間変化や最大変化量として計測される．肺野領域の認識は，1 次微分によるエッジ検出による手法や，U-net などの深層学習を用いて行われる（図 5-83 a）．

b 横隔膜運動

　左右の横隔膜を同時に観察できる胸部 X 線動画像では，横隔膜運動の減少，遅延，左右逆相などの運動異常が検出される．横隔膜運動は，1 フレーム目を対象に，左右の肺尖部の頂点と横隔膜の追跡点を決定し（図 5-83 b），2 フレーム目以降は，テンプレートマッチングなどの追跡手法を用いて計測される（図5-83 c）．肺尖部―横隔膜間距離の時間変化や最大可動域を算出することで，横隔膜運動の定量評価が可能になる（図 5-83 d）．

c 肺野濃度の変化

　胸部 X 線動画像で画素値の変化として観測される濃度変化は，単位容積あた

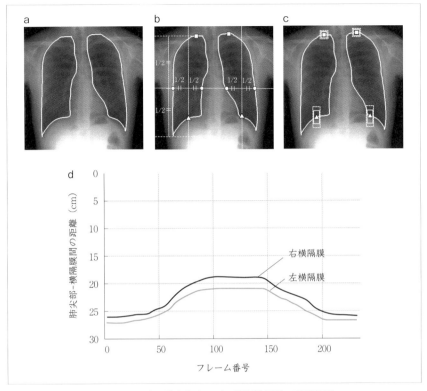

図 5-83.　肺面積変化ならびに横隔膜運動の計測箇所
a：1 次微分によるエッジ検出によって認識された肺野領域，b：横隔膜運動の計測箇所（正方
形：肺尖部の追跡点，三角形：横隔膜の追跡点），c：テンプレートマッチングのテンプレー
ト（実線の四角形）と検索範囲（点線の四角形），d：計測された肺尖部—横隔膜間距離の一
例（文献 2 の Fig.2 を引用改変）

りの肺血管・気管支の密度変化や血液ボリューム変化に起因する．これらの変
化を可視化することで，患者に造影剤や放射性医薬品を投与することなく，肺
換気や肺循環の評価が可能になる．図 5-84 に，フレーム間もしくは基準フ
レームとの差分処理とカラーマッピング技術で作成される機能画像を示す．算
出された差分値は，その大きさに応じた色合い/強度でオリジナル画像に重ね
合わせて表示され，肺機能障害領域をカラー欠損もしくはカラー強度の低下と
して描出する．

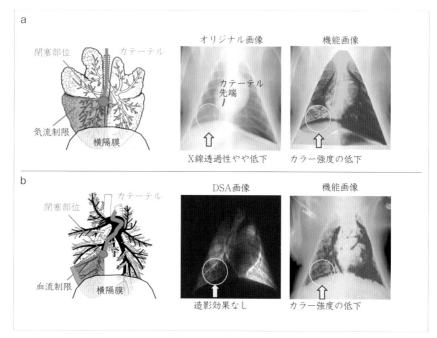

図 5-84．肺野内の濃度変化にもとづいて作成される機能画像
a：呼吸性の濃度変化の可視化（豚の閉塞肺モデル，文献 3 の Fig.8 を改変引用）
b：血流性の濃度変化の可視化（豚の肺塞栓症モデル，文献 4 の Fig.5 を改変引用）

d 肺内構造物の動き

　肺がんの胸壁浸潤や胸膜癒着は，肺野内局所の動きの制限や浸潤/癒着臓器と同調した動きとして観察される．よって，肺血管・気管支などの肺内構造物の移動ベクトルを計測することで，肺がんの胸壁浸潤や胸膜癒着の有無を予測可能にする．胸部 X 線動画像の肺内構造物の動きは，移動ベクトル解析により定量化・可視化される（図 5-85）．

（田中利恵）

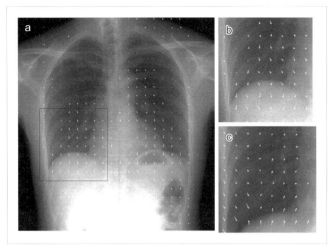

図 5-85. 肺野内の移動ベクトル解析
a：肺野内の移動ベクトルをオリジナル画像に重ね合わせて表示した画像．白い矢印は1つ前のフレームからの移動方向と移動量を示す．正方形で囲まれた領域の，b：吸気時ならびに，c：呼気時の拡大図
（文献2の Fig.4 を引用）

G 最適化技術

1 最適化の概念

　「最適化」という言葉は，日常でも「撮影条件の最適化」などと，主観的な意味でよく使われている．しかし，本節で述べる「最適化」は定量的に厳密に定義される必要があり，正しくは「数理最適化」が適切かもしれない．簡単な例として，図 5-86 に示す1つの区域にある多数の家庭を対象とした肺がん検診のための検診車の最適な位置について考える．最適化の定義を，「各家から検診車までの平均距離を最短にする」と考える場合もあれば，あるいは「検診車から最も遠方にある家までの距離を最短にする」という考え方もある．前者の場合は各家の位置（座標）さえわかれば，1回の計算で検診車の最適位置を求めることができる（X 座標と Y 座標の平均値を求めればよい）．しかし，後者の

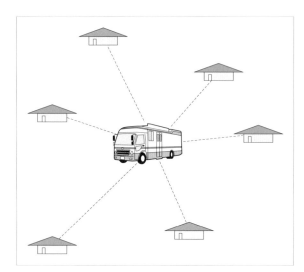

図 5-86.　検診車の最適配置問題

場合は簡単ではなく，検診車の位置によって最遠方の家が異なるので，検診車
の位置を実際に変更しながら最遠方の家と距離を求めて比較し，最短距離を決
める必要がある．このように，1 回の計算では求められないような難解な問題
に対して，反復計算によって「最適」解を見つけるのが最適化技術である．

　最適化技術は 1930 年代から研究が始められ，現在では列車の乗換駅の探索，
投資先の選択などの社会・経済活動などでも数多く応用されている．また，最
近急速な利用が進んでいる深層学習では，大規模データを用いた学習に最適化
技術が使われている．本節では，画像に対する最適化技術の応用例として，CT
における逐次近似画像再構成および MRI における圧縮センシングについて概
要を述べる．

　CT と MRI の画像再構成を対象とする最適化技術では，目的関数（コスト関
数ともいう）を最小とするように画像（画素値）を決定する．目的関数は再構
成する画像の完成度（最適度）に関係していて，大まかに言えば画像の忠実度
（コントラストおよび鮮鋭度）に対応する項とノイズの量に対応する項から成り
立っている．ただし，画像の完成度が高いほど目的関数の値が小さくなるよう
に工夫することで，ひたすら目的関数の最小値を探索することによって最適な

画像を再構成することができる．実際の目的関数は応用ごとに異なるので，具体的な構成については後述する．なお，最適化は数学的な深い理論によって支えられているが，ここでは考え方を中心に述べるため，数学的な詳細については成書を参考にして欲しい．

2 最適化技術の実用例

a CT における逐次近似画像再構成

1）従来法との比較

　CT の画像再構成ではフィルタ補正逆投影（filtered back-projection：FBP）法が従来法として使われてきた．FBP 法は解析的な手法で高速な再構成が可能であるが，ノイズ抑制の仕組みが再構成の中には含まれていないので，そのままではノイズの多い画像が作られてしまう．一方，最適化技術を使えば，目的関数の中にノイズ量に対応する項が含まれるため，再構成の過程でノイズを抑制した画像を取得できる．したがって，低線量でもノイズを抑制した CT 画像の撮影が可能となり，被曝線量の低減が期待できる．最適化技術を CT の画像再構成に応用したのが逐次近似画像再構成（iterative reconstruction：IR）法である．なお，ここでいう IR 法は，FBP 法を併用したハイブリッドタイプの逐次近似応用画像再構成法ではなく，MBIR（Model-Based IR）ともいわれる純粋な意味での IR 法を意味している．

2）投影データと順方向投影データ

　IR 法で重要な順方向投影について説明する．図 5-87 a に示すように，CT では被写体を X 線でスキャンすることによって投影データが得られる．投影データは生データあるいはサイノグラムといわれる．被写体の撮影で直接得られるデータは画像ではなく投影データであることに注意する．それに対して図 5-87 b に示すように，順方向投影は被写体をスキャンするのではなく，画像を計算機内部でスキャンする．画像のスキャンで得られるのが順方向投影データである．図 5-87 c では原理を理解できるように第 1 世代のスキャン方式で示しているが，最新技術のボリュームスキャンでも考え方は同じである．

3）逐次近似画像再構成の目的関数

　IR 法に使われる目的関数 H は 2 つの項から構成される．

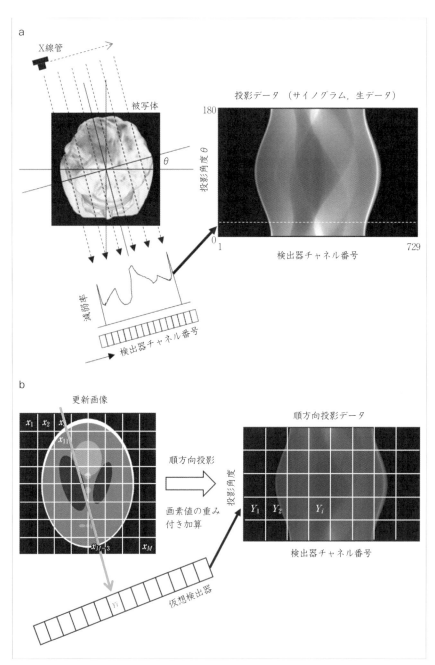

図 5-87. 投影データ（a）と順方向投影データ（b）

$$H = A + aB \qquad 5.34$$

A は画像の忠実度に関係する項で，投影データと順方向投影データとの差の二乗和である．誤差項といわれることもある．B は画像ノイズに対応する画素値の変動を表す項で正則化項と呼ばれている．一般には，正則化項として画像の水平および垂直方向の微分から得られる画素値勾配の総和（トータルバリエーション total variation：TV といわれる）を用いる．したがって，目的関数を最小にすることによって，順方向投影データが被写体スキャンで得られた投影データに近く，かつ，できるだけ画素値の変動（勾配）が小さな画像が得られる．つまり，画像の忠実度（画像のコントラストと鮮鋭度）が高く，ノイズの少ない画像が再構成されることになる．また，忠実度とノイズ抑制のバランスは目的関数内の重み係数 a によって制御することができる．

4）逐次近似画像再構成の反復計算

IR 法における反復計算の流れを図 5-88 に示す．被写体はシミュレーションでよく利用される Shepp-Logan ファントム（画素値 0.0〜1.0 をもつ数値ファントム）である．まず，被写体をスキャンすることで図中の① 投影データが得られる．シミュレーションでは，X 線によるスキャンの代わりにノイズを付加しながら計算によって投影データを求めている．図は反復回数が 2 回目の状態を

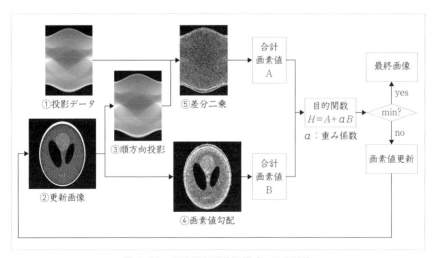

図 5-88．逐次近似画像再構成の反復計算

示している．直前の反復計算で②更新画像ができているが，エッジも曖昧でノイズも多く，完成度は低い画像であることがわかる．なお，初回の計算時には更新画像がないので，画素値を乱数で置き換えるなどした任意の画像を使うことができる．

　次に，②更新画像から③順方向投影データと④画素値勾配画像が作られる．③順方向投影データは①投影データと画素値ごとの差分をとり，⑤差分二乗画像が作られる．⑤差分二乗画像の画素値の合計が式5.34におけるA，④画素値勾配画像の画素値の合計がBとなる．目的関数Hの値は，$H = A + aB$で求められる．aは忠実度とノイズ抑制のバランスを制御する重み係数で，対象画像によってユーザーが設定する必要がある．

　反復計算の中で目的関数Hは，最小値なのか否かが判定される．たとえば，前回の反復計算におけるHの値と今回の計算結果との差が小さいと（相対変化で0.1%以下など），最小値に到達したと判定されて反復計算は終了し，②更新画像が再構成画像として出力される．最小値に到達していないと判定された場合には，画像の画素値を更新して新しい②更新画像を作り，次の反復計算が開始される．

5）画素値の更新

　画素値の更新法は数理最適化の分野で研究が進み，高速で精度の高い多くの方法が考案されている．最も基本的な方法は図5-89に示す**最急降下法**である．図では直感的に理解するために1個の変数（画素値）xに関する目的関数を示している．目的関数の上を転がるボールを使った考え方は以下のようになる．

a) ボールの現地点の曲線の傾き（微分）を求める．

b) 傾きが負の値（下り坂）なら，正の方向にボールを動かす．つまり，傾きの絶対値に応じた値を画素値xに加える．

c) 傾きが正の値（上り坂）なら，負の方向にボールを動かす．つまり，傾きの絶対値に応じた値を画素値xから減じる．

d) ボールが動く方向に最小値は存在する．

このようにボールを動かしながら目的関数の最小値の判定を行うのが最急降下法の考え方である．

6）IR法による再構成画像

　Shepp-Loganファントムを被写体としたIR法のシミュレーション結果を図

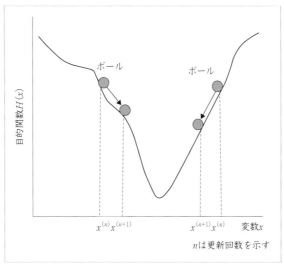

図 5-89. 最急降下法の概念図

5-90 に示す．各画像の左上に記した反復回数ごとの更新画像を示している．1
および 2 回目の反復計算ではノイズが多くボケた画像であるが，5 回目の更新
画像ではノイズは少なくエッジは明瞭な再構成画像になっていることがわか
る．ファントムの平坦部分に設定した関心領域内の画素値の標準偏差は，FBP
法と比較して IR 法（反復回数 10）では 58.3% 減少していた．したがって，最
適化技術を用いた IR 法は解像特性をほぼ維持しながら，大幅にノイズを抑制
する方法であるといえる．

b MRI における圧縮センシング

1）MRI 撮像時間の短縮のために

　MRI の撮影で直接得られる信号は空間周波数領域のデータである．空間周波
数領域のことを MRI では K 空間と呼ぶ．通常は，K 空間データをフーリエ変
換*することで MR 画像が再構成される．臨床の MRI 撮影で頻度の高いスピン
エコー法では，K 空間の水平方向のデータを収集するごとにスライス面の y 軸

　＊　数学的には逆フーリエ変換であるが，MRI ではフーリエ変換ということが多い．

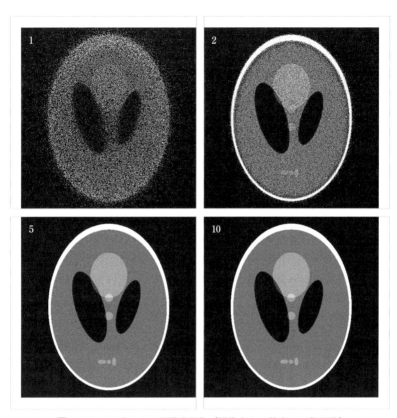

図 5-90．IR 法による再構成画像（画像左上の数字は反復回数）

方向に強度を変えながら傾斜磁場を印加する必要がある（位相エンコーディングという）．したがって，K 空間のすべてのデータを収集するためには，撮像時間が長くなるという問題が生じる．撮像時間を短縮するには，位相エンコーディングの数を減らすことが一つの解決策である．つまり欠損した K 空間のサンプリングデータ（アンダーサンプリングデータという）から，画像の再構成を行う．アンダーサンプリングデータからフルサンプリングと同等の画像を再構成するには，次の 2 つの要件を満たす必要がある．

a) 対象画像の高スパース性

b) ランダムなアンダーサンプリング

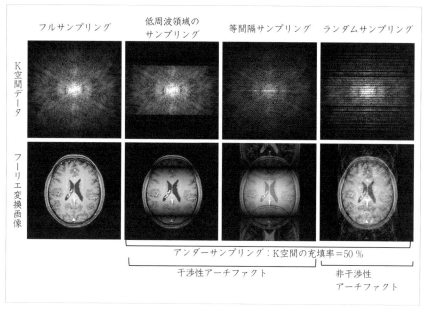

図 5-91．アンダーサンプリングの方式とアーチファクト

　しかし，通常の画像再構成と同じようにアンダーサンプリングデータを直接フーリエ変換するとアーチファクトが発生するので，最適化技術を利用した圧縮センシング法が必要になる（図 5-91）．

2）画像のスパース性

　ゼロ値の画素が多く含まれる画像を**スパース**（sparse，まばらの意味）**性**が高いという．血管造影画像ではゼロ値の画素が多いことはすぐにわかるが，一般の MR 画像ではゼロ値の画素が多いとはいえない．しかし，後述する図 5-92 に示す**ウェーブレット変換**した画像にはゼロ値の画素が多く含まれていて，一般の MR 画像でもウェーブレット変換を行えばスパース性が高いことが容易にわかる．このように「画像がスカスカであれば（スパース性が高ければ），K 空間データが欠損していても再構成画像は得られるのでは？」というのが，圧縮センシングの元々の発想である．MR 画像に限らず医用画像のウェーブレット変換画像はスパース性が高いことが知られていて，その性質を利用して保管のための画像データ圧縮が日常的に行われている．**圧縮センシング**では再構成

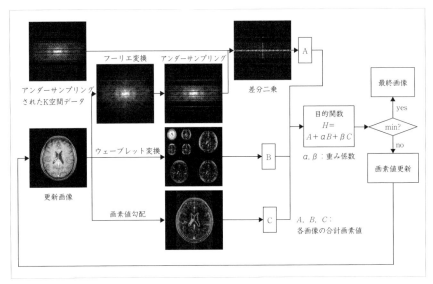

図 5-92. 圧縮センシングの反復計算

される画像のスパース性を担保するために，目的関数の正則化項として画像の
ウェーブレット変換画像を用いる.

3) ランダムなアンダーサンプリング

　アンダーサンプリングしたK空間データを直接フーリエ変換すると，欠損
データのために再構成画像には必ずアーチファクトが生じる．このアーチファ
クトは，**図 5-91** に示すように，アンダーサンプリングの方式によって性質が
大きく異なる．K空間の充填率が同じ50%であっても，低周波領域だけのサン
プリングや，位相エンコーディング軸に沿った等間隔のサンプリングなど規則
性のあるサンプリングだと，大きな干渉性アーチファクトが生じて，除去する
のが困難になる．しかし，ランダムサンプリングならば，出現するのはノイズ
状の細かなアーチファクト（**非干渉性アーチファクト**といわれる）となり，目
的関数に含まれるノイズに関する正則化項によって，除去することが可能に
なる.

4) 圧縮センシングの目的関数

　圧縮センシングで使用される目的関数 H は3つの項で構成される.

$$H = A + \alpha B + \beta C \qquad\qquad 5.35$$

忠実度に対応する項 A は，被写体をスキャンするときにアンダーサンプリング
された K 空間データと，反復計算で作成された更新画像のフーリエ変換を同じ
ようにアンダーサンプリングしたデータとの差分二乗和である．正則化項 B と
しては画像のスパース性を担保するために画像のウェーブレット変換画像を使
う．また，非干渉性アーチファクトと画像ノイズを抑制するために CT と同じ
ように画素値勾配画像をもう一つの正則化項 C として用いる．α, β は忠実度，
スパース性の担保とノイズ抑制のバランスを制御する重み係数である．このよ
うに対象画像のスパース性を前提にして，欠損データから画像を再構成（ある
いは回復）する手法は**圧縮センシング**と呼ばれている．

5）圧縮センシングの反復計算

　圧縮センシングにおける反復計算の流れを**図 5-92** に示す．更新画像からは
フーリエ変換，ウェーブレット変換（総和が B），画素値勾配画像（総和が C）
が作られる．フーリエ変換はスキャンしたときと同じようにランダムにアン
ダーサンプリングされ，スキャンで得られたアンダーサンプリングデータとの
差分二乗（総和が A）が作られる．CT の IR 法と同じく，目的関数 H が最小
値に到達するまで反復計算を続けることで再構成画像を得ることができる．な
お，圧縮センシングでもフーリエ変換は使われているが，それは画像を得るた
めではなく，画像から K 空間データを作るために使われていることに注意する
必要がある．

6）圧縮センシングによる再構成画像

　K 空間の充填率 29.3％のランダムなアンダーサンプリングデータから圧縮セ
ンシングで再構成した画像を**図 5-93** に示す．アンダーサンプリングされた
データを直接フーリエ変換して得られた再構成画像と比べて，圧縮センシング
による画像はアーチファクトのほとんどない画像になっていることがわかる．
このことは，アンダーサンプリングによって撮像時間が約 1/3 になっているに
もかかわらず，最適化技術を利用した圧縮センシングを使えば，フルサンプリ
ングとほぼ同等の画像を得ることができることを示している．

（桂川茂彦）

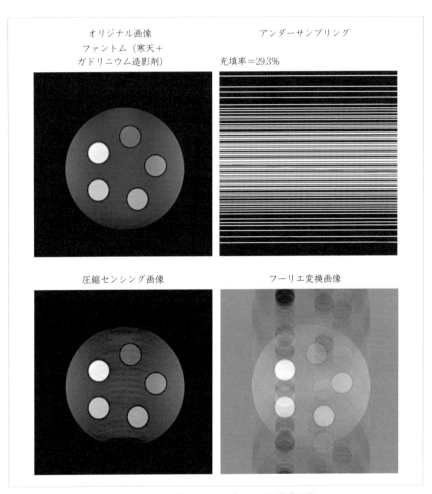

図 5-93. 圧縮センシングによる再構成画像

コンピュータ支援診断と人工知能

SUMMARY

A. コンピュータ支援診断

1. コンピュータ支援診断（CAD）は，コンピュータによる画像の解析結果を「第2の意見」として利用する「医師による診断」（最終責任は医師が負う）である．

2. CADシステムの構築には，画像処理や画像認識の技術が応用され，最近は，人工知能（AI）におけるディープラーニング（深層学習）技術の利用により，従来型CADはAI-CADとしてその性能が大きく向上している．

3. CADの種類もCADe（検出），CADx（診断），CADe＋CADx，CADt（トリアージ）と多様化し，またCADの利用方法もセカンドリーダー，インターラクティブ，同時リーダー，ファーストリーダー型と増えてきた．

4. AI単体で医師の性能を凌ぐ研究事例が増えているが，医師とAIとの協働（相互補完）が，最も性能が向上するという研究論文が多くあり，AIの効果的な利用方法である．

5. 検診において，正常と異常症例を最初にふるい分けることにより，医師の読影負担を減らす手段としてCADは利用できるようになると期待される．また，二重読影における片方の医師の代わりに利用できる可能性もある．ただし，利用環境に応じたプロスペクティブ（前向き）な実証実験が必要である．

6. CADシステムの評価には，CADシステム単体での評価のみならず，ROC解析による観察者実験による評価や臨床的有用性の評価も必要である．

7. ディープラーニングにおけるブラックボックス性が少しでも解決され，「説明可能なAI」として利用できることが望まれる．

8. AI-CADの利用に際し注意すべきは，診断・治療を行う主体は医師であり，医師はその最終的な判断の責任を負うこととなる．

B. 人工知能

9. 人工知能は人間と同様の知的な活動をコンピュータで再現する技術をさし，機械学習法は人間がもっている学習能力と同様の機能をコンピュータで実現しようとする人工知能技術である．

10. 人工ニューラルネットワークは脳の神経細胞を模式化した機械学習技術であり，層数の多いネットワークを用いた技術をディープラーニングと呼んでいる．

11. 畳み込みニューラルネットワークは視覚の働きを取り入れた人工ニューラルネットワークのアルゴリズムであり，画像分類や物体検出，画像生成等に応用されている．

A コンピュータ支援診断

1 基本概念と歴史

a 基本概念

　医用画像診断において「誤診」はどうしても避けられない課題である．特に集団検診のように大量に画像が発生するところでは，誤診が起こりやすく，そのため医師のコンピュータによる診断支援への要望は昔から強く，昨今のように「画像の洪水」が起きている時代には，ますますその期待が大きい．また，わが国は，対人口比の CT・MRI 保有台数で世界 1 位を誇っているが，読影（画像診断）をする放射線科医は大幅に不足している．したがって医師 1 人当たりの読影件数も世界 1 位という苦い実情があり，放射線科医不足の状況が続いている．

　そこで期待されるのが，**コンピュータ支援診断** computer-aided diagnosis（**CAD**）である．これはコンピュータが画像情報の定量化および分析を行い，その結果を "第 2 の意見" second opinion として医師が画像診断へ積極的に利用するものである（図 6-1）．医師も自分の経験や知識をもとに画像を分析（読影）するが，コンピュータの分析結果も参考にしながら，医師が最終診断を下す．

b 従来型 CAD の利用方法

　コンピュータの分析結果は，検出された病巣候補陰影の位置が，ディスプレイに表示された画像の上で矢印などのマーカーで指示することによって，医師に伝えられる（図 6-2）．あるいは，病巣の悪性度を数値で医師に提示する．したがって，コンピュータの分析結果は，医師が下す最終診断へ大きな影響を与える．もしコンピュータが頻繁に間違った分析結果を示すようであると，画像診断へ悪影響を及ぼす．しかし，信頼のおける CAD システムならば，医師の最終判断により画像診断の正確さが改善されることが予想される．事実，これまでの多くの研究者による ROC 解析の読影実験結果は，CAD システムを使っ

図 6-1．CAD の基本概念図
コンピュータの分析結果を，医師が「第2の意見」として利
用する医師による診断方法．

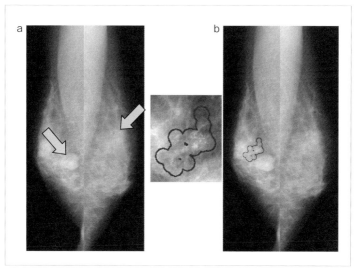

図 6-2．マンモグラフィ CAD における検出結果の表示例
左右の乳房画像を並べて表示する．コントラスト強調処理を施してある．
a：腫瘤陰影候補（矢印）．
b：微小石灰化クラスタの候補領域（雲形で囲まれた領域内．その左側に拡大
画像を示す）．

（大分大学理工学部　畑中裕司氏提供）

た画像支援診断のほうが，システムを使わない従来の読影よりも，診断精度が統計的有意差をもって改善されていることを示している．

　たとえば，肺がん集団検診では1日に数百枚の胸部X線写真の読影を1人の医師が行っている．しかも，ほとんどの写真が病変をもたない正常画像である．このような環境では読影医師の疲労などによって肺がん陰影の見落としが起こりやすくなることが知られている．しかし，肺がん陰影を高精度に検出するような画像解析の結果を参考にして読影を行えば，コンピュータが指摘した箇所に注意が喚起され，見落としていた陰影に気づく可能性がある．また，たとえがんでない解剖学的正常構造をコンピュータが指摘したとしても，医師のこれまでに蓄積された経験によってがんの可能性は否定される．このように，CADは読影医師の役割を置き換えることではなく，あくまでも医師による読影を支援することが目的である．したがって，CADの基本概念は「自動診断」とは根本的に異なることに注意する必要がある．

　なお，利用方法の最近の進化・多様化については，第2節bを参照のこと．

c　CADの効果

　CADにより医師の読影業務を支援することによる効果には，次のようなことが期待される．
1）病変箇所の見落としを防ぐことによる診断精度の向上
2）確信度や定量的な解析情報などの提供による診断精度の向上
3）医師間および医師自身の診断精度の均一化
4）読影時間の短縮による業務の効率化
5）読影あるいは治療開始までの時間短縮（トリアージ）

d　歴史

　放射線画像情報の定量化の最初の試みとしては，1964年Meyersらによって胸部透視像のディジタル画像から心胸郭比の自動計測が行われた．その後，1970年代前半にKrugerらを中心として，胸部X線写真における濃度分布の統計量を使って炭坑夫塵肺症の重症度を自動分類する研究が数多くなされた．また，マンモグラフィにおけるCAD研究の世界初と考えられる論文は，1967年の「Radiology」誌に掲載されたWinsbergらのものである．このときの画像の

濃淡の表現数は 16 程度（16 階調）で，腫瘤陰影の検出を左右の乳房 X 線画像を比較処理するという手法で行っている．しかし，この当時の研究者は，フィルムからディジタル情報を取得し，現在と比べて低機能のコンピュータを用いて，なおかつ自動診断を最終目標とした研究を行っていたので，臨床における実用化には至らなかった．

1980 年代の DSA や CR に代表されるディジタル放射線画像の急速な発展に伴い，放射線画像の定量分析の研究分野でも実用化を強く指向した新しい展開が始まった．特にシカゴ大学の土井らは，自動診断とは異なる CAD の概念に沿った研究を 1985 年に開始して以来，胸部画像，乳房画像および血管造影画像に関する幅広い CAD の研究を行った．特にマンモグラフィ CAD の開発に成功を収め，ベンチャー企業 R2 テクノロジー社（現ホロジック社）の ImageChecker^{TM} が，1998 年，米国において FDA（食品医薬品局）の承認を得て商用化された（図 6-3）．2000 年には日本の薬事承認も得ている．この ImageChecker と呼ばれるシステムは，乳がんの存在する候補位置を自動検出するものであり，CAD の "D" は "detection" と定義し，「**コンピュータ支援検出（CADe）**」と呼ばれた．一方，「**コンピュータ支援診断（CADx）**」と呼ばれる病巣の質的診断（鑑別）まで行うものは（表 6-1），従来型 CAD では商用化には至らなかった．また，このような CAD では，医師の診断に対するセカンドリーダー型システムとして位置づけがなされ，コンピュータは医師に "第 2 の意見" を提示し，最終診断は必ず医師が行う手順で利用された．CADx 型の実用化は大幅に遅れ，2017 年になって初めて乳房 MRI を対象とする CADx（以下に説明するディープラーニングも利用したシステム）が，FDA に承認された．

CAD の研究開発の対象部位は幅広く，撮影モダリティも多様で，ほとんどすべてのモダリティに対する研究・開発が進んだ．これらのうち，マンモグラフィにおける乳がんの検出，胸部単純 X 線写真と X 線 CT における肺がんの検出，および大腸ポリープ検出のための CAD システムは，1998 年以降，商用機が企業によって開発され臨床現場への導入も行われた．

ⓔ 従来型 CAD の技術

1）ルールベース法

従来型 CAD システムの実現のためには画像解析のための高度なソフトウェ

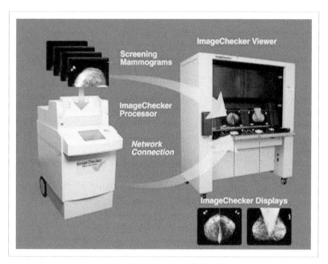

図 6-3. 世界で最初に実用化された米国の R2 テクノロジー社
（現 ホロジック社）のマンモグラフィ CAD システム
「ImageChecker™」の概観

表 6-1. 存在診断と質的診断に役立つ CAD
の 2 分類

コンピュータ支援検出：見落としの防止
（Computer-aided Detection：CADe）
コンピュータ支援診断：客観的判断の補助
（Computer-aided Diagnosis：CADx）

ア（アルゴリズムという）が必要であった．病巣の特徴を捉えて医師が読影診断ロジックに沿ったアルゴリズムを作成する必要があった（**ルールベース法と**いう）．ロジックの一例を図 6-4 に示すが，これは乳腺専門医が候補陰影を乳がんと診断するときの読影ロジックを解析し，フローチャートとして書き表したものである．CAD の処理アルゴリズムは，このようなチャートに従って作成される．1〜13) のそれぞれの画像特徴に対して，適切な画像特徴量で表現する必要があり，これは必ずしも容易ではない．これには，対象とする病巣陰影を高精度に検出したり鑑別するための画像処理技術（第 5 章も参照）や以下の画像認識技術が用いられる．

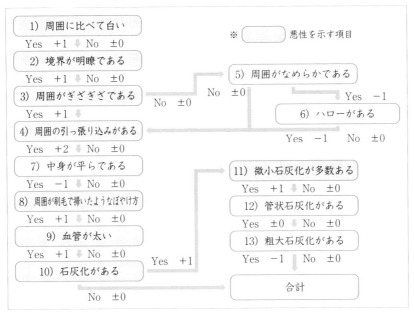

図 6-4. マンモグラフィ上の候補陰影の良悪性を鑑別するときの読影ロジックをフローチャートとして表現した図
（五藤三樹, 他：医用電子と生体工学　34（4）：352, 日本生体医工学会, 1996）

2) 画像認識技術

　画像認識（パターン認識, pattern recognition）技術とは, 画像の中に何があるのかをコンピュータに理解させる技術をいう. 一般に, 画像認識の過程は, 前述の「画像処理（前処理）」,「特徴抽出」feature extraction, 特徴空間における「識別処理」の手順で行われることが多い. 医師は, これまでに学習してきた医学的な知識やさまざまな経験に基づき, 病変をパターンマッチングと類推（推論）を働かせて頭の中で認識処理をしていると考えられる. これらについては,「B. 人工知能」の機械学習で詳述しているので, ここでは概要に留める.

a) 特徴抽出

　"顔" の表情や姿勢の変化を類推および識別（そして検出）するには, それに固有な特徴を引き出すことが必要である. これを, 特徴抽出とか特徴量解析などと呼ぶ. 特徴量には, 画素値の平均や標準偏差などの統計的な特徴量, 陰影

の形状をみる面積，長さ，周囲長，円形度などの幾何学的な特徴量，病変部候補の境界部分やその内部などのエッジの強さや，そのエッジの方向を特徴量とするもの，あるいは空間周波数成分から得られる特徴量などが代表的である．これらの特徴量を組み合わせて，病変部を絞り込み，ある決められた規則に従って最終的な候補を決める（ルールベース法）．

図 6-5 には，濃度勾配解析という手法と三重リングフィルタを組み合わせた微小石灰化像の検出法を示す．b と c の画像に示されるように，ソーベルフィルタによる画像処理によって微小石灰化像の特徴が強調されている．これらの微小石灰化像としての特徴のある領域を，d のような構造をもった三重リングフィルタで認識する．

b）識別処理

複数の特徴量（特徴ベクトルとも呼ばれる）から，最終的にそれが属するクラスを推定する処理を，識別 discrimination，または分類 classification といい，その手法を識別処理という．ここで得られた分類のルールや分類を行う"機械"は，分類器または識別器（あるいは識別モデル）と呼ばれる．

2 AI による CAD の新潮流

a AI とディープラーニング

昨今，第三次人工知能 artificial intelligence：AI ブームが沸き起こった．特に後述する機械学習の技術の一部である「ディープラーニング」（deep learning：深層学習ともいう）と呼ばれる，従来よりも高度化された，人間の脳を模倣した人工ニューラルネットワーク artificial neural network（ANN）の登場により（図 6-6），CAD の分野にも変化が起き始めた．ディープラーニングは，ANN の層数を多層化させた進化版である．NN の進化版と称した理由は，過去の 2 回の AI ブームとも呼応して，すでに過去に 2 回の NN ブームがあったためである．

ディープラーニングの名称の由来は，"AI のゴットファーザー"とも呼ばれるトロント大学のヒントンら（Geoffrey Hinton）が，2006 年の論文で，"層が深い（deep）"（＝多層の）ニューラルネットワークを総称してディープラーニングと呼んだことに端を発している．そして，2012 年の画像認識コンテストで

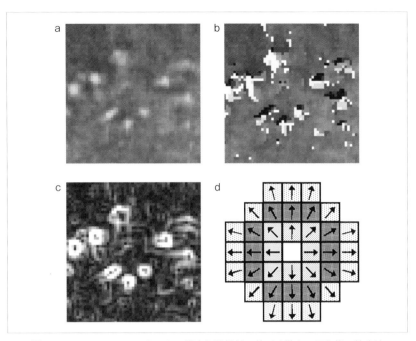

図 6-5．ソーベルフィルタによる濃度勾配解析に基づく微小石灰化像の検出法
a：微小石灰化クラスタ領域を切り出した画像
b：濃度勾配の方向成分を 8 方向に対して 8 種類の濃淡の変化で示した画像
c：濃度勾配の強度成分を濃淡の変化で示した画像
d：b と c の画像から，三重リングフィルタで微小石灰化像の特徴をもった場所を取り出す
ために考案されたフィルタ

(H. Fujita, et al.：Proc. of SPIE 2434：687, 1995.)

図 6-6．AI とディープラーニング

同教授らは，ディープラーニングで1年前の優勝記録の誤り率を25.7%から15.3%へと4割も削減させ圧勝している．ヒントンは，2016年秋のある国際会議で，「5年もしくは10年以内にディープラーニングは専門医のレベルに達するだろう」と述べているが，これにはまだ時間が掛かりそうである．

図6-7に示すように，従来型CADにおける「特徴抽出」と「識別処理」部が，ディープラーニングに置き換わることにより，システム構築の手法が大きく変わり，また性能も大きく進化を遂げている．ただし，ディープラーニングは，基本的に学習に質の高い大量の教師付画像データを要する（Data Driven：データ駆動型）．ディープラーニングは，図6-8に示すような構造のもので，**畳み込みニューラルネットワーク**（convolutional neural network：CNN）と呼ばれる．畳み込み層，プーリング層，全結合層の3種類の層構造が多重に積み重なった構造であり，たくさんの種類のモデルが次々と考案されている．たとえば，マンモグラフィの関心領域を同図の入力として，出力に「正常/良性/悪性」の分類（鑑別）が可能である．また，マンモグラフィ全体を入力として，出力では異常部位を矩形状の枠で囲む（検出），あるいは病変部位を画素単位で決定する（領域抽出，セグメンテーション），さらには解剖学的な構造（たとえば，乳腺領域や胸筋領域など）を指摘する（認識）ことも可能である．

ディープラーニングは，
① 画像検出（病変検出など）
② 領域分割（セグメンテーションともいう．臓器あるいはその一部領域の抽出など）

図6-7．従来型CADとディープラーニングによる
　　　　CADの比較
a：従来のCAD，b：ディープラーニングによる
CAD

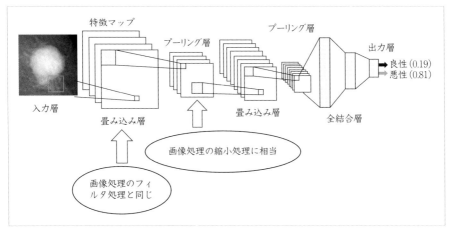

図 6-8.　ディープラーニング型 CAD の乳がん良悪性鑑別の例
入力：「マンモグラフィ腫瘍の切り出し領域」（画像）
出力：「良悪性の可能性の程度」（確率）

③ 画像分類（良悪鑑別など）
④ 画像回帰（計測・定量化で，予後予測，骨年齢推定など）
⑤ 画像形成（画像再構成，画像変換，病変部形成など）
⑥ 画質改善（超解像，ノイズ除去，散乱線除去，金属アーチファクト除去など）
など，多様な使い方が可能であり，従来の画像処理・認識技術では不可能であったことにも応用されている．ディープラーニングの技術的な詳細については，別項（B．人工知能）を参照のこと．

　画像領域への応用といっても，画像診断（読影）支援に限られるものではなく，イメージング（画像取得，画像再構成，画像処理，画像解析）の全般，治療や手術における画像を取り扱う領域でも応用事例がたくさん見られる昨今である．これらの一部は，本書の別項でも触れているので参照されたい．

b CAD の進化・多様化

　ディープラーニング技術が CAD のエンジン部分にも活用されることにより，「従来型（伝統的）CAD」は「**AI-CAD**」（次頁注 1）として，進化・多様化が始まっている（図 6-9）．また，それに伴い，CAD の利用形態にも大きな

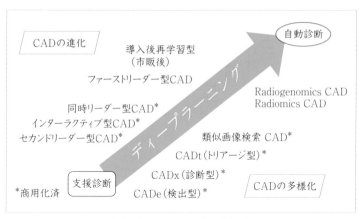

図 6-9.　CAD の進化・多様化

変化が見られるようになり，複数の利用形態が考えられる（**図 6-10**）．これら
について，以下に順に説明する．

1）CAD の進化

a）セカンドリーダー型 CAD

コンピュータの結果を「第 2 の意見」として医師が利用するのが『**セカンド
リーダー型 CAD**』second reader CAD であり（**図 6-10a**），従来型 CAD はす
べてこれに該当した．すなわち，このようなセカンドリーダー型 CAD では，
医師はまず「CAD なし」で読影し，その後，「CAD あり」で再度読影するとい
う手順を踏むため，読影時間は必然的に長くなる傾向がある．そのため，医師
が画像上の気になる箇所をクリックしたときにのみ CAD の結果が表示される
ものとして『**インターラクティブ型 CAD**』interactive CAD（**図 6-10b**）が派
生し，これには読影時間の増加を減らす効果がある．

【注 1】AI-CAD は，従来の CAD と比較して呼称される用語である．AI といっても，従来
の CAD におけるルールベース法もルールベース型 AI と呼ばれることもあり，識別処理
部の手法もニューラルネットワークや SVM（サポートベクターマシン）などの機械学習
の技術が使われていたので，その観点からはすべての CAD で AI が使われていたといえ
る．しかし，ディープラーニングによる CAD の進化はこれらと大きく一線を画するも
のであるため，「AI-CAD」とか，単に「AI」と呼称されるようになっている．

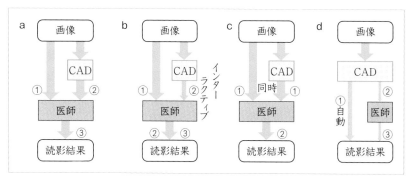

図 6-10.　4 種類の CAD の利用形態
a：セカンドリーダー型，b：インターラクティブ型，c：同時リーダー型，d：ファーストリーダー型

b) 同時リーダー型 CAD

AI-CAD の結果を最初から参照しながら読影するのが『同時リーダー型 CAD』concurrent reader CAD である（図 6-10c）．2016 年に 3D 乳房超音波画像のための CADe システムが FDA 承認を取得，2017 年には乳房トモシンセシスの CADe システムが続いた．共通点は，両方とも乳房疾患を対象とした 3 次元画像であり，一患者当たり大量の画像の読影が必要であるため，同時リーダー型 CAD 開発への期待が大きかった．内視鏡画像検査でもこのリアルタイム性は見落としの軽減に役立つ．

セカンドリーダー型や同時リーダー型の AI-CAD に対する有効性を示す研究論文が，多く出されている状況であり，AI 単体でも医師と同等かそれ以上の性能を有している．しかしながら，医師が AI-CAD を利用するのが最も性能が良いことを示した論文も多くあり，そのような利用法が少なくとも当面はまだ主流であろう．

c) ファーストリーダー型 CAD

医師が読影する前に CAD が判断するもので，これにより医師が読影すべき画像が最初に振り分けられるのが，『ファーストリーダー型 CAD』first reader CAD である（図 6-10d）．医師は，CAD が提示した画像のみを読影するため，これによる読影医師の負担軽減は大きく，正常症例が多い検診分野では特に大きい．薬事承認の難易度は高いが，今後の技術の進化や実証実験により，実用化される日もそう遠くはないであろうと期待される．

d) 導入後再学習型 CAD

利用形態の進化ではなく高度化・進化についてであるが，医療施設に導入した後にも CAD システムが自身で学習し進化するという継続学習機能がある CAD がある．これは『**導入後（市販後）再学習型 CAD**』と呼ばれる．誰がいつ，どこで，どんな手順で再学習させるかなど，まだ課題が残されており実用化には至っていないが，究極的な AI-CAD であるといえよう．

継続学習 continuous learning 機能とは，ディープラーニングモデルを臨床現場に導入した後にも，開発現場で学習済みのハイパーパラメータがロックされたモデル（静的学習モデル）を継続的に学習させるというものである．さまざまなスキャナや撮影プロトコールが使用され，また症例の分布なども異なる臨床現場の環境でも事後的に学習を行うことにより，より精度の向上を意図するモデル（動的学習モデル）を形成するものである．

e) 自動診断

自動診断（自律診断）automated diagnosis（autonomous diagnosis）システムもすでに実用化され，これはもはや支援診断（CAD）の枠組みを超えている．糖尿病網膜症をスクリーニングする眼底写真のための AI があり，専門医でなくともホームドクターなどが自動診断装置として結果をそのまま利用し，専門医に紹介するという利用法の AI システムの商用化が始まっている（2018年）．

しかし，自動診断的な利用はまだまだ制限されており，医師＋AI-CAD の枠組みで，両者の協調的な利用の段階が当面は続くであろう．

2）CAD の多様化

すでに説明済みの『検出型 CADe』と『診断型 CADx』に加えて，『CADe＋CADx』として機能するシステムはもちろん，以下のような CAD の目的の多様性も見られる．

a) トリアージ型 CAD

CAD の技術を応用・拡張して，放射線科医が読影する前の撮影直後の画像を分析し，対処の緊急性の有無を専門医に提示・警告（triage）するコンピュータ技術あるいはシステムが**トリアージ型 CAD** である．『CADt』とも記載される．米国の FDA 初承認を得た商用化第一号は，救急（ER）患者の CT 画像における主幹動脈閉塞（large vessel occlusion：LVO）を特定する LVO 脳卒中プラットフォームである（2018年）．脳卒中の疑いが確認されたことを脳卒中専

門医（脳神経科医）に警告するもので，画像をこの医師のスマートフォンに直接送信する機能がある．95％を超えるケースで，専門医への自動通知で通知時間が平均52分短縮され，これにより治療時間までの短縮が可能になったという．

b) 類似画像検索型 CAD

類似画像検索型 CAD は，鑑別診断すなわち CADx に有用である．医師が画像診断をする際に，過去の症例データベースから特徴の類似している順番に症例を AI システムが提示することにより，診断の質の向上や教育用途などを狙ったシステム，びまん性肺疾患の症例検索システムなどが実用されている．診断精度が高くなる傾向があるとともに，読影時間が31.3％減少したと報告している論文もある．

c) ラジオミクス CAD

radiology（放射線医学）と omics（多量の情報を系統的に扱う科学）を組み合わせた造語である．**ラジオミクス** radiomics（レディオミクスともいう）は，CT，PET，MRI などの画像から大量の定量的画像特徴量を抽出し，それらを統合的に解析し，その中から病変（腫瘍）の表現型を示す代表的な画像特徴を探索する方法である．よって，ラジオミクス CAD は，「予後予測」による診断支援といえよう．このラジオミクスは，バイオプシーの代わりになる可能性としての期待がある．古典的画像処理技術（ヒストグラム解析やテクスチャー解析など）による従来のラジオミクスに加えて，ディープラーニング技術を駆使して自動的に特徴量を求める方法も開発されている．

d) ラジオゲノミクス CAD

ラジオゲノミクス radiogenomics は，画像検査に遺伝学的検査の結果をも組み合わせた診断支援である．これは，より正確な個別化医療 personalized medicine である精密医療 precision medicine を支援する基盤技術といえる．① 画像からがんの遺伝子変異を推定する研究，② 画像と遺伝子を用いた予後予測の研究，③ 画像と遺伝子を用いた早期診断支援に関する研究など，期待が大きい．

なお，放射線科医の画像診断業務には，① 読影に加えて，② レポート作成がある．そこで自然言語解析の AI 技術を活用した診断支援として，画像診断レポートの作成支援システムがあり，さらにインターラクティブな対話機能も加味した「チャット型 CAD」システムの開発も進められている．

c 実用化された AI 型 CAD

厚生労働省の「保健医療分野における AI 活用推進懇談会」で挙げている 6 つの重点領域は，① ゲノム医療，② 画像診断支援，③ 診断・治療支援，④ 医薬品開発，⑤ 介護・認知症，および⑥ 手術支援である．その中でもっとも活用されているのが，上述のように，歴史も古い AI による画像診断支援（CAD）の領域である．そのため，大手医療機器の企業をはじめ，ソフトウェア開発が得意なスタートアップ企業が AI-CAD の開発・商用化を活発に推進している．

国内で薬事承認された AI-CAD は，規制の問題もあり，世界に大きく遅れており，2019 年に初めて発売されて以降，CADe あるいは CADx 型のもので，まだ 20 数品目程度である．AI プログラム医療機器（AI-CAD）が医薬品医療機器等法（薬機法）の承認/認証を得た製品には，以下のようなものがある．

内視鏡画像診断支援システムは複数の企業から商用化されており，大腸内視鏡検査におけるポリープの検出や鑑別，上部内視鏡検査における胃・食道領域でがん候補の検出などは，わが国が世界をリードして得意とする領域であるといえよう．

胸部単純 X 線あるいは胸部 CT 画像から肺がんが疑われる肺結節などの自動検出，COVID-19 肺炎の画像解析，肋骨骨折検出，MRA 画像から脳動脈瘤の自動検出，乳房超音波画像からがん候補の検出などがあり，中には咽頭カメラを含む AI 搭載システムでインフルエンザ感染症の識別を行うものもある．

これらの中には，保険点数が管理加算として加味されるもの*や，個別に保険適用されたものもあり，普及に拍車が掛かりつつある．しかしながら，米国や欧州では，わが国の 10 倍を遙かに超える AI 医療機器がすでに承認されており，わが国は大きく出遅れている現状である．

d 課題

最後に，主な課題を列挙すると以下のようになる．

＊ 放射線画像診断領域では，2022 年診療報酬改定で「AI」が初めて評価されたが，これは，複数の AI を適切に管理・運用する特定病院を対象とした「画像診断管理加算 3」の枠組み内のもので，必ずしも個別の AI 医療機器の有効性が評価されたわけではない．今後の改定に注目されている．https://www.medie.jp/topics/column/column_20220401

・技術的には，AI の学習に用いるデータの確保**や，少ないデータで学習できる技術の開発

・臨床現場で学習できる機能のある導入後再学習型 CAD の開発と実用化

・AI-CAD の実臨床におけるプロスペクティブ（前向き研究）な実証研究

・判断根拠の提示：ディープラーニングにおけるブラックボックス性の解明による「説明可能な AI」（explainable AI）の開発

・臨床現場におけるワークフローへの AI-CAD システムの組み込み化

・薬事承認までの時間短縮化

・AI-CAD の利用による診療報酬（保険点数付与）の広がり

・AI-CAD の臨床現場への導入時における評価基準の検討

・医療関係者から患者に至るまで AI への正しい理解への教育の推進

　なお，AI-CAD の利用に際し注意すべきは，診断・治療を行う主体は医師であり，医師はその最終的な判断の責任を負うこととなる（医政医発 1219 第 1 号，平成 30 年 12 月 19 日：「人工知能（AI）を用いた診断，治療等の支援を行うプログラムの利用と医師法第 17 条の規定との関係について」）．

（藤田広志）

　2022 年 11 月に OpenAI 社から人間のように自然な会話ができる AI チャットボットである ChatGPT が公開されたが，登場からわずか 2 ヵ月でユーザー数が 1 億人を突破し，一躍話題となった．この ChatGPT に使われる GPT（generative pre-trained transformer）とは，いわゆる自然言語処理を用いたテキスト生成が可能な AI モデルで，「生成 AI（ジェネレーティブ AI）」generative AI の範疇に入る．従来のディープラーニングによる AI は，生成 AI に対して「識別 AI」と区分される．生成 AI で使われる技術は，データ/コンテンツから学習するディープラーニング（特に transformer というモデルが特異的な役割を果たしている）より構築された大規模言語モデル（large language model）である．最新の GPT-4 には画像認識機能もあるという．本項の執筆時点では，AI-CAD についてはまだこれらを含んでいないが，昨今の AI 領域は開発スピードが非常に早いので，今後の展開に注視されたい．

** AI-CAD の成功は，画像のデータベース database の質と量にも影響される．公開されているデータベースも利用できるようになってきているが，その規模は，たとえば「文字認識」の分野に比べて非常に小さく，内容も未熟な状態である．以降でも説明があるように，AI-CAD システムの開発にとって，データベースの充実は大きなテーマである．わが国では，改正次世代医療基盤法が 2023 年 5 月 26 日に公布された．これは，製薬企業や大学などの研究者に対して，医療画像も含む医療ビッグデータの利活用を推進させる仕組みとして期待される．

B 人工知能

人工知能（artificial intelligence：AI）は 1950 年代に登場以来，飛躍的な性能向上を遂げており，現在ではさまざまな領域で利用されている．本書で取り扱う医用画像処理の分野においても，医用画像の画質を改善する技術や，疾患の自動検出や病変部の鑑別技術，予後予測技術などが研究開発されている．本節ではこれらの技術を実現するために利用されている人工知能技術に関する基礎的な事項について述べる．

1 機械学習・パターン認識

a 人工知能関連技術の概念図

これまでにさまざまな人工知能技術が開発されているが，それらは図 6-11 のように分類されている．人工知能は最も広い意味をもつ用語であり，人間が行っている知的な活動をコンピュータで再現する技術をさしている．機械学習（machine learning）は人間がもっている学習能力と同様の機能をコンピュータで実現しようとする人工知能技術である．今日の人工知能技術はこの機械学習に基づくものが中心であるが，その中でも動物の神経細胞をモデル化した人工ニューラルネットワーク（artificial neural network）や，そしてそれをさらに高度化したディープラーニングあるいは深層学習（deep learning）が画像処理に多く利用されている．

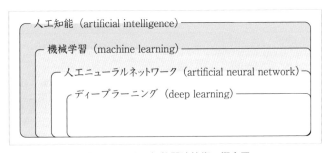

図 6-11．人工知能関連技術の概念図

b 機械学習の学習方法

　機械学習は，学習によって処理能力を獲得するが，その学習方法によって**教師あり学習，教師なし学習，強化学習**に分けられる．教師あり学習は図6-12 aに示すように，データとそれぞれに対応する正解を用意しておき，それらを使って正しい結果が出力できるように学習を行う技術をさす．一方，教師なし学習は処理対象のデータに正解を与えずに学習させる方法である．正しい結果は提示されない状態で与えられたデータから特徴を調べ，似た特徴のものを図6-12 bのように多次元空間の近い位置に配置する．もし区別したいデータが違う位置に配置されるようになれば，それらを分類できることになる．最後の強化学習とは，教師なし学習と同様に正解データを与えず，処理の目的として設

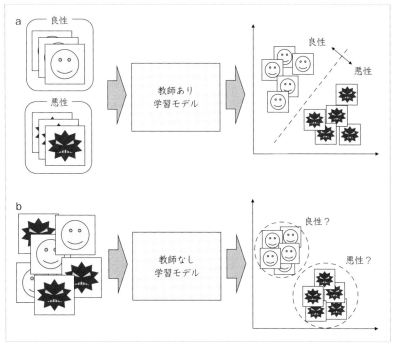

図6-12．教師あり学習と教師なし学習
a：教師あり学習，b：教師なし学習

定された「報酬（スコア）」を最大化するための行動を学習する手法である．将棋や囲碁などで打ち手を学習する際や，自動運転において状況判断を学習するときなどに活用されている．

c パターン認識の概要

パターン認識（pattern recognition）とは，画像や音声など観測されたパターンから一定の特徴や規則性を取り出し，いくつかのカテゴリー（クラスと呼ぶことも多い）に分類する処理をさす．近年は分類処理と呼ばれることが多く，機械学習技術の中心となる技術に位置付けられている．画像を対象とした分類処理として文字認識，音声認識，画像認識などが挙げられる．

文字認識は数字や文字（アルファベット，ひらがな，漢字など）を認識してデジタルデータに変換する技術である．郵便番号や車両のナンバープレートの数字など，定型化された文字については以前からきわめて高い認識率を有しており実用化がなされている．最近はディープラーニングの応用によって一般的な文章の自動読み取りも精度よく行えるようになってきている．音声認識は人間が発した音声をディジタルデータとして取り込んだ後に解析し，文字データに変換する技術をさす．音声認識についてもディープラーニング技術が登場してから認識率が飛躍的に向上し，現在はスマートフォンの音声アシスタントや，話しかけることでさまざまな操作ができるスマートスピーカーなどに組み込まれている．画像認識はカメラなどを使って取り込まれた画像を用いて物体の種類や形を認識する技術である．人間の認識に関しては画像中の人間の顔の位置や大きさを認識する顔認識や，遠方から撮影した人間のシルエットを認識する人物認識があり，人物認識を連続的に行うことで対象人物の行動を追跡する行動解析も可能となった．医用画像を対象とした分類処理については，撮影した医用画像全体あるいは部分的に切り出した画像を解析して正常と異常を分類する処理や，病変の良悪性を鑑別する手法，悪性腫瘍をさらに細かいカテゴリー（組織型やサブタイプ）に分類する技術が研究開発されている．

パターン認識処理の典型的な処理の流れを図 6-13 a に示す．入力されたパターン（画像や音声など）から，特徴抽出にて分類処理に必要な特徴量が取り出され，識別処理ではさまざまなアルゴリズムを利用して特徴量を分析し，どのカテゴリーに分類するか決定する．医師が画像診断を行う際にも画像から病

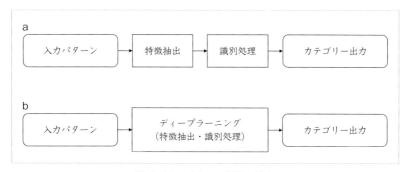

図 6-13. パターン認識の流れ
a：典型的な処理の流れ，b：ディープラーニングを用いた処理の流れ

変のもつ特徴を取り出し，過去に経験した内容と照らし合わせながら診断を下しており，これらと同様の手続きによってパターン認識処理は行われてきた．

近年は図 6-13 b のように，ディープラーニング技術によって特徴抽出と識別処理を同時に行う処理が取られることが多くなり，大量のデータを利用することによって従来の技術よりも高い処理性能が得られるようになった．ディープラーニングについては次節にて説明することとし，ここでは画像を対象としたパターン認識の基礎として，特徴抽出と識別処理を組み合わせた典型的なパターン認識処理について説明する．

d 特徴抽出処理

特徴抽出処理では，与えられた画像パターンから分類に必要な特徴を取り出し数値化する．画像から取り出された特徴量のことを**画像特徴量**と呼ぶ．画像特徴量を算出する際には，図 6-14 のように入力画像から対象領域を特定した後，個々の領域にて特徴量が算出される．なお，画像全体あるいはあらかじめ指定された領域に対して特徴量を算出する場合には 2 番目の対象領域の特定は省略される．まず，画像内の対象物とそれ以外の背景領域を分離する処理を行う．対象物と背景の画素値が異なる場合，両者を分離する最も簡単な方法として **2 値化処理**がある．たとえば，画素値が与えられたしきい値を超えた場合には出力画素値を 255，それ以下には 0 になるように処理することで 2 値化を行うことができる．そうして得られた対象領域は 1 つではなく複数存在すること

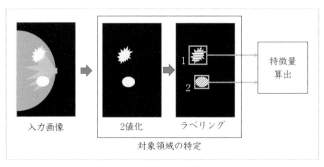

入力画像　　　　2値化　　　ラベリング

対象領域の特定

図 6-14. 特徴抽出処理の流れ

もあるため，個々の領域に異なるラベル（画素値）を付与する**ラベリング処理**を行う．続いてラベル付けされた個々の領域について，画像特徴量を算出する．

　基礎的な画像特徴量として，領域の面積や対象領域における画素値の最大値・平均値・標準偏差などの基礎統計量が用いられる．また，形状をより詳細に把握するために，ラベル付けされた個々の領域の輪郭を**輪郭追跡処理**によって取得し，対象領域の周囲長や円形度を算出することができる．

　また，画像の微細な模様や質感（テクスチャ）を測定する**テクスチャ特徴量**も画像特徴量として広く利用されている．画像にはざらつきや周期性，連続性などさまざまな性質が含まれており，テクスチャ特徴量ではそれらを定量化する．代表的なものとして，グレースケールの画像を対象とした**グレーレベル同時生起行列**（gray level co-occurrence matrix：**GLCM**）を用いたテクスチャ特徴量がある．GLCM は画像内の注目画素の値と，その画素からある方向にある距離だけ離れた画素の値を調べ，両者の関係を集計して行列に表したものである．n 階調の画像があったとき，注目画素の画素値を i とする．その画素から $\theta°$，r 画素だけ離れたところの画素値を j とする．θ と r は固定したまま，画像内のすべての画素で i と j の関係を調査し，i の値を行，j の値を列とした行列に投票していくと同時生起行列が得られる．画像の画素数が 4×4 画素，θ $=0$，$180°$（水平方向）および $\theta = \pm 90°$（垂直方向），$r=1$ のときに求めた同時生起行列の例を図 6-15 に示す．この同時生起行列から画像の均質性や明暗のコントラストなど 10 種類を超える特徴量が計算できる．GLCM の他には，画素値の連続性を評価する GLRLM（gray level run-length matrix），注目画素

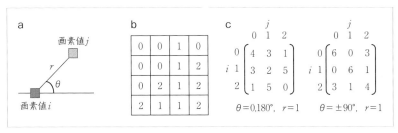

図 6-15．グレースケール同時生起行列の定義と算出例
a：i, j の定義，b：入力画像，c：同時生起行列

とその近傍の画素値の差を評価する NGTDM（neighborhood gray tone difference matrix）なども医用画像解析に利用される．

e 識別のための機械学習アルゴリズム

　識別処理ではさまざまな機械学習アルゴリズムを利用して特徴量を分析し，どのカテゴリーに分類するか決定する．ここでは代表的な機械学習アルゴリズムとして，以下の技術を解説する．

線形判別分析（linear discriminant analysis：**LDA**）：線形判別分析は，統計学に基づいてデータを分類する方法である．図 6-16 a は 2 つのカテゴリーのデータから 2 つの特徴量 A・B を算出し 2 次元平面にプロットしたものである．これらのデータを元に破線で示した直線の式を求め，各データを破線上に投影する．この直線の式はデータを投影したときに同一カテゴリーのデータは極力まとまって分布し，かつ投影した 2 つのカテゴリーのデータが極力離れて存在するように定められる．そして，破線上に投影されたデータが最もよく分離するよう，破線に直交する識別境界線（図中の実線）を設定し分類を行う．

サポートベクターマシン（support vector machine：**SVM**）：サポートベクターマシンでは，図 6-16 b に示す 2 つのカテゴリーのデータにおいて，それぞれのカテゴリーで境界付近に存在するデータを求める．これらのデータをサポートベクターと呼ぶ．サポートベクターをなめらかに結んだ 2 つの破線の中間点を結んだ実線が 2 つのカテゴリーを分類する境界線となる．データ全体を用いて解析を行う他の手法では，データの数や分布に大きく影響を受けるが，サポートベクターマシンは境界付近のデータのみに注目するため，データの分布

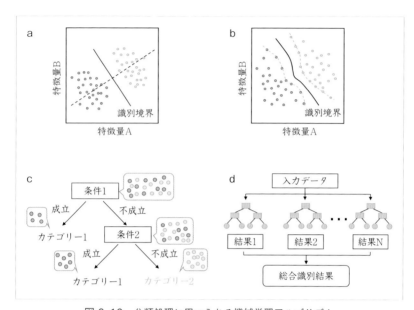

図 6-16. 分類処理に用いられる機械学習アルゴリズム
a：線形判別分析，b：サポートベクターマシン，c：決定木，d：ランダムフォレスト

に偏りがあっても高い性能が得られる.

決定木（decision tree）：決定木は図 6-16 c のように木をひっくり返したような構造をとり，多くの特徴量を用いて上のほうからデータを条件づけしながら分割していき，データの分類を行う方法である．決定木はさまざまな種類のデータを利用することができ，分類の根拠も可視化しやすい方法であり，機械学習以外でも利用されている技術である．

ランダムフォレスト（random forest）：決定木は木に条件が過剰に当てはめられることが多い．ランダムフォレストは図 6-16 d のように決定木を多数組み合わせ，多数決によって総合的に最終結果を導く機構を備えている．このように複数の手法を組み合わせて識別処理を行う方法を**アンサンブル学習**と呼んでいる．

f 回帰

回帰とは，与えられたデータから連続的な数値を出力する処理をさす．たと

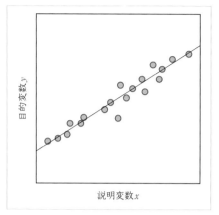

図 6-17．線形回帰の例（単回帰）

えば気象衛星の画像から降雨量を予測する処理や，ウイルスの感染力や人の混雑状況から感染症の罹患者数を予測するような処理などがある．回帰処理は次式のように一般化でき，y を**目的変数**，x_1，x_2，x_3....を**説明変数**と呼ぶ．パターン認識において説明変数は特徴量をさしている．

$$y = f(x_1 + x_2 + \cdots + x_n) \tag{6.1}$$

　回帰処理に利用される手法は**線形回帰**と**非線形回帰**に大別される．線形回帰は 6.2 式のように関数 f が説明変数 x と係数 a の線形結合によって表される方法である．説明変数を 1 個のみ利用して回帰する場合には**図 6-17** に示すようにデータから直線を導く処理となり**単回帰**と呼ばれる．説明変数を 2 個以上利用する場合の回帰は**重回帰**と呼ばれている．

$$y = a_0 + a_1 x_1 + a_2 x_2 + \cdots + a_n x_n \tag{6.2}$$

　一方，上記のような線形結合で目的変数を算出せず，複雑な形状の関数で回帰するものを非線形回帰と呼ぶ．高次多項式を用いて目的変数を導くものや，対数関数を用いて回帰処理を行う**ロジスティック回帰**などがあり，後述するディープラーニングを用いて連続値を出力する場合もこの非線形回帰に分類することができる．

2 ディープラーニング

　ディープラーニングとは，層数の多い（深い）人工ニューラルネットワーク

を用いた処理技術を指す．ここでは，人工ニューラルネットワークとその深層化について述べる．そして，それを画像認識処理に応用した畳み込みニューラルネットワークの概念や応用についても述べる．

a 人工ニューラルネットワーク

われわれの大脳には**生体ニューロン**（biological neuron）と呼ばれる神経細胞が数百億個存在している．生体ニューロンは図 6-18 に示すような構造となっており，細胞体周辺に存在する樹状突起が情報の入力端子，軸索の先端が出力端子として機能する．樹状突起には他の多数のニューロンの軸索と多数接続されており，外部からの刺激を入力する．その刺激の総量が一定レベルを超えると細胞体が興奮状態となり，パルス電圧が発生する．その信号は軸索を通じて他の生体ニューロンに伝播される．信号は一律に伝播するのではなく，シナプス結合と呼ばれる場所で伝播度合いが調整され，情報の取捨選択が行われる．これらの動作が多数同時に発生することでわれわれは知的な活動を行っている．

上述の生体ニューロンのはたらきを図 6-19 に示すようにモデル化したものを**人工ニューロン**（artificial neuron）と呼ぶ．他のニューロンから与えられる入力信号は x，シナプス結合は重み w を用いて再現する．人工ニューロンの入出力関係は，式 6.3，6.4 のように表され，x と w を積和した値 u が関数 f に与えられ出力値が決定する．関数 f は**活性化関数**（activation function）と呼ばれている．活性化関数の特性はさまざまなものが考案されているが，それらのうち代表的な Sigmoid 関数，恒等関数，ReLU 関数を図 6-20 に示す．どの関数

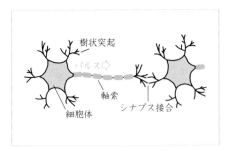

図 6-18．生体ニューロンの構造

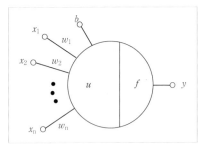

図 6-19．人工ニューロン

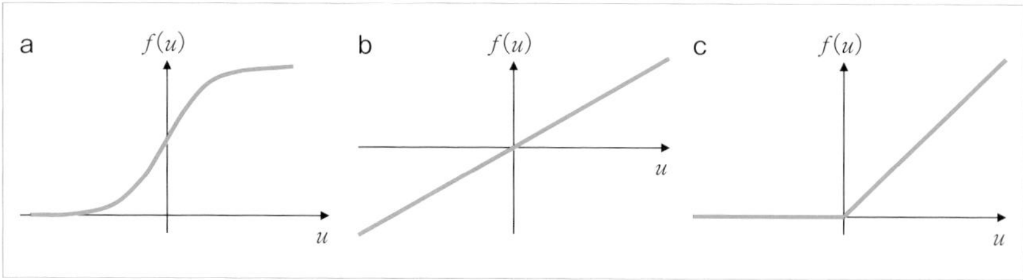

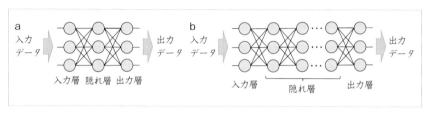

図 6-20. 活性化関数の一例
a：Sigmoid 関数，b：恒等関数，c：ReLU 関数

図 6-21. 順伝播型ニューラルネットワーク（a）と深層ニューラルネットワーク（b）

であっても入力される値が大きくなるほど出力値が高くなる特性を有してお
り，生体ニューロンのはたらきに近いものや学習時に最適解に近づきやすい関
数が用いられる．

$$y = f(u) \tag{6.3}$$

$$u = \sum_{i=1}^{n} x_i\, w_i + b \tag{6.4}$$

　この人工ニューロンを多数結合したものが人工ニューラルネットワークと呼
ばれる．結合方法の異なるいくつかのネットワークが検討されてきたが，現在
主に利用されているのは階層状に人工ニューロンを並べた**順伝播型（階層型）
ニューラルネットワーク**（feed-forward neural network）である．図 6-21 a
に示すように，入力情報を受け取る入力層，処理結果を出力する出力層の間に，
隠れ層（あるいは中間層とも呼ぶ）があり，ニューロン同士は密に結合されて
いる．

　階層型ニューラルネットワークを用いて入力データから結果を得る際には，
入力データが入力層の各ニューロンに与えられ，その値をもとに隠れ層の各

ニューロンへの入力値が決まる．出力層の入力には隠れ層の出力が与えられ，出力層から最終的な結果が得られる．このように，データ処理の際には入力層から出力層に向かって順方向にデータが流れる．

　人工ニューラルネットワークの処理特性を決定するためのパラメータは個々の人工ニューロンの重み w とオフセット b である．初期状態ではこれらにランダムな値がセットされており，所望の処理を実現するためには多数の入力データと理想的な出力データ（教師データとも呼ぶ）を多数用意し，ネットワークが正しい結果を出力できるように学習（training）を行う必要がある．そのためにまず，入力データを人工ニューラルネットワークに与え，出力値を算出する．この出力値とそれに対応する教師データの間の誤差を求めることで，その結果が正しいか誤っているかを判断することができる．そして，誤差の大きさに基づいて勾配法を用いて重み係数を調整する．勾配法とは，重み係数などのパラメータを変化させたときの誤差の変化（勾配）を算出し，誤差がより小さくなるようにパラメータを調整する方法である．すなわち，人工ニューラルネットワークで利用されている人工ニューロンの個々の重みやオフセットについて勾配を算出して値を少しずつ修正する．このときに修正する割合を学習係数と呼び，1 よりも小さい値が利用される．修正量が少ないため同じデータを使って何度もパラメータを修正しながら最適な状態に近づけていくが，その反復回数のことを学習回数と呼んでいる．なお，階層型ニューラルネットワークでは，出力層−隠れ層，隠れ層−入力層の重みを出力層側から遡って調整していく．この方法を**誤差逆伝播法**（back propagation algorithm）と呼んでいる．

　順伝播型ニューラルネットワークは 2010 年頃までは 3 層構造のものが利用されてきたが，理論的には層数が増えるほど複雑な入出力関係を導くことができ，情報処理能力が向上する．階層型ニューラルネットワークの隠れ層を 2 層以上に増やして階層を深く（ディープに）したものを深層ニューラルネットワークと呼び，それを用いた情報処理技術を**深層学習・ディープラーニング**と呼んでいる（図 6-21 b）．

b 畳み込みニューラルネットワーク

　ディープラーニングで利用されるネットワークモデルのひとつに**畳み込みニューラルネットワーク**（convolutional neural network：**CNN**）がある．CNN

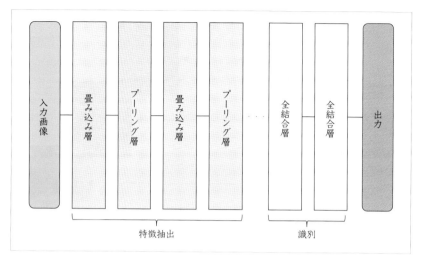

図 6-22. 畳み込みニューラルネットワークの構造

は動物の視覚特性を模倣した人工ニューラルネットワークである．1979年に大阪大学の福島邦彦らが発表したネオコグニトロンや1989年に Yann LeCun らが開発した LeNet が原形となっており，コンピュータの処理能力が向上し大量のデータが学習に利用できるようになった2010年代に多くの CNN に関する技術が開発され著しく性能が向上した．

　CNN の基本的なネットワーク構造を**図 6-22** に示す．ネットワークは入力層（input layer），**畳み込み層**（convolution layer），**プーリング層**（pooling layer），**全結合層**（fully connected layer）からなる．

　従来の人工ニューラルネットワークは画像を直接入力することが少ないが，CNN は 2 次元・3 次元画像のような多次元かつデータ量の多い入力情報を直接ネットワークに入力できるようになっている．また，畳み込み層，プーリング層は CNN のために考案されたものであり，両者をペアにして多数接続することで多層ネットワークを構成する．

　畳み込み層では，畳み込み演算によって画像から特徴を取り出す．畳み込み演算は第5章にて述べられている畳み込み積分による空間フィルタと同様の原理を用いており，3×3 や 5×5 マトリクスなどの重み係数を用いて画像から輪郭を抽出したり，画像を平滑化して大まかな画像の明るさを取得したりするこ

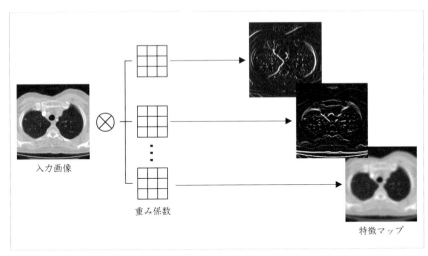

入力画像

重み係数

特徴マップ

図 6-23. 畳み込み層によって得られる特徴マップ

とができる（図 6-23）．CNN では畳み込み演算によって得られた画像を**特徴
マップ**と呼んでいる．1枚の画像から多くの特徴を取り出すために，1つの畳み
込み層にて多数（数十～数百種類）の特徴マップを設けることが多く，それぞ
れの畳み込み演算で用いる重み係数は学習を通じて自動的に求められる．畳み
込み演算を用いることで，画像のデータ量に比べて少ないパラメータ（重み係
数）で特徴を取り出すことができるため画像処理に適した構造となっている．
なお，画像外周部の画素は畳み込み演算を行うためのデータが存在しないた
め，他の画素と同様の演算結果が得られない．その対策としてデータがない部
分の画素値を 0 とみなして演算する方法（ゼロパディングと呼んでいる）や演
算できない外周部をトリミングして特徴マップを出力する方法などがとられる．
　プーリング層では，データを間引き特徴マップのマトリクスサイズを縮小す
る．たとえば図 6-24 のように特徴マップを 2×2 画素単位で区切り，それぞれ
の領域にて最大値を求めて出力するようにすることで，特徴マップの水平・垂
直方向のマトリクスサイズを半分にすることができる．同図にて局所領域の最
大値を求めて出力することを最大値プーリングと呼び，平均値を求めて出力す
るプーリング方法を平均値プーリングと呼んでいる．プーリング層で間引き処
理を行うことによって対象画像から抽出された特徴量が圧縮され計算量を少な

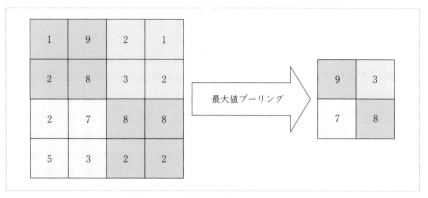

図 6-24．プーリング層のはたらき

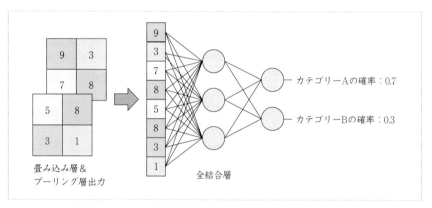

図 6-25．全結合層の構造

くできるだけでなく，画像内に処理対象物が写っている際にその位置が多少ず
れても同じ物だと認識しやすくなる効果も得られる．

　前述のように畳み込み層とプーリング層はペアにしてネットワークに多数接
続される．ネットワーク後段は特徴マップの数を増やすことが多く，出力層に
近い層では多数の圧縮された（良質な）特徴量が抽出されている．

　全結合層では，畳み込み層とプーリング層によって得られた特徴量を元に分
類や回帰などを行う．入力と出力が密に接続されているため全結合層と呼ばれ
ており，主に階層型ニューラルネットワークが用いられる．**図 6-25** に示すよ

うに，前段までに得られた特徴マップの値を 1 列に並べ，階層型ニューラルネットワークの人工ニューロンに入力する．出力層の形態は処理目的によって異なったものとなり，分類処理を行う場合には分類するカテゴリー数と同数の出力層を用意し，個々の出力にカテゴリーを割り当てる．そして，個々のユニットの出力をユニット出力の総和で除して出力値の総和が 1 になるように正規化することで，出力値が各カテゴリーの確率を表すようになる．正規化を行うための関数をソフトマックス（Softmax）関数と呼んでいる．また，連続値を出力する回帰処理を行う場合には出力層から得られる連続値をそのまま結果として利用する．

c　代表的なディープラーニングモデル

　ディープラーニングで用いられる多層のネットワークは層の種類や数などのネットワーク構成や学習のために利用されるパラメータが多数存在し，これらはわれわれがあらかじめ設定しておく必要がある．人間の手によってあらかじめ設定しておかなければならないパラメータをハイパーパラメータという．最適なハイパーパラメータを得るためには膨大な数の学習データを用いた試行錯誤が必要となる．

　コンピュータサイエンスの分野では，多くの研究者が数千万～数億枚の膨大な自然画像（動植物，自動車，建物，日用品などの画像）を用いて，処理性能の向上や適用範囲の拡大のために新しいディープラーニングモデルの開発を行っている．近年はこれらの開発された新しい技術は論文や国際学会で公表されるだけでなく，誰もが再現・改良できるようにプログラムや学習時のハイパーパラメータなどをインターネット上で公開するケースも増えている．われわれはそれらを活用することで，最小限の労力で最新のモデルを医用画像処理に応用することができる．

　ここでは，ディープラーニングによって実施可能な画像処理として，画像分類，物体検出・セグメンテーション，画像生成を取り上げ，それぞれについて一般公開されている代表的なディープラーニングモデルの概要を述べる．

1）画像分類モデル

　画像分類はディープラーニングの優れた処理能力に注目を集めるきっかけになった処理である．Alex Krizhevsky 氏らは 2012 年 AlexNet を開発し，ILS-

VRC（画像認識コンテスト）で優勝し，第3次人工知能ブームが起きるきっかけになった．AlexNet は5層の畳み込み層と3つの全結合層からなる CNN モデルであり，自然画像データベースを用いて学習を行ったモデルが公開されている．GoogLeNet は，Google の研究者が開発し，2014年の ILSVRC で優勝したネットワークである．GoogLeNet は，Inception モジュールと呼ばれる小規模のネットワークを多数つなげていくことで深いネットワークを作っていることが特徴である．VGGNet は，オックスフォード大学の Visual Geometry Group（VGG）の研究者が開発し，2014年の ILSVRC で GoogLeNet に次いで準優勝となったネットワークである．VGGNet には VGG-16 と VGG-19 の2種類があり，VGG の後ろに付された数字はネットワークの層数（畳み込み層＋全結合層）を示している．シンプルな CNN 構造であり，医用画像への応用例も多い．上述のネットワークは20層前後のネットワークモデルであるが，それよりも多くの層を用いた CNN モデルとして，ResNet や DenseNet が2015年以降に開発された．これらのネットワークはスキップ構造を導入することで多層化が可能になっている．スキップ構造とは，ある層への入力をバイパスし，層をまたいで奥の層へ直接入力するというもので，誤差逆伝播法に基づいてパラメータを修正しやすくなる利点がある．ResNet は最大152層，DenseNet は最大264層の多層ネットワークとなっており，従来の CNN に比べて高い分類精度が得られている．なお，これらのネットワークは，ImageNet と呼ばれる1,000カテゴリー，1,400万枚以上の画像データを用いて学習された画像分類モデルがインターネットで公開されている．

2）物体検出・セグメンテーション

物体検出（object detection）とは，画像の中から目的とする対象物がどこに存在するか検出する処理をさす．物体検出を行うディープラーニングモデルの多くは，検出した物体を矩形（バウンディングボックスと呼ぶ）で囲み，物体の種類やその確率を出力する．基本的な検出手順であるが，まず画像全体から物体が存在していると思われる場所を候補領域として多数取り出し，続いてその候補領域を精査して絞り込んだ上で，大きさや種類を特定する（図6-26 a）．動画の物体認識を目的とした高速かつ高精度な物体認識モデルが多数開発されており，有名な方法として R-CNN，SSD，YOLO などがある．

物体検出モデルは物体のおおまかな位置と種類を得ることができるが，物体

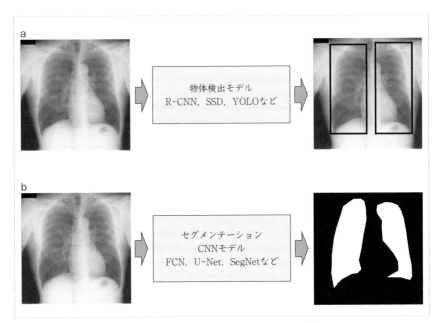

図 6-26. 物体検出モデルとセグメンテーションモデルによる処理
a：物体検出モデル，b：セグメンテーションモデル

がどのような形状をしているか把握する必要がある場合はセグメンテーション（領域分割）が行われる．セグメンテーション処理は画像に対して1画素ずつどの種類に属するか分類する処理をさし，それによって画像の対象物と背景に異なる画素値を割り当てて両者を分離することができる（図6-26 b）．代表的なセグメンテーション手法として，FCN, U-Net, SegNetなどがあり医用画像処理に利用されている．これらのネットワークでは，与えられた画像を畳み込み層とプーリング層で特徴抽出と画像縮小を行い，その後アンプーリング層や逆畳み込み層など，画像拡大を行う層を用いて画像のマトリクスサイズを復元する．そして出力層から画像の対象領域が特定の画素値で塗りつぶされた画像が出力される．

　物体検出やセグメンテーション処理は病変検出，臓器抽出などへの多数の応用がある．また，これらを組み合わせた手法も登場しており，たとえばMask R-CNN は物体検出とセグメンテーションを同時に行えるモデルとして利用されている．

3）画像生成

　これまでの画像処理技術では実現が困難であった，実在しない画像を自動生成するディープラーニングモデルが登場した．これまでにさまざまな手法が提案されているが，代表的なアルゴリズムとして敵対的生成ネットワーク（generative adversarial networks：GAN）がある．GAN は図 6-27 a に示すように生成器（generator）と識別器（discriminator）と呼ばれる 2 つのネットワークを利用する．生成器ではランダムな数値列を入力すると，その数値に基づき人工的に画像を生成する．識別器は生成画像と実画像を分類するネットワークになっている．生成器は識別器が実画像（本物）と生成画像（偽物）を見破られないような精巧な画像を生成するように学習を行い，識別器は両者を正しく分類できるよう学習を行う．これらの敵対的な動作を繰り返すことで，最終的には生成器から実画像に近い精巧な画像が生成されるようになる．実際に GAN

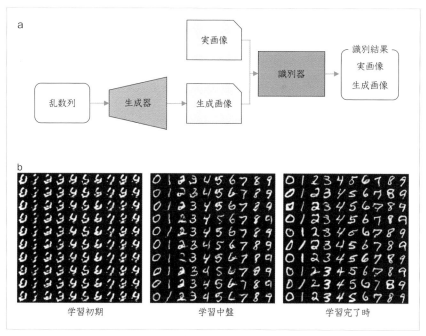

図 6-27．敵対的生成ネットワーク
a：原理，b：画像生成例

を用いて手書き数字を生成した例を図 6-27 b に示す．学習初期の生成画像は識別できない低画質なものであるが，学習が完了すると可読性の高い数字が生成されるようになっている．

　さらに，ある種類の画像を別の種類の画像へ変換する，CycleGAN や Pix2Pix と呼ばれる技術も開発されている．医用画像への応用として，MR 画像から CT 画像への変換や非造影 CT 画像から造影 CT 画像への変換，CT コロノグラフィー画像における造影剤の除去などの研究事例がある．

d　学習処理の工夫

1 ）転移学習・ファインチューニング

　ディープラーニングを用いて c. で述べたような処理を行う際，使用するネットワークに含まれる膨大な数の重み係数はランダムな値で初期化されており，所望の処理を行う場合には入力データと教師データなどを用意し，初期状態から学習させる必要がある．多層のネットワークは数千枚規模の大量の画像データで学習を行う必要があるが，医用画像の処理においては，十分な数量の画像を収集することが難しい．少ない画像データで良好な結果を得る方法として，既存のネットワーク構造やパラメータを他の用途に流用する**転移学習**（transfer learning）がある．転移学習を用いて医用画像の分類を行う方法について図 6-28 を用いて説明する．まず，大量の自然画像などを用いて学習したネットワークを用意し，全結合層の部分を削除する．そして，目的とする分類処理のための全結合層を新たに作成し接続する．図の例では 3 種類の画像を分類するためのネットワークを肺結節の良性と悪性を分類するネットワークに転用している．新しく作ったネットワークに対して医用画像を用いて全結合層のみ，あるいはネットワーク全体を医用画像によって学習する．すでに学習済みのネットワークに対して追加で学習させる(微調整する)ことを**ファインチューニング**（fine tuning）と呼び，ネットワーク構造の変更が必要な転移学習時には必ず実施する処理となる．転移学習・ファインチューニングを行うことで，少数の画像データしか得られない対象でも良好な分類性能を得ることができる．

2 ）データ拡張

　ディープラーニングは学習データによって内部の最適化が行われるため，その性能はデータの数量や偏りに大きな影響を受ける．学習に用いたデータの数

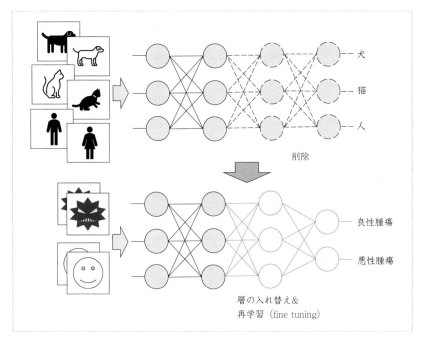

犬

猫

人

削除

良性腫瘍

悪性腫瘍

層の入れ替え&
再学習（fine tuning）

図 6-28. 転移学習・ファインチューニング

量が少なく，そのデータが処理対象となるデータの一部の特徴しか反映していない場合には，未知のデータに対して正確に処理できる能力（**汎化能力**と呼んでいる）を獲得することができず，学習データのみ正しく処理できる状態に陥る．これを**過学習**と呼んでいる．偏りについても同様であるが，たとえば，腫瘍を良性と悪性に分類する処理において，学習データに含まれる良性腫瘍が100 個，悪性腫瘍が20 個の場合は，データが多い良性を積極的に分類結果として出力するように学習が進むことが多い．

　学習時のデータ数不足や偏りの影響を軽減する方法として，データ拡張（データオーギュメンテーション，data augmentation）と呼ばれる技術がある．これは，収集したデータに何らかの加工を施し，データ量を増加させる技術である．たとえばオリジナルの画像に対して回転や反転，拡大縮小などの画像処理を行うことで1 枚の画像からさまざまなバリエーションの画像を作り出し学習データに加える．また，画像分類処理でデータ数があるカテゴリーに偏って

いる場合には，画像処理の種類やパラメータを変化させて，増量後のデータ数がカテゴリー間で同程度になるように調整する．

　また，データ拡張の応用例として，c. 3）で述べた GAN によって仮想的に画像を生成しデータ拡張する方法もある．実画像の画像枚数を増やすよりも効果は低いが，上述の単純な画像操作によるデータ拡張よりも処理性能が向上することが報告されている．

e 処理性能の評価方法

　ディープラーニングを用いて行った画像処理結果を評価するとき，処理内容に応じて適切な評価方法が利用される．

　画像分類処理の性能評価は，実際の分類と予測された結果の対応関係を集計した混同行列（confusion matrix）を用いて行う．混同行列は表 6-2 に示すように，行が実際のカテゴリー，列が分類処理にて予測されたカテゴリーを表した行列である．その対角線上の数値は分類に正解した数を表し，行列の対角線上の数の和をデータ総数で割ることで総合的な正解率が得られるほか，実際のカテゴリーごとに分類の正解率を求めることも多い．カテゴリー数が 2 の場合は第 4 章に述べられている刺激–反応マトリクスと等しくなり，2 つのカテゴリーを陽性・陰性に割り当てることで，感度や特異度，的中率などを算出して評価に使用することができる．

　臓器抽出や病変検出などのセグメンテーション処理を行う場合，評価はセグメンテーション処理によって得られた出力画像と理想的な画像（教師ラベル画像）の一致度を評価する．評価には式 6.5 の Jaccard 係数 J や式 6.6 の Dice 係数 DI を用いる．

　|A|，|B| は図 6-29 における出力画像と教師ラベル画像内の対象領域 A，B の

表 6-2．混同行列による分類結果の集計

		予測されたカテゴリー		
		A	B	C
実際のカテゴリー	A	8	1	1
	B	1	3	1
	C	2	2	18

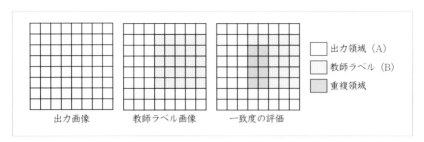

図 6-29. セグメンテーション処理の性能評価

面積（画素数），|A∩B| は A と B の積集合（重複領域），|A∪B| は A と B の和集合の画素数である．

　2つの指標（係数）はともに0〜1の値をとり，1に近いほど一致度が高いことを表す．理論的に必ず Dice 係数のほうが大きくなるが，正解ラベルと教師ラベル内に含まれる対象領域の面積によって結果が変化するため，両方算出し評価することが望ましい．

$$J(A,\ B) = \frac{|A \cap B|}{|A \cup B|} \qquad\qquad 6.5$$

$$DI(A,\ B) = \frac{2|A \cap B|}{|A| + |B|} \qquad\qquad 6.6$$

　画像分類やセグメンテーション以外にも，ディープラーニングを用いて画像などのデータから連続値を出力し予測などに利用する回帰処理や，画像のノイズ除去・超解像処理などが行われる．回帰処理の性能評価については，正解データと予測値の平均絶対値誤差や平均2乗誤差が主に利用される．また，後者のノイズ除去や超解像処理の評価を行う場合には，理想画像と処理画像の間で前述の2つの誤差を評価することに加え，得られた画像の**ピーク信号対雑音比**（peak signal-to-noise ratio：PSNR），**構造的類似性**（structural similarity：SSIM）を求めることが多い．

（寺本篤司）

7章

医療情報

SUMMARY

A. 医療情報とは

1. 医療機関が取得・利用する病歴などを含む個人情報は，要配慮個人情報に該当し，取扱いに特に配慮が必要である.

2. 診療録を電子的に保存する際には，真正性，見読性，保存性の電子保存の3要件を満たさなければならない.

B. 医療を支える情報処理技術

3. コンピュータは，ハードウェアとソフトウェアに分けられ，ハードウェアは基本的に演算装置，制御装置，記憶装置，入力装置，出力装置の5大装置で構成される.

4. インターネットプロトコルは，パケットにIPアドレスを付与することで，ネットワーク間の通信を可能にしている.

C. 医療情報システム

5. 放射線情報システム（RIS）は，放射線部門における検査や治療の業務を安全かつ効率的に行うための情報システムであり，患者基本情報や検査依頼情報などをデータベースで管理する.

6. PACSは，医療画像の保存，通信，表示を行うための情報システムであり，検査装置やワークステーションから転送された画像情報を受け取り，データベースで管理する.

D. 医療画像表示用モニタ

7. 医療画像表示用モニタの階調特性は，DICOM規格のgrayscale standard display functionに合うように調整する.

8. 医療画像表示用モニタの品質管理には，受入試験と不変性試験があり，テストパターンや測定器を用いて評価を行う.

E. 医療情報分野の標準規格

9. DICOMは，医療画像とその通信に関する標準規格であり，情報オブジェクトや機能（サービスクラス），通信プロトコルなどが定義されている.

10. ICDは世界保健機関が作成した国際疾病分類の標準であり，電子カルテなどに病名を登録さする際に用いられる.

F. 医療情報セキュリティ

11. 医療情報システムへの脅威には情報漏えいや情報の改ざん，情報の破壊・消去などがあり，最近はサイバー攻撃による不正アクセスの被害が発生している.

12. 情報セキュリティを確保するためには，機密性，完全性，可用性の3つの要素を維持するように対策を実施する必要がある.

A 医療情報とは

医療情報は，患者の診療の記録をはじめ，患者自身の生体情報，医学知識，医療機関の情報などを含む，医療に関わる情報の総称である．情報は人間が判断を行う根拠となるものであり，医療における情報は患者の診療方針を決めるうえで重要な意味をもつ．情報を円滑に流通させることは医療の質や安全の向上などに寄与する．その一方で，患者から得られる情報には，個人情報やプライバシーに関わる機微な情報が含まれるため，情報を安全に管理することが必要である．

現在の医療情報はディジタルデータとしてコンピュータ上で扱われており，文字・数値・画像・音声を含む．また診療に関する情報は，診療の経過が重要であり，時間に重要な意味をもつ．蓄積された情報は医療機関での診療に用いられることが中心であるが，新しい治療法の開発や臨床研究にも診療情報が活用されている．

1 個人情報とプライバシー

患者から取得する情報には，氏名，性別，生年月日のほか，取り扱いに細心の注意が必要な情報が含まれる．医療関係の国家資格を有する者は，刑法や職業法によって守秘義務を負っており，プライバシーに関することを漏らすことが禁じられている．また，医療機関などが個人情報を取り扱う際には，個人情報の保護に関する法律（個人情報保護法）および，国の個人情報保護委員会と厚生労働省が作成している「医療・介護関係事業者における個人情報の適切な取扱いのためのガイダンス」に従って情報を取り扱わなければならない．

a 個人情報

個人情報は，個人情報保護法のなかで，「生存する個人に関する情報で，氏名，生年月日，住所，顔写真などにより特定の個人を識別できる情報」と定義されている．個人情報には，個人識別符号（マイナンバー，指紋，顔認識データなど）や，他の情報と照合することで特定の個人を識別できるものも含まれる．特に，病歴や健康診断の結果は，要配慮個人情報に該当し，人種，信条，

表 7-1．OECD ガイドラインの 8 原則

目的明確化の原則 (purpose specification principle)	個人データの収集目的を明確にし，データ利用は収集目的に合致するべきである
利用制限の原則 (use limitation principle)	データ主体（個人情報の持ち主）の同意がある場合や法律の規定による場合を除いては，収集したデータを目的以外に利用してはならない
収集制限の原則 (collection limitation principle)	個人データは，適法・公正な手段により，かつ情報主体に通知または同意を得て収集されるべきである
データ内容の原則 (data quality principle)	収集する個人データは，利用目的に沿ったもので，かつ，正確・完全・最新であるべきである
安全保護の原則 (security safeguards principle)	合理的安全保護措置により，紛失・破壊・使用・修正・開示等から保護すべきである
公開の原則 (openness principle)	個人データ収集の実施方針等を公開し，データの存在，利用目的，管理者等を明示するべきである
個人参加の原則 (individual participation principle)	自己に関するデータの所在及び内容を確認させ，または異議申立を保障するべきである
責任の原則 (accountability principle)	個人データの管理者は諸原則実施の責任を有する

社会的身分，犯罪の経歴，心身の障害に関する情報などと同様に，不当な差別，偏見その他の不利益が生じないように取扱いに特に配慮する必要がある．

b OECD ガイドラインの 8 原則

　個人情報保護法には，1980 年に経済協力開発機構（OECD）で採択された「プライバシー保護と個人データの国際流通についてのガイドラインに関する理事会勧告」の 8 つの原則（表 7-1）の内容が反映されている．

c 医療機関における個人情報保護

　医療機関では，患者に対して医療を提供する目的，医療機関の管理運営のための目的などで個人情報を収集，利用している．これらの利用目的は，院内への掲示などによってあらかじめ患者に通知している．ただし，意識不明で身元不明の患者について関係機関に照会する場合など，一部，利用目的による制限の例外がある．

　患者の診療に直接還元する，診察や検査，本人や家族への説明，会計などで

表 7-2. 診療情報の 1 次利用と 2 次利用の例

1 次利用	・患者本人への診療のため ・本人や家族への説明のため ・医療従事者間の情報共有のため ・紹介先医療機関への情報提供のため ・診療報酬請求のため
2 次利用	・病院の経営のため ・行政への届出のため（がん登録など） ・研究や教育のため

表 7-3. 診療録等の保存に関する法的要件

診療録	医師法・歯科医師法	5 年間
保険診療録	保険医療機関及び保険医療養担当規則	診療の完結の日から 5 年間
診療に関する諸記録 （X 線写真）	医療法	2 年間

の診療情報を利用することを**1 次利用**という．これに対して，患者に直接還元しない，医療機関の経営や医学研究や教育の用途などで診療情報を利用することを**2 次利用**という（**表 7-2**）．

2 次利用の用途などで，当初の利用目的の範囲を超えて個人情報を取り扱う場合には，改めて本人の同意を取得する必要がある．また，2 次利用においては，患者の個人情報やプライバシーの保護のため，関係するガイドラインなどをもとに個人情報の**匿名化**などを実施することが求められる．

2 診療録等の電子的な保存

患者を診療する過程で発生する身体状況，病状，治療などの診療情報は，診療録（カルテ）等に記録される．診療録は医師法などの法令で記載と保存が義務付けられている（**表 7-3**）．

診療録の電子的な保存は，1999 年に当時の厚生省から発出された通知により，下記の**電子保存の 3 要件**を満たすことを条件に認められている．「民間事業者等が行う書面の保存等における情報通信の技術の利用に関する法律」（**e-文書法**）に関する厚生労働省の省令（e-文書法省令）にも同様の条件が示され

ている. 診療記録を電子的に記録し, 保存・管理する電子カルテシステムは, これらの電子保存の3要件を満たすように運用される.

【真正性】

・故意または過失による虚偽入力, 書換え, 消去および混同を防止すること.

・作成の責任の所在を明確にすること.

【見読性】

・情報の内容を必要に応じて肉眼で見読可能な状態に容易にできること.

・情報の内容を必要に応じて直ちに書面に表示できること.

【保存性】

・保存すべき期間中において復元可能な状態で保存することができる措置を講じていること.

B 医療を支える情報処理技術

医療機関には数多くのコンピュータが設置されており, それぞれのコンピュータはハードウェアとソフトウェアによって構成される. コンピュータ同士はネットワークで接続して医療情報システムを構成する. 医療情報システムのなかで, コンピュータはクライアント（サービスを利用する側）とサーバ（サービスを提供する側）に役割を分担して処理を行い, ハードウェアの上で数多くのソフトウェアが動作し, ソフトウェアでの処理手順に基づいてコンピュータが動作する. 診療データは医療情報システムのサーバにあるデータベースに保存・管理され, クライアントはサーバに要求してデータを取得する.

1 コンピュータの構成

a ハードウェア

ハードウェアは, 基本的に演算装置, 制御装置, 記憶装置, 入力装置, 出力装置によって構成される. これらの5大装置が担う機能を5大機能という. これらの機能を担う装置はマザーボードに接続され, 制御やデータの処理が行われる（図7-1）.

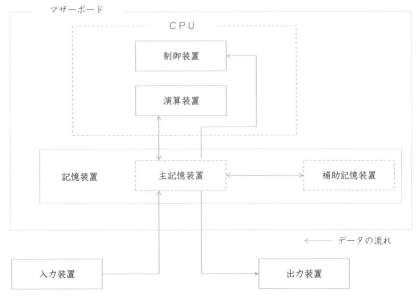

マザーボード
CPU
制御装置
演算装置
記憶装置　主記憶装置　補助記憶装置
データの流れ
入力装置　出力装置

図 7-1. ハードウェアの構成

　演算装置と制御装置は **CPU**（central processing unit：中央演算処理装置）で提供され，プログラムの指示に従って演算や他の装置の制御を行う.

　記憶装置は**主記憶装置**と**補助記憶装置**に分けられる．主記憶装置はメモリとも呼ばれ，コンピュータが動作している間のプログラムやデータを記憶する装置であり，メモリの内容はコンピュータの電源切断とともに失われる．補助記憶装置はストレージとも呼ばれ，ハードディスクや SSD（solid state drive）などの不揮発性の記録媒体に保存する．複数のハードディスクを組み合わせて，1 つのハードディスクとして機能させる技術として **RAID**（redundant array of inexpensive disks）があり，データの冗長性を高めたり，信頼性を高めたりすることができる（表 7-4）.

　入力装置は人間がコンピュータに信号を送るための装置であり，キーボードやマウスなどがある．**出力装置**はコンピュータが処理結果を外部に送るための装置であり，ディスプレイ（モニタ）やプリンタなどがある．このほか，コンピュータには周辺機器のための接続部分があり，**インターフェイス**と呼ばれる．USB（universal serial bus）や HDMI（high-definition multimedia interface）

表 7-4．RAID の種類

種類	説明
RAID 0	複数のハードディスクを結合し，データを複数のハードディスクに分散させ，読み込み/書き込み速度を向上させる．ただし，冗長性はない．（ストライピング）
RAID 1	同一のデータを複数のハードディスクに書き込むことで，1 つのハードディスクが故障しても，他のハードディスクからデータを復旧することができる．（ミラーリング）
RAID 5	ストライピングとパリティチェックを組み合わせ，複数のハードディスクに分散してデータを保存する．パリティチェックにより，1 つのハードディスクが故障しても他のハードディスクから復旧させることが可能となる．
RAID 6	RAID 5 の冗長性を高め，2 つのパリティチェックを行うことで 2 つまでのハードディスクが同時障害に対してもデータの保護を行うことが可能となる．
RAID 10	RAID 0 と RAID 1 を組み合わせることで，複数のハードディスクに分散して保存するとともに，各ハードディスクをミラーリングする．

などが代表的であり，インターフェイスの種類によって用途やデータ伝送の仕組み，コネクタ形状などが異なる．

b ソフトウェア

ソフトウェアは，コンピュータを動作させる手順や命令をコンピュータが理解できる形式で記述したものであり，役割によって基本ソフトウェアである**オペレーティングシステム**（operating system：**OS**），ミドルウェア，アプリケーションソフトウェアなどがある．

OS はハードウェアとアプリケーションソフトウェアの中間に位置し，ハードウェアを構成する装置を管理し，アプリケーションが動作するために必要なメモリ管理，プロセス管理，ファイルシステムの管理，ユーザの管理，電源管理，ユーザインターフェイスの提供，周辺装置の制御などを行う．**アプリケーションソフトウェア**は，特定の目的のために開発されたソフトウェアであり，オフィスソフトや Web ブラウザ，業務用ソフトウェアなどが該当する．

2 ネットワーク技術

a ネットワークサービス

1）world wide web

world wide web（WWW）は，web ブラウザと web サーバの間を HTTP（hypertext transfer protocol）を用いて通信し，HTML（hypertext markup language）で書かれたファイルなど，あらゆる形式のデータを検索・取得できるサービスである．

2）電子メール

電子メールは，クライアントのアプリケーションソフトウェアからメールサーバを介して，特定の相手との間でメールをやりとりするためのサービスである．メールサーバへの電子メールの送信と，メールサーバ間の転送には SMTP（simple mail transfer protocol）が用いられ，メールサーバからクライアントへのメール受信には POP3（post office protocol ver. 3）あるいは IMAP4（internet message access protocol ver. 4）を用いて通信を行う．

3）名前解決

名前解決は，DNS（domain name system）を用いて IP アドレスからドメイン名を求めたり，逆にドメイン名から IP アドレスを求めたりするサービスである．

4）時刻同期

時刻同期は，NTP（network time protocol）を用いて，コンピュータに内蔵している時計を正しい時刻に同期させるサービスである．

b 通信プロトコル

1）OSI 参照モデルと TCP/IP4 層モデル

OSI 参照モデルとは，コンピュータネットワークにおける通信プロトコルを 7 つの階層に分けて概念的に示したモデルである．また，TCP/IP4 層モデルは実装を考慮したモデルになっている（表 7-5）．

データ通信における各階層の役割や機能を明確に定義することで，異なるシステム間でも通信が可能になるように設計されている．

表 7-5．OSI 参照モデルと TCP/IP4 層モデル

OSI 参照モデル	TCP/IP4 層モデル	説明
アプリケーション層	アプリケーション層	アプリケーションが直接利用する通信サービスを提供する
プレゼンテーション層		データの表現形式（文字コードや圧縮形式など）の変換や暗号化・復号化などを行う
セッション層		通信セッションの確立・管理・終了などを行う
トランスポート層	トランスポート層	エンドツーエンド（送信元と受信先）間のデータ転送を行い，信頼性や品質保証などを行う
ネットワーク層	インターネット層	複数のネットワーク間でデータの転送を行い，ルーティングやアドレス管理などを行う
データリンク層	ネットワークインターフェイス層	物理的な接続を確立し，データのフレーム化や誤り検出・訂正などを行う
物理層		物理的な媒体（ケーブルなど）を使用してデータを伝送する

2）イーサネット

　TCP/IP4 層モデルのうち，ネットワークインターフェイス層で利用される通信プロトコルは**イーサネット**（Ethernet）であり，通信を行う際のケーブルとその上を流れる信号について定義している．フレームという単位に分割されたデータに MAC アドレスという機器に固有の識別子を付与することで，ネットワーク内での通信を行うことができる．

3）IP

　TCP/IP4 層モデルのうち，インターネット層で利用されるのは**インターネットプロトコル**（IP：internet protocol）である．**パケット**という単位に分割されたデータに **IP アドレス**という識別子を付与して**経路制御**（**ルーティング**）を行うことで，ネットワーク間での通信を行うことができる．

　IP アドレスは，32 ビット（IPv4）または 128 ビット（IPv6）の数値で表され，IPv4 では「198.51.100.1」などドットで区切られた 4 つの数字（0〜255）の形式で表され，IPv6 では，「2001:0db8:1234:5678:90ab:cdef:fe25:8b5d」など，128 ビットの 2 進数で表され，16 進数の 8 つのグループに分割して表現される．

4）TCP

　TCP/IP 4 層モデルのうち，トランスポート層で利用されるのは **TCP**（transmission control protocol）である．TCP は，信頼性の高いデータ転送を行うためのプロトコルで，送信側と受信側で通信を確立し，パケットのロスや重複を検知して再送信することで，データの正確な転送を保証する．

　また，TCP/IP 通信においてコンピュータが通信に使用するアプリケーションソフトを識別するための番号として**ポート番号**がある．パケットを届けるコンピュータの識別には IP アドレス，コンピュータのなかのアプリケーションを識別するためにはポート番号が使用される．

c ネットワーク機器

1）スイッチングハブ

　データリンク層では，OSI 参照モデルのデータリンク層（L2：Layer2）の識別子である MAC アドレスを用いて宛先のコンピュータにフレームの伝送が行われ，ブリッジまたは**スイッチングハブ**，L2 スイッチと呼ばれるネットワーク装置が用いられる．

2）ルータ

　インターネット層では，OSI 参照モデルのネットワーク層（L3：Layer3）の識別子である IP アドレスを用いて宛先のコンピュータにパケットの伝送が行われ，**ルータ**または L3 スイッチと呼ばれるネットワーク装置を用いて経路制御が行われる．

d 無線 LAN

　無線 LAN は電波を使用してネットワーク通信を行う仕組みである．ネットワークに接続されたアクセスポイントがハブとして機能し，コンピュータとの間で通信を行う．電波の強さはアクセスポイントからの距離が遠くなるにつれて減衰する．無線 LAN には数多くの規格があり，使用する周波数帯域や最大伝送速度（理論値）などが定められている（表 7-6）．ただし，遮蔽物や反射物によって電波が届く範囲や電波の強さが変わる．無線 LAN の利用においては，不正利用や盗聴などを防ぐため，通信の暗号化や接続元の限定などの情報セキュリティ対策が必要である．

表 7-6. 無線 LAN の規格

無線 LAN 規格	最大伝送速度（理論値）	使用する周波数帯域
IEEE 802.11 b	11　Mbps	2.4 GHz 帯
IEEE 802.11 g	54　Mbps	2.4 GHz 帯
IEEE 802.11 a	54　Mbps	5　GHz 帯
IEEE 802.11 n （Wi-Fi 4）	300 Mbps	2.4 GHz/5 GHz 帯
IEEE 802.11 ac （Wi-Fi 5）	6.9 Gbps	5　GHz 帯
IEEE 802.11 ax （Wi-Fi 6）	9.6 Gbps	2.4 GHz/5 GHz 帯

3 データベース技術

　データベースは，データの基地を意味し，大量のデータを収集・蓄積する仕組みである．現在は，リレーショナルデータベースが広く普及しており，同時に多くのユーザがアクセスできることや，データに高速にアクセスできることを実現している．

a リレーショナルデータベース

　リレーショナルデータベース（RDB：relational database）は，リレーショナル（関係）モデル（relational model）に基づいたデータベースシステムである．リレーショナルデータベースでは，データは 2 次元の**テーブル**（table：表）で表現され，テーブルとテーブルの間は**リレーション**（relation：関連づけ）によって結ばれる．データベースは，データベース管理システム（DBMS：database management system）によって管理され，**レコード**の追加，更新や削除などの操作を行う際には，**SQL**（structured query language）という言語を用いて行う（図 7-2）．

b マスタ

　マスタは，データベースの基本となるデータであり，医療情報システムにおいては，患者や医師，診療科などの基本情報を管理するための患者マスタ（患者番号，姓，名，生年月日など），医師マスタ，診療科マスタ，薬剤マスタ，検査項目マスタ，病名マスタなどがある．

予約情報テーブル

予約No.	予約日	予約項目	患者ID
910001	2023/7/2	CT	10001
910002	2023/9/6	MRI	10003

関連付け ⟷

患者基本情報テーブル

患者ID	患者氏名	性別	生年月日
10001	山田太郎	男	2000.1.5
10002	佐藤花子	女	1993.10.1
10003	高橋次郎	男	1965.2.3

予約情報テーブルと患者基本情報テーブルを結合

予約No.	予約日	予約項目	患者ID	患者氏名	性別	生年月日
910001	2023/7/2	CT	10001	山田太郎	男	2000.1.5
910002	2023/9/6	MRI	10003	高橋次郎	男	1965.2.3

図 7-2. リレーショナルデータベース

c トランザクション

トランザクションは，レコードの追加・更新や削除などを行った際の一連の処理をまとめたものである．

d バックアップとリストア

データベースの**バックアップ**は，データの破損や喪失などを伴う障害発生を想定して，データを別のストレージなどに複製することである．バックアップには，フルバックアップ（完全バックアップ），差分バックアップ，増分バックアップがあり，通常はこれらを組み合わせて運用する．また，障害復旧のために，バックアップしたデータを戻すことをリストアという．さらに，バックアップ以降の変更内容を反映させて故障直前の状態まで復旧させる処理をリカバリという．

C 医療情報システム

1 病院情報システム

a 放射線検査のワークフローと情報の流れ

　放射線検査を行う際の医療従事者などの業務とそれに伴う情報の主な流れは下記の通りである．病院情報システムは医療従事者の診療業務を支援することが目的であり，関係するすべての医療従事者にとって効率的なワークフローが実現するように，また患者の動きを考慮して情報を流通させる．

1) 診察・撮影依頼

　患者は，外来診療の受付を済ませた後，医師の診察を受ける．医師は，診療のなかで画像検査が必要と判断すると，オーダエントリシステムを用いて撮影依頼（オーダ）情報を発行する．オーダ情報はオーダエントリシステムから放射線情報システムに送られる．

2) 画像検査

　診療放射線技師は，放射線情報システムを用いて医師からのオーダ情報を確認する．患者が放射線部門に到着したら受付を行い，検査を実施する．撮影した画像は，検像システムなどを用いて検像を行った後に PACS に送信する．放射線情報システムで実施登録を行うと，オーダエントリシステムに実施情報が送られ，医事会計システムにも反映される．また，読影医は PACS を用いて画像を読影して，診断レポートシステムで画像診断レポートを作成して登録する．

3) 説　明

　検査を依頼した医師は，撮影した画像と画像診断レポートを確認して，結果を患者に説明するとともに，治療方針を決定する．

4) 会　計

　医事会計の担当者は，患者への診察および画像検査にかかった費用を医事会計システムを用いて計算し，診療報酬を請求する．診療報酬の請求は，社会保障制度および保険診療のルールに従って行われる．多くの場合，患者に自己負担分を請求し，残りを保険者に請求する．

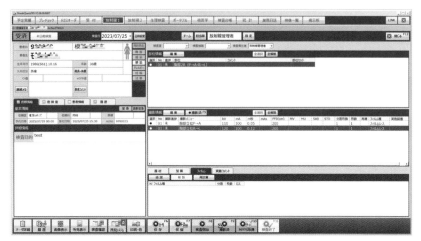

図 7-3. 放射線情報システム

（大船中央病院　青木陽介先生よりご提供）

b 放射線情報システム

　放射線情報システム（radiology information system：**RIS**）は，放射線部門における検査や治療の業務を安全かつ効率的に行うための情報システムである（図 7-3）．放射線検査を行う際には，医師からの検査依頼の情報，検査を安全に実施するための情報，過去の検査に関する情報などが必要になる．RIS では検査依頼情報を一覧表示したり，そのなかから検査を選択して予約調整，検査受付，検査実施などを行ったりする．RIS には，これらの業務を支援するための予約調整機能，受付機能，検査実施機能，検査装置との連携機能，照射録の作成，帳票出力，業務統計などを行うための機能がある．

　RIS では，患者基本情報や検査依頼情報，検査実施情報，造影剤副作用などの情報がデータベースで管理される．患者基本情報には，患者 ID や患者氏名などのほか，救護区分や感染情報，禁忌情報，妊娠状態，体内金属など，検査を安全に行うために必要となる情報が多く含まれる．患者基本情報や検査依頼情報，検査実施情報などは医事会計システムや電子カルテシステムなど，他の病院情報システムと連携して情報がやりとりされる．

　このほか，核医学検査では放射線医薬品を管理するための機能が必要であ

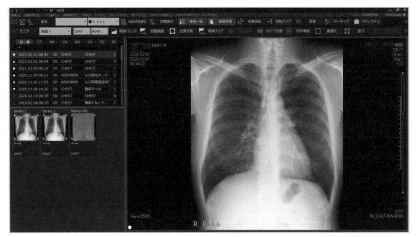

図 7-4．PACS の画像参照画面
（大船中央病院 青木陽介先生よりご提供）

る．また，放射線治療では一般的な放射線検査とは業務の流れや必要な情報が
大きく異なるため，特別な機能が必要である．

c PACS

PACS（picture archiving and communication system）は，医療画像の保
存，通信，表示を行うための情報システムである（図 7-4）．検査装置やワーク
ステーションから DICOM で定められた通信（DICOM 通信）によって送られ
た画像情報を受け取り，データベースに保存して一元的に管理する．

PACS に保存された画像は，外来や病棟を含む院内のさまざまな場所から参
照される．保存された画像は，画像参照のための Web ブラウザで動作するア
プリケーションやその他の専用ソフトウェアを使用して検索と表示が行われ，
適宜，拡大・縮小や window level/window width などを調整しながら参照さ
れる．

d 検像システム

検像とは，医師の診断・読影を支援する目的で，診療放射線技師が画像の確
定前に当該画像を確認し，必要に応じて画像の修正や不要な画像の削除を行

う行為である．**検像システム**は，このような検像作業を支援する情報システム
である．検像の際には，医師の指示に応じた画像が取得できていることや，患
者氏名，依頼情報などが画像の付帯情報として正しく登録されていることを確
認する．画像の付帯情報および画像の濃度，画像の方向，画像の順序などの画
像情報に変更すべきところがあれば，必要に応じて修正が行われる．

e 線量情報システム

線量情報システムは，患者への検査に際して X 線装置から出力される照射線
量に関連する情報を収集し，管理や分析するための情報システムである．線量
情報は DICOM で定められた放射線照射線量の構造化レポート（radiation dose
structured report：RDSR）の形式で，検査種別に応じて設定されたテンプレー
トの内容がやりとりされる．

f 電子カルテ・オーダエントリシステム

電子カルテシステムは，診療の記録を登録して診療録（カルテ）を作成する
ために用いられる情報システムである．また，**オーダエントリシステム**は，医
師が指示（依頼）を登録して，オーダ情報として伝達するための情報システム
である．電子カルテシステムとオーダエントリシステムの両方を運用している
場合にはひとつの情報システムとして用いられる．電子カルテ・オーダエント
リシステムは医事会計システムや RIS などの各種部門システムと連携して，病
院情報システムの中心的な情報システムとして情報のやりとりを行う．

電子カルテ・オーダエントリシステムには，患者基本情報や病名情報，オー
ダ情報，実施情報などがデータベースで管理される．患者基本情報は，患者プ
ロファイルとも呼ばれる．患者基本情報のうち，医事部門の担当者が医事会計
システムに登録する，患者 ID や患者氏名などは，医事会計システムから情報
を受け取る．また，身長・体重，薬剤アレルギー，感染情報のように，看護師
などの医療従事者が収集する情報は電子カルテ・オーダエントリシステムに直
接登録される．

オーダ情報は，放射線オーダ，検体検査オーダ，処方オーダ，注射オーダ，
処置オーダ，指示オーダ，手術オーダ，食事オーダなどがあり，これらの情報
は指示伝達のほか，診療録への行為の記録，診療報酬の請求，薬品や医療材料

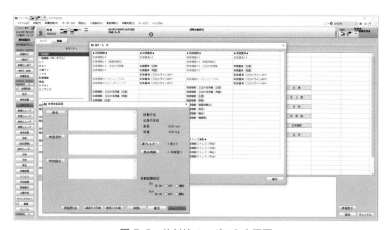

図 7-5.　放射線オーダの入力画面
（大船中央病院　青木陽介先生よりご提供）

の移動などの用途に用いられる．放射線オーダは，医師が検査種別（一般撮影，
CT，MRI など）や，撮影部位，姿勢・撮影方向，造影剤使用の有無と，必要
に応じて病名や検査目的，安全に検査を行うために必要な情報などに患者基本
情報を付与したものである（図 7-5）．オーダ情報は，オーダエントリシステムか
ら発行され，RIS に伝達され，検査が実施されると RIS からオーダエントリシ
ステムに実施情報が送信され，さらに医事会計システムにも情報が連携される．
　検査のための予約が必要な検査については，予約に関する情報もオーダエン
トリシステムから RIS に伝達される．予約にはオープン予約とクローズ予約が
ある．オープン予約は予約権限が依頼を行う医師に開放されている方式であ
り，依頼を行う医師が外来診察中などに患者と相談しながら空いている枠を指
定して予約する．一方，クローズ予約は医師が診察室で検査日時を取得するこ
とはできない方式であり，部門側で予約調整を行ってから検査時間を決めて，
患者には後から検査日時を伝達する．

g 医事会計システム

　医事会計システムは，患者受付や診療報酬請求などに用いられる情報システ
ムである．医事会計システムでは，患者 ID・患者氏名，性別，生年月日，住
所，保険情報などの患者基本情報や受付情報，会計情報などがデータベースで

管理される．患者が来院して医事会計システムで患者の受付を行うと，電子カルテシステムに情報が伝達される．反対に電子カルテシステムからは診療報酬の計算に必要となる実施情報などを受け取る．放射線部門で実施された検査の実施情報は，RISから電子カルテシステムを経由して医事会計システムに送られる．

　診療報酬は毎月，医療機関から審査支払機関にレセプト情報を送り，請求が行われる．診療報酬は行為ごとに公定価格が決められており，価格のもとになる診療報酬点数表は2年ごとに改定される．医事会計システムをはじめとする病院情報システムは，診療報酬の改定に合わせて点数改定に伴う対応が必要になる．

2 地域連携システム

　地域連携は，医療機関が高度急性期，急性期，回復期，慢性期などの機能分担を進めるなかで，医療機関が切れ目のない医療を患者に提供するための取り組みである．地域連携システムは，地域連携を支援するための仕組みのひとつであり，複数の医療機関とデータセンターなどを安全性の高いネットワークで接続して，画像情報を含む診療情報を共有するための情報システムである．紹介元や紹介先の医療機関は，患者の同意のもと，診療情報を参照することができる．

3 遠隔医療システム

　遠隔医療は，情報通信機器を活用して医療や健康増進を行うことである．医療においては，医師と医師（doctor to doctor：D to D）の間で行う遠隔画像診断（teleradiology）や遠隔病理診断（telepathology）や，医師またはその他の医療従事者と患者（doctor to patient：D to P）の間で行う在宅や介護施設などで療養する患者に対するテレビ電話などを介した診療，訪問看護，生体情報モニタリングなどがある．遠隔医療は医療の地域格差を低減することや，患者や住民に対する医療サービスの向上に役立てられている．特に医師と患者との間で情報通信機器を用いた診療は，オンライン診療と呼ばれる．診療は医師と患者が直接対面して行われることが基本とされているが，オンライン診療は一定の条件のもとで対面での診療と組み合わせて利用することが認められている．

a 遠隔画像診断

遠隔画像診断（teleradiology）は D to D の遠隔医療である．安全性の高い
ネットワークを用いて依頼元の医療機関から画像情報を画像診断を行う外部の
医師のもとに送り，読影を行って作成した診断レポートを依頼元の医療機関に
送る仕組みである．

D 医療画像表示用モニタ

1 液晶モニタの構造

液晶モニタは液晶素子を用いて画面表示を行うコンピュータの出力装置であ
り，液晶素子と発光ダイオード（LED）などを用いたバックライトによって構
成される．

液晶は液体の結晶であり，波動性をもつ光を液晶分子と同じ方向に振れさせ
る特性がある．液晶分子の方向は配向膜を用いてねじるように変えることがで
き，光が進む途中に配向膜と液晶を配置することで，光の振れをねじることが
できる．液晶に電圧をかけると，液晶分子の並び方が変わり，ねじられること
なく垂直方向に並ぶようになる．液晶素子にかける電圧を操作することで，光
はねじられて進むか，直進して進むかを制御することができる．これに光の振
動方向の成分のみを通し，直交方向の成分を遮断する偏向フィルタと組み合わ
せることによって，バックライトからの光の透過，遮断を制御することができ
る（図 7-6）．

カラー液晶モニタにおいては，3色のカラーフィルタを加えた構造となる．
液晶素子ごとに RGB（赤・緑・青）のいずれかのカラーフィルタを重ねて色を
表現することから，画像のもつ1画素を表現するためには3つの液晶素子が必
要となる．そのため，1画素あたりのピクセルサイズはモノクロ液晶モニタに
比べて大きくなる．また，カラーフィルタが重ねられるため，輝度もモノクロ
液晶モニタに比べて低くなる．

有機 EL モニタは有機化合物を用いた LED を使用しており，液晶ではなく，

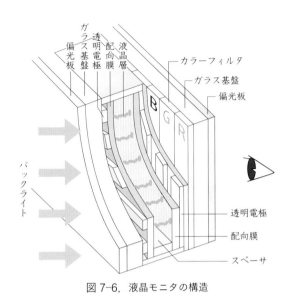

図 7-6.　液晶モニタの構造

LED の出力によって明るさを制御している.

2 モニタの階調特性

　モニタの階調特性は，入力に階調，出力に輝度をとる関数で表現される. 医療画像表示用モニタでは DICOM 規格で定められている grayscale standard display function（GSDF）に合うように調整されており，一般的なモニタで採用されているガンマ 2.2 や 1.8 とは異なる. GSDF は人間の視覚特性をモデル化した Barten モデルに基づいており，低い輝度から高い輝度までのすべての領域で視覚的に直線化された階調が得られるように定義されている（図 7-7）.

3 モニタの品質管理

　医療機関では，診察室や病棟なども含めて多くの医療画像表示用モニタが設置されており，すべてのモニタが同じような階調特性で表示するように，モニタは適切に調整されていなければならない. また，モニタは使用時間が経過するに伴い，輝度の低下などの性能の低下がみられるようになる. 画像診断に必

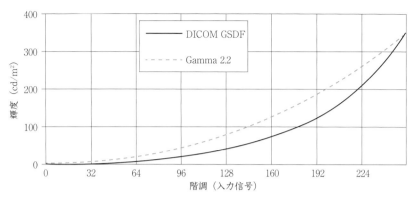

図 7-7. モニタの階調特性
(一般社団法人日本画像医療システム工業会. 医用画像表示用モニタの品質管理に関する
ガイドライン JESRA X-0093＊B[2017])

表 7-7. 医療画像表示用モニタの管理グレードと判定基準

管理グレード		最大輝度 L_{max} （cd/m^2）	輝度比 L_{max}/L_{min}	コントラスト応答 K_δ （%）
1	A	≧350	≧250	≦±10
	B or 省略	≧170	≧250	≦±15
2	―	≧100	≧100	≦±30

要となる一定の基準を常に満たすように，モニタの使用においては品質管理の
ための定期的な試験とキャリブレーションが必要である.

　医療画像表示用モニタの性能試験の評価方法は JIS T 62563-1 に定められて
いる. また，モニタの品質管理は，日本画像医療システム工業会が作成した規
格（JESRA）である「**医用画像表示用モニタの品質管理に関するガイドライン**」
（X-0093＊B）に定められており，定期的に行う試験の頻度や方法，管理グレー
ドに応じた判定基準などが示されている.

a 管理グレード（表 7-7）

　医療画像表示用モニタの**管理グレード**は，診療現場で用途に応じた分類であ
る. 管理グレード1は一次読影用途，管理グレード2は参照用途で使用される
モニタである.

表 7-8. 受入試験の確認項目と判定基準

方法	分類	判定基準			テストパターン
		管理グレード1		管理グレード2	
		A	B or 省略		
仕様	解像度	≧1,000×1,000（ピクセル）			—
目視	全体評価	16［11］段階のパッチの輝度差が明瞭に判別できること，5%，95%パッチが見えること			TG18-QC
		臨床画像の判定箇所が問題なく見えること			基準臨床画像
	グレースケール	なめらかな単調連続表示であること			TG18-QC
	アーチファクト	アーチファクトが確認できないこと			フリッカー：TG18-UN80 クロストーク，ビデオアーチファクト：TG18-QC
測定	輝度均一性	≦30（%）			TG18-UN80/輝度計
	コントラスト応答	≦±10（%）	≦±15（%）	≦±30（%）	TG18-LN/輝度計
	最大輝度	≧350（cd/m²）	≧170（cd/m²）	≧100（cd/m²）	
		マルチモニタ間≦10（%）			
	輝度比	≧250		≧100	
	色度	画面内≦0.01		—	TG18-UN80/色度計
		マルチモニタ間≦0.01		—	

b 受入試験

受入試験は，機器を設置して使用を始める前に，機器が製品の仕様に適合していることを確認するために行われる試験である（表7-8）.

c 不変性試験（表7-9, 10, 図7-8）

不変性試験は，機器の特性が許容範囲内に維持されていることを確認するために行われる試験である. 機器が設置された後の初期値を基準値として，使用日ごとの全体評価試験と，定期的に行う試験を実施する. 定期的に行う試験は輝度安定化回路がない機器については，6か月ごと，輝度安定化回路がある機器については1年ごとに試験を実施することが定められている. 不変性試験に

表 7-9. 使用日ごとの全体評価試験の確認項目と判定基準

方法	分類	判定基準			テストパターン
		管理グレード1		管理グレード2	
		A	B or 省略		
目視	全体評価	16 [11] 段階のパッチの輝度差が明瞭に判別できること．5%，95%パッチが見えること			TG18-QC
		臨床画像の判定箇所が問題なく見えること			基準臨床画像

表 7-10. 定期的に行う試験の確認項目と判定基準

方法	分類	判定基準			テストパターン
		管理グレード1		管理グレード2	
		A	B or 省略		
目視	全体評価	16 [11] 段階のパッチの輝度差が明瞭に判別できること．5%，95%パッチが見えること			TG18-QC
		臨床画像の判定箇所が問題なく見えること			基準臨床画像
	グレースケール	なめらかな単調連続表示であること			TG18-QC
	アーチファクト	アーチファクトが確認できないこと			フリッカー：TG18-UN80 クロストーク，ビデオアーチファクト：TG18-QC
測定	輝度均一性	著しい非一様性がないこと			TG18-UN80
	コントラスト応答	≦±10（%）	≦±15（%）	≦±30（%）	TG18-LN/輝度計
	最大輝度	≧350 (cd/m²)	≧170 (cd/m²)	≧100 (cd/m²)	
		輝度変化率≦±10（%）			
		マルチモニタ間≦10（%）			
	輝度比	≧250		≧100	

おいて不合格になった場合には，キャリブレーションを行う．キャリブレーションを行っても不合格になる場合には機器の修理や交換が必要となる．

d 評価項目

1）解像度（表 7-11）

解像度はモニタに表示する際の最小単位である画素（ピクセル）の数を表現

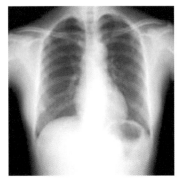
基準臨床画像

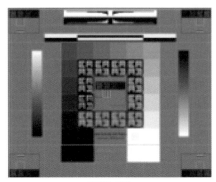
TG18-QC

TG18-UN80

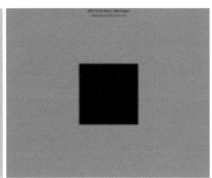
TG18-LN-1〜18

図 7-8.　モニタの品質管理に用いられる主なテストパターン

表 7-11.　モニタのサイズと解像度

サイズ名称	画素数	解像度（pixel）	対角サイズ（inch）	画素ピッチ（mm）
SXGA	1MP	1,280×1,024	19.0	0.294×0.294
UXGA	2MP	1,600×1,200	21.3	0.270×0.270
QXGA	3MP	2,048×1,536	21.3	0.2115×0.2115
QSXGA	5MP	2,560×2,048	21.3	0.165×0.165

したものである.

2）アーチファクト

　アーチファクトは本来そこには存在してはならない現象の総称であり，フリッカー，クロストーク，ゴースト，シャドーなどを含む.

3）輝　度

輝度はモニタの明るさを示した値（単位：cd/m^2）であり，輝度計を用いて測定することができる．また，モニタの最小輝度（L_{min}）と最大輝度（L_{max}）は，入力値が最小と最大のときに出力される画面中央部の輝度をいう．

4）輝度均一性

輝度均一性とはモニタの画面全体の輝度が中央から周辺部にわたって一様であることをいう．

5）コントラスト応答

コントラスト応答は，階調ごとの輝度の実測値と理論値の差である．DICOM GSDF から計算される階調曲線に近いほど差は小さくなり，コントラスト応答は良好となる．

6）輝度比

輝度比は最大輝度と最小輝度の比である．輝度比を計算する際には，環境光がモニタ表面に反射する影響（環境輝度）を考慮して，環境輝度を最大輝度と最小輝度のそれぞれに加えて計算する．

輝度比＝（最大輝度＋環境輝度）÷（最小輝度＋環境輝度）

7）色　度

色度は色を2次元の座標系で表現したものであり，色度計などを用いて測定される．

8）照　度

照度は環境光などが照らす光の明るさを示した値（単位：lx）であり，照度計を用いて測定される．

E｜医療情報分野の標準規格

相互運用性（interoperability）とは，情報システムを開発するメーカーや，情報システムを使用する医療機関が異なっていても，情報交換を行ったり，交換したデータを使ったりできる能力をいう．相互運用性を確保するためには，異なるメーカーや装置が共通の通信プロトコルやファイル形式，コードなどの標準規格（standard）を介してデータを交換することが必要である．

1 DICOM

DICOM（digital imaging and communications in medicine）は，医療画像とその通信に関する標準規格である．画像情報を交換する際の相互運用性を確保し，多種多様なメーカーや機種の機器やシステムの間で，画像情報などの利用や管理，共有を効率的に行うために必要となる技術的な決まりごとを定義している．

a 情報オブジェクト

DICOMで定義される画像情報は，ピクセルデータと付帯情報で構成されている．付帯情報には，患者や検査，画像に関する情報などが含まれており，グループ番号と要素番号で構成されるタグによって識別される．たとえば，患者を識別するための情報が格納されているグループ（0010）の，患者IDが格納されている要素（0020）である，（0010,0020）のタグには患者IDの値が格納されている．また，付帯情報はCT画像に造影剤の情報，核医学画像に核種の情報など，検査種別（モダリティ）によって異なる．DICOMでは検査種別ごとの画像情報や構造化ドキュメント（structured report：SR）などが情報オブジェクトとして定義されている（表7-12）．

b 機能（サービスクラス）

DICOMの機能は，異なるメーカーや装置との間で画像情報などを交換するために必要なやりとりを定義したものであり，サービスクラス（service class）と呼ばれる．サービスも利用する側をservice class user（SCU），サービスを提供する側をservice class provider（SCP）という．また，情報オブジェクトとサービスクラスの組（ペア）をservice object pair（SOP）という．DICOMでは次のようなサービスクラスが定義されている．

1）storage

storage機能は，画像データを送信先となる装置やシステムに保存する機能である．この機能は検査装置からPACSに画像を転送して保存する際に使用される．storage機能のSCUは画像データを送信する側の装置やシステムであり，画像データを符号化し，送信先となるSCPにデータを送る機能を有する．SCP

表7-12．DICOM タグ情報の例

タグ	名称	値	タグ	名称	値
0008,0005	Specific Character Set	¥ISO 2022 IR 87	0018,0015	Body Part Examined	CHEST
			0018,0060	kVp	125
0008,0016	SOP Class UID	1.2.840.10008. 5.1.4.1.1.1	0018,1150	Exposure Time	500
			0018,1151	X-ray Tube Current	100
0008,0020	Study Date	20230717	0018,1152	Exposure	50
0008,0030	Study Time	165844.000	0028,0010	Rows	3000
0008,0060	Modality	CR	0028,0011	Columns	3000
0008,0080	Institution Name	A HOSPITAL	0028,0030	Pixel Spacing	0.143
0010,0010	Patient's Name	YAMADA^TARO = 山田^太郎 = ヤマダ^タロウ			¥0.143
			0028,1050	Window Center	2048
			0028,1051	Window Width	4095
0010,0020	Patient ID	1000123456	7FE0,0010	Pixel Data	
0010,0030	Patient's Birth Date	19790201			
0010,0040	Patient's Sex	M			

は，画像データを受信する側の装置やシステムであり，標準に従って復号し，適切なフォーマットでデータを保存する機能を有する．

2）query and retrieve

　query and retrieve（Q/R）機能は，医療画像やそれに関連する情報を検索（query）して，必要に応じて取得（retrieve）する機能である．この機能はワークステーションから患者情報や検査日時などの条件に基づいてPACSに検索を行い，必要とする画像を取得する際に使用される．

3）modality worklist management

　modality worklist management（MWM）機能は，RIS から検査装置（モダリティ）に患者情報，検査種別，撮影部位，撮影条件などの情報を提供するための機能である．これらの情報は撮影条件の設定などに使用されるほか，画像の付帯情報として格納される．

4）modality performed procedure step

　modality performed procedure step（MPPS）機能は，検査装置（モダリティ）から RIS に撮影の進捗状況を通知するための機能である．

5）verification

verification（検証）機能は，DICOM 通信が正常に機能しているかを確認するための機能であり，システムの設定やトラブルシューティングの際に活用される．

c 通信プロトコル

DICOM の通信プロトコルは，TCP/IP の上位のプロトコルに位置し，情報交換を確実に行うための仕組みとして定義されている．装置やシステムは **AE タイトル**（application entity title）という文字列によって識別される．DICOM 通信を行う際には，接続先の装置やシステムの IP アドレス，ポート番号，AE タイトルが必要になる．

d 転送構文

DICOM の**転送構文**（transfer syntax）は，データの符号化方法を定義したもので，圧縮アルゴリズムやバイトオーダーなどが含まれる．DICOM ではいくつかの転送構文が定められており，実際に通信を行う際には送信側と受信側の双方が対応する転送構文を選択する．主な転送構文には，implicit VR little endian，explicit VR little endian，JPEG lossless，JPEG lossy がある．

e 適合性宣言書（コンフォーマンスステートメント）

適合性宣言書は，医療機器のメーカーが作成する文書であり，装置やソフトウェアの DICOM への対応範囲などの情報を提供するために作成される．DICOM はさまざまな検査を考慮した膨大な内容を含む標準であり，それぞれの装置は DICOM で定められた内容や選択肢の一部のみに対応している．新しい装置を導入して既存のシステムと接続するような場合に，データ交換などの可否を確認するために用いられる．

2 HL7

HL7（health level seven）は，医療データの交換のために開発された標準規格であり，HL7 V2 メッセージ標準や V3 メッセージ標準など，いくつかの規格が定められている．電子カルテ・オーダエントリシステムから地域連携システ

ムに，患者のオーダ情報などを送る際に HL7 V2 メッセージが使用される．また，HL7 FHIR（fast healthcare interoperability resources）は，V2 メッセージ標準や V3 メッセージ標準などの知見と，最新の Web 標準技術を組み合わせた規格である．医療情報を表現するさまざまなリソースが定義されており，Web ブラウザなどから HTTP（hypertext transfer protocol）によってリソースにアクセスして，JSON（JavaScript object notation）形式などでデータを取得することができる．

3 IHE

IHE は，医療情報システムの相互運用性を確保するための取り組みである．医療情報システムの相互運用性を確保するためには，診療現場のワークフローに沿って標準規格を適切に利用することが必要であるという考え方に基づき，ワークフローを達成するための業務シナリオである統合プロファイル（integration profile）を定義し，統合プロファイルを実現するための技術的な方法はテクニカル・フレームワーク（technical framework）に定めている．また，IHE ではテクニカル・フレームワークを実装したシステムや機器同士が接続テストを行うイベントであるコネクタソン（connectathon）を開催しており，相互運用性が検証されたシステムや機器を認定する取り組みを行っている．

4 用語・コードの標準

a ICD

ICD（疾病及び関連保健問題の国際統計分類；International Statistical Classification of Diseases and Related Health Problems）は，世界保健機関（World Health Organization：WHO）が作成した国際疾病分類の標準である．現在，日本国内では 1990 年に採択された第 10 回改訂（ICD-10）が採用されており，電子カルテ・オーダエントリシステムで病名を登録する際には，ICD-10 対応標準病名マスターが用いられている．

b JJ1017

JJ1017 は，日本放射線技術学会が管理する放射線領域において情報連携

される手技・行為を表現するコードの標準である．コードは，モダリティ，手技，部位，体位など検査の特定に必要な情報を表現する前半16桁と，詳細体位，特殊指示，核種など詳細な指示を表現する後半16桁の32桁で構成される．

F | 医療情報セキュリティ

　医療情報システムには患者の個人情報が含まれることから，セキュリティの確保が不可欠である．その一方で，医療情報システムには，サイバー攻撃などによる不正アクセスをはじめ，内部不正，人為的なミスなどによって情報漏洩やデータの破壊，システム停止などのセキュリティインシデントが発生するリスクがあり，診療業務と情報処理技術の双方をよく理解した適切な対応が求められる．

　情報セキュリティの基本的な考え方は，情報資産をいかにして守るかである．守るべき情報資産に対して好ましくない影響を及ぼす要因を脅威といい，脅威がつけ込むことができる情報資産の弱点を脆弱性，脅威や脅威によって情報資産が損なわれる可能性のことをリスクという．

1 情報セキュリティへの脅威と対応の例

　医療情報システムへの脅威は，窃盗や盗聴（盗み見），不正アクセスによる情報漏洩や情報の改ざん，情報の破壊・消去などがあり，また自然災害なども脅威となりうる．特に最近では，サイバー攻撃によって医療機関への不正アクセスの大規模な被害が出た事例も報告されている．医療情報システムを導入している医療機関は，厚生労働省が作成している「医療情報システムの安全管理に関するガイドライン」に従って，情報セキュリティへの対応を行わなければならない．

a マルウェアの種類

　マルウェアは悪意のあるソフトウェアの総称であり，下記のようなものがある．

1）コンピュータウイルス

コンピュータウイルスは，自己増殖する仕組みを備えた性質をもち，コンピュータ内の他のソフトウェアに侵入して自身の複製を組み込み，感染したプログラムを起動すると実行される．

2）トロイの木馬

トロイの木馬は悪意のない正常なファイルに偽装して，隠密にコンピュータへ侵入する．

3）ランサムウェア

ランサムウェアとは，コンピュータウイルスの一種であり，システム内のデータを暗号化してアクセスを制限し，身代金（ランサム）を要求する．

b マルウェアなどの脅威への対応

医療機関における情報セキュリティ対策は，組織的セキュリティ対策，人的セキュリティ対策，技術的セキュリティ対策，物理的セキュティ対策に分けられる．サイバー攻撃は主にOSやソフトウェアのセキュリティホールなどの脆弱性を狙ったり，不正に入手した認証情報を用いて他人になりすましてシステムにアクセスするなどの手段で行われる．ここでの対策としては，OSやソフトウェアの修正プログラムを迅速に適用すること，ウイルス対策ソフトを導入すること，利用者認証・認可を厳密に行い，アクセス経路を制限することなどが挙げられる．

2 情報セキュリティの3要素

情報セキュリティを確保するためには，下記に示す，機密性，完全性，可用性の3つの要素をすべて維持するように対策を実施する．

a 機密性（confidentiality）

機密性とは，情報を不正なアクセスから保護し，許可されたユーザのみがアクセスできるようにすることをいう．機密性を担保するための対策には，情報へのアクセス権限をもつ者を必要最低限にすることなどがある．

b 完全性 (integrity)

完全性とは，情報が正確かつ完全であることを保証し，改ざんやデータの破壊を防止することをいう．完全性を担保するための対策には，情報へのアクセスや変更の履歴を記録することやバックアップを取得することなどがある．

c 可用性 (availability)

可用性とは，情報が必要なときに必要な人がアクセスできることを保証することをいう．可用性を担保するための対策には，1台の情報システムが停止しても情報へのアクセスができるように情報システムを二重化しておくことなどがある．

3 情報セキュリティの主な対策と技術

a 暗号化と復号

暗号化とは，データの秘匿性を保つために，データを解読できないように加工することをいう．一方，暗号化されたデータをもとに戻すことを復号という．暗号化方式は鍵の受け渡し方法により，「共通鍵暗号方式」と「公開鍵暗号方式」がある．共通鍵暗号方式とは，暗号化と復号化の際に同じ鍵を用い，公開鍵暗号方式よりも処理速度が速い．ただし，暗号鍵を渡す際の安全性を確保しづらく，相手ごとに異なる鍵を用意しなければならない．公開鍵暗号方式は，暗号化と復号化に異なる鍵を用いる暗号化方式である．暗号化の際の公開鍵は一般的に公開され，復号化の際の秘密鍵は安全に保管される．公開鍵暗号方式は，処理速度の点では共通鍵暗号方式に劣るが，復号鍵を送受信する必要がないため，安全性も高い．

b SSL/TLS

SSL (secure socket layer) は，ネットワーク上の通信を暗号化する技術であり，コンピュータの間で送受信されるデータを暗号化し，なりすましや盗聴を防ぐことができる．また，TLS (transport layer security) は，SSLをもとに改良を加えたものである．さらに，WebサーバとWebブラウザの間の

HTTP プロトコルに TLS の暗号化通信機能を付加したプロトコルは HTTP over TLS（**HTTPS**）といい，Web における暗号化通信に広く用いられている．

c VPN

VPN（virtual private network）は，インターネットや通信事業者の回線網のなかに仮想的な専用線を構築する技術である．送信側と受信側の 2 点間に仮想的なトンネルをつくり（**トンネリング**），さらに暗号化（**カプセル化**）を行うことで，第三者による盗聴，改ざん，なりすましを防止することができる．

d ファイアウォール

ファイアウォールは，防火壁を意味し，外部のネットワークと内部のネットワークの境界に置くことで，ポート番号やアプリケーションなどによってアクセスを制御することで，外部からの不正アクセスによる侵入を防ぐことができる．また，内部から外部への接続を制御することができる．

e ユーザ認証技術

認証とは，情報システムやネットワークを利用する際に，利用者が本人であるかどうか，正当な利用者であるかどうかを識別することである．**ユーザ認証**技術には，パスワード認証のほか，ワンタイムパスワード認証，IC カード認証，生体認証などがある．また，IC カード認証（所持）と生体認証（生体情報）など，複数の要素を組み合わせて認証を行う**多要素認証**を行うことにより，本人確認の確実性やセキュリティレベルを上げることができる．

f 情報システムの高信頼化の手法

情報システムの信頼性を高めるためには，故障そのものが発生しないようにするフォールトアボイダンス（故障回避）の手法と，故障が起こることを前提として考える**フォールトトレランス**（耐障害設計）の手法がある．フォールトトレランスには下記の手法が含まれる．

1）フェールセーフ

フェールセーフは，情報システムに障害が発生した場合に，安全性を確保するために被害を最小限に留めることをいう．

2）フェールソフト

　フェールソフトとは，システムに障害が発生した場合に，必要最小限の機能でシステムを稼働させることをいう．

3）フェールオーバー

　フェールオーバーとは，システム障害に備えてあらかじめ待機系を用意しておき，障害発生時には，待機系に自動的に切り替えることをいう．

4）フォールバック

　フォールバックは，障害箇所を切り離して，システムの機能や処理能力を落としてでも稼働を続けることで，縮退運転ともいう．

5）フールプルーフ

　フールプルーフとは，ヒューマンエラーを防止するために，万が一，エラーが発生しても危険な動作をしないようにすることをいう．

（小笠原克彦，谷川琢海）

参考文献

第1章　フーリエ変換とウェーブレット変換

1) 金谷健一：これなら分かる応用数学教室，共立出版，2003.
2) 中野宏毅，山本鎮男，吉田靖夫：ウェーブレットによる信号処理と画像処理，共立出版，1999.

第2章　X線画像の形成

1) 山下一也，滝川　厚：第12章 I．画像論の基礎，診療放射線技術（上巻），改訂第9版，監修 立入　弘・稲邑清也，編集 山下一也・速水昭宗，261-274，南江堂，1996.
2) 藤田広志，寺本篤司，岡部哲夫　編集：医用画像情報工学，第1編　画像形成論，新医用放射線科学講座，1-45，医歯薬出版，2018.

第3章　画像の評価（全般）

1) 内田　勝　監修，小寺吉衞，藤田広志　編集：基礎　放射線画像工学，第3章，第4章，オーム社，東京，1998.
2) 内田　勝　監修，藤田広志，小寺吉衞　編集：ディジタル放射線画像，第4章，第5章，オーム社，東京，1998.
3) 土井邦雄　翻訳監修，桂川茂彦，杜下淳次　翻訳編集：ICRU レポート70（日本語翻訳）胸部X線写真の画質，日本放射線技術学会，2005.

3-A.　入出力特性

4) 小寺吉衞　編集：放射線受光系の特性曲線，医療科学社，1994.
5) 岡部哲夫，瓜谷富三　編集：医用放射線科学講座14．医用画像工学，第1章　6．ディジタルラジオグラフィの画質（藤田広志），医歯薬出版，1997.
6) 土井邦雄　翻訳監修：ICRU レポート70　胸部X線写真の画質（日本語翻訳）．

3-C.　解像特性

7) Modulation Transfer Function of Screen-Film Systems, International Commission on Radiation Units and Measurements（ICRU）Report 41, 1986.
8) 杜下淳次，土井邦雄：増感紙―フィルム系のMTF測定法の標準化に関する研究．医用画像情報学会雑誌 14（1）：39-59，1997.
9) Giger ML, Doi K：Investigation of basic imaging properties of digital radiography. 1. Modulation transfer function. Med Phys 11：287-295, 1984.
10) Fujita H, Giger ML, Doi K：Investigation of basic imaging properties of digital radiography. 6. MTFs of I. I.-TV digital imaging systems. Med Phys 12：712-720, 1985.
11) Fujita H, Tsai DY, Itoh T,et al.：A simple method for determining the modulation transfer function in digital radiography. IEEE Transactions on Medical Imaging 11（1），34-39, 1992.

3-C3-e.　解像特性の測定手順

12) IEC 62220-1：Medical electrical equipment-characteristics of digital X-ray imaging devices Part 1, Determination of the detective quantum efficiency, ed. 1.0, 2003.

13) Egbert Buhr, Suanne Günther-Kohfahl, Ulrich Neitzel：Accuracy of a simple method for deriving the presamled modulation transfer function of a digital radiographic system from an edge image. Med Phys 30（9）：2323-2331, 2003.

14) 東出　了，市川勝弘，國友博史：エッジ法による presampled MTF の簡便な解析方法の提案と検証．日本放射線技術学会雑誌 64（4）：417-425，2008.

15) 井手口忠光：表計算ソフト Excel を用いたプリサンプルド MTF の実践的測定法．INNERVISION 18：68-75，2003

3-D.　ノイズ特性

16) 小寺吉衞，他：放射線画像系の粒状性の測定法（Ⅰ）．日本放射線技術学会雑誌 43（12）：1743-1768，1987.

17) 小寺吉衞，他：放射線画像系の粒状性の測定法（Ⅱ）．日本放射線技術学会雑誌 44（1）：44-62，1988.

18) Giger ML, Doi K：Investigation of basic imaging properties of digital radiography. 2. noise Wiener spectrum. Med Phys 11：646-652, 1984.

3-D5.　ノイズ特性の測定手順

19) 井手口忠光，東田善治，大喜雅文，他：FPD を中心とするディジタル画像検出システムの画像特性と測定方法．画像通信 27（2）：8-19，2004.

20) 田中嘉津夫：基礎 放射線画像工学，第4章 4・2 ウィーナースペクトル．132-143，内田　勝　監修，小寺吉衞，藤田広志　編集，オーム社，1998.

21) 小寺吉衞：新・医用放射線科学講座　医用画像工学，第1編 第3章 4.2.2）ウィナースペクトル．25-28，岡部哲夫，藤田広志　編集，医歯薬出版，2010.

3-E.　DQE

22) Dainty JC, Shaw R：Image Science. Academic Press INC., CA, 1992.

第4章　画像の主観的評価法

1) Lusted LB：Logical analysis in roentgen diagnosis. Radiology 74：178-193, 1960.

2) Lusted LB：Signal detectability and medical decision-making. Science 171：1217-1219, 1971.

3) Swets JA, Pickett RM, Whitehead SF, et al.：Assessment of diagnostic technologies. Science 205：753-759, 1979.

4) Metz CE：Some practical issues of experimental design and data analysis in radiological ROC studies. Invest. Radiol. 24：234-245, 1989.

5) Metz CE, Herman BA, Shen J-H：Maximum-likelihood estimation of ROC curves from continuously-distributed data. Stat Med 17：1033-1053, 1998.

6) Shiraishi J, Pesce L, Metz CE, Doi K：Experimental design and data analysis in receiver operating characteristic studies：Lessons learned from reports in Radiology from 1997 to 2006. Radiology 253：822-830, 2009.

7) Shiraishi J, Katsuragawa S, Ikezoe J：Development of a digital image database for chest radiographs with and without a lung nodule：Receiver operating characteristic analysis of radiologists' detection of pulmonary nodules. AJR 174：71-74, 2000.

8) ICRU Report 79：Receiver Operating Characteristic Analysis in Medical Imaging. Oxford University Press, Oxford, UK, J. of the ICRU Vol. 8, No. 1, 2008.

9) Dorfman DD, Berbaum KS and Metz CE：ROC rating analysis：generalization to the population of readers and cases with the jackknife method, Invest. Radiol. 27：723-731, 1992.

10) Swensson RG：Unified measurement of observer performance in detecting and localizing target objects on images. Med Phys 23：1709-1725, 1996.

11) Chakraborty DP, Breatnach EA, Yester MV, et al.：Digital and conventional chest Imaging：a modified ROC study of observer performance using simulated nodules. Radiology 158：35-39, 1986.

12) Chakraborty DP, Winter LH：Free-Response Methodology：Alternative Analysis and a New Observer-Performance Experiment. Radiology 174：873-881, 1990.

13) Chakraborty DP, Berbaum KS：Observer studies involving detection and localization：modeling, analysis, and validation. Med Phys 31：2313-2330, 2004.

14) Vyborny CJ：Should chest radiography and chest radiography for the early detection of lung cancer be the same examination? ICRU News 2, 8-11, 1999.

15) 日本放射線技術学会：臨床放射線実験ハンドブック（上），228-255，通商産業研究社，1996.

16) 川村義彦：画像評価法 7，画像の主観的評価法 7—Ⅱ，Howlett チャート，日放技学誌，49（4），611-615，1993.

17) Howlett LE：Department of Commerce NBS Circular. 526：41-50, 1954.

18) Burger GCE：Phantom tests with X-rays. Philips technical. Review, 11（10），291-298, 1950.

19) Engen R. Van, Young KC, Bosmans H, et al.：The European protocol for the quality control of the physical and technical aspects of mammography screening. Part B：Digital mammography. In：European Guidelines for Quality Assurance in Breast Cancer Screening and Diagnosis, 4th Edition. Luxembourg：European Commission, 2006.

20) International Commission on Radiation Units and Measurements（2003）. Image quality in chest radiography. ICRU Report 70, ISBN 1473-6691, 2003.

21) 大賀泰文，辻本武士，田畑洋二，他：X 線写真の主観的評価法—Thurstone の一対比較法による尺度化の試み—. 日放技学誌 45（7）：831-839，1989.

22) 中前光弘：統計的官能検査法の理論と放射線技術科学への応用—Scheffé（シェッフェ）の一対比較法を中心に—. 日放技学誌 66（11）：1502-1507，2010.

23) 白石順二，岡崎友香，後藤　淳：自動解析ソフトウエアを用いたシェッフェの一対比較

法による画像評価：撮影線量を模擬的に変化させたCT画像の比較評価．日放技学誌75
(1)：32-39，2019.

第5章　ディジタル画像処理
1) 高木幹雄，下田陽久　監修：新編　画像解析ハンドブック，東京大学出版会，2004.
2) 画像処理標準テキストブック編集委員会　監修：イメージプロセッシング；画像処理標準テキストブック，画像情報教育振興協会，2001.
3) 井上誠喜，八木伸行，他：C言語で学ぶ実践画像処理，オーム社，2001.
4) 石井健一郎，上田修功，他：わかりやすいパターン認識，オーム社，1998.
5) Pratt WK：Digital image processing, John Wiley & Sons, New York, 1978.
6) Kano A, Doi K, MacMahon H, et al.：Digital image subtraction of temporally sequential chest images for detection of interval change. Med Phys 21：453-461, 1994.
7) Ishida T, Katsuragawa S, Nakamura K, et al.：Iterative image warping technique for temporal subtraction of sequential chest radiographs to detect interval change. Med Phys 26：1320-1329, 1999.
8) 土井邦雄，桂川茂彦，佐々木康夫，中村克己：電子画像による過去画像との比較診断：経時的サブトラクション技術の有用性．医療とコンピュータ11：16-21，2000.
9) Difazio MC, MacMahon H, Xu XW, et al.：Digital chest radiography：Effect of temporal subtraction images on detection accuracy. Radiology 202：447-452, 1997.
10) 金谷健一：これなら分かる最適化数学．共立出版，2005.
11) 寺田康彦，中尾　愛，中込真優：圧縮センシングMRIの基礎．日磁医誌38：61-75，2018.

5-B. 情報理論，5-F1～7. 3次元画像処理など
12) 矢沢久雄：情報はなぜビットなのか　知っておきたいコンピュータと情報処理の基礎知識．日経BP，2006.
13) 石田隆行　監修：よくわかる医用画像情報学．オーム社，2018.
14) 山田宏尚：図解雑学デジタル画像処理．ナツメ社，2006.
15) ケイワーク：JPEG 概念からC＋＋による実装まで．ソフトバンク，1998.
16) 福原隆浩，板倉英三郎：JPEG2000 詳細解説．CQ出版社，2004.
17) 李　鎔範，蔡　篤儀，井開章博：MTFの概念に基づく基礎的なウェーブレット画像圧縮パラメータの決定法．Medical Imaging Technology 23（4）：239-243，2005.
18) 周藤安造，上野　滋，鈴木雅隆：医学分野に置けるボリュームレンダリングの原理と臨床応用．可視化情報学会誌20（1 supplement）：175-178，2000.
19) 佐藤嘉伸：三次元画像診断（2）医用三次元画像データの表示，綜合臨牀50（2）：354-366，2001.
20) 後藤良洋：最近の医用3D画像．電気学会誌124（6）：349-352，2004.
21) Kanitsar A, Fleischmann D, Wegenkittl R, Gröller ME：Diagnostic Relevant Visualization of Vascular Structures. Scientific Visualization：The Visual Extraction of Knowledge from Data. Mathematics and Visualization. Springer. pp.207-228. 2006.

22）角村卓是，白旗　崇，國分博人，中澤哲夫：大腸解析ソフトウェア CT Colonoscopy の開発．MEDIX 49：33-37，2008．

23）福田　航，森田順也，山田雅彦：超解像と逐次法を応用したトモシンセシス再構成技術の開発，富士フィルム研究報告 61：1-6，2016．

24）柴田幸一：FPD システムにおけるトモシンセシスの技術，JIRA テクニカルレポート 32：1-5，2007．

5-F8. X 線動画解析技術

25）Tanaka R：Dynamic chest radiography：flat-panel detector（FPD）based functional X-ray imaging. Radiol Phys Technol 9（2）：139-153, 2016.

26）Tanaka R, Sanada S, Suzuki M, et al.：Breathing chest radiography using a dynamic flat-panel detector combined with computer analysis. Medical Physics 31（8）：2254-2262, 2004.

27）Tanaka R, Tani T, Nitta N, et al.：Pulmonary function diagnosis based on respiratory changes in lung density with dynamic flat-panel detector imaging：An animal-based study. Investigative Radiology 53（7）：417-423, 2018.

28）Tanaka R, Tani T, Nitta N, et al.：Detection of pulmonary embolism based on reduced changes in radiographic lung density during cardiac beating using dynamic flat-panel detector：an animal-based study. Academic Radiology 26（10）：1301-1308, 2019.

第 6 章　コンピュータ支援診断と人工知能

A. コンピュータ支援診断

1）藤田広志，寺本篤司，岡部哲夫　編集：医用画像情報工学，医歯薬出版，2018．

2）山下隆義：イラストで学ぶディープラーニング，講談社，2016．

3）坂本真樹：坂本真樹先生が教える人工知能がほぼほぼわかる本，オーム社，2017．

4）藤田広志：いま進化・多様化するコンピュータ支援診断（CAD），医用画像情報学会雑誌 36（2）：25-29，2019．

5）藤田広志（編著）：医療 AI とディープラーニングシリーズ　2020-2021 年版 はじめての医用画像ディープラーニング―基礎・応用・事例―，オーム社，東京，2020．

6）藤田広志（監修），福岡大輔（編著）：医療 AI とディープラーニングシリーズ 2020-2021 年版 標準 医用画像のためのディープラーニング―入門編―，オーム社，2020．

7）藤田広志（監修），原　武史（編著）：医療 AI とディープラーニングシリーズ 2021-2022 年版 標準 医用画像のためのディープラーニング―実践編―，オーム社，2020．

8）藤田広志（監修），上杉正人・平原大助・齋藤静司（共編著）：医療 AI とディープラーニングシリーズ Python による医用画像処理入門，オーム社，2020．

9）藤田広志（監修），有村秀孝・諸岡健一（共編著）：医療 AI とディープラーニングシリーズ 放射線治療 AI と外科治療 AI，オーム社，2020．

10）藤田広志（監修），椎名　巖・工藤正俊（共編著）：医療 AI とディープラーニングシリーズ 超音波画像 AI 診断，オーム社，2021．

11）藤田広志（監修），森　健策・工藤進英・森　悠一・三澤将史（共編著）：医療 AI とディー

プラーニングシリーズ 内視鏡画像 AI, オーム社, 2022.

12) 井川房夫, 藤田広志 (共編著)：これだけでわかる！医療 AI, 中外医学社, 東京, 2021.

13) 藤田広志 (編), 寺本篤司・篠原範充・久保田一徳 (共著)：乳がん診療に活かす やさしい AI 入門, 中外医学社, 2022.

14) 藤田広志, 勝又明敏 (共編著)：学びはじめ 歯科医療 AI の世界 ディープラーニングがひらくデジタルデンティストリーの近未来, 56 (2), 増刊号, 医歯薬出版, 2023.

15) Röhrich S, Heidinger BH, Prayer F, et al.：Impact of a content-based image retrieval system on the interpretation of chest CTs of patients with diffuse parenchymal lung disease. Eur Radiol, 33：360-367, 2022.

16) 有村秀孝, 角谷倫之 共編：レディオミクス入門, オーム社, 2021.

17) 有村秀孝：特集/レディオミクスの臨床応用の可能性を探る―序文―, 医用画像情報学会雑誌, 38 (1), 1-3, 2020.

18) AI は実社会でどのように活用されているのか⑦-画像認識 (5) (Image Recognition) (2022 年 6 月 9 日) https://thinkit.co.jp/article/19589?page=0%2C1 (2023 年 3 月 22 日)

19) 医師の診断を効率化する画像診断 AI への期待と狙い(2021 年 8 月 27 日) https://www.nttdata.com/jp/ja/data-insight/2021/0827/ (2023 年 3 月 22 日)

B. 人工知能

20) 高木幹雄, 下田陽久 (監修)：新編 画像解析ハンドブック, 東京大学出版会, 2004.

21) 藤田広志 (編著)：医療 AI とディープラーニンク シリーズ 2020-2021 年版 はじめての医用画像ディープラーニンク―基礎・応用・事例―, オーム社, 2020.

22) 岡谷貴之：深層学習 改訂第 2 版, 機械学習プロフェッショナルシリーズ, 講談社, 2022.

第 7 章 医療情報

1) 日本医療情報学会医療情報技師育成部会 編集：医療情報 第 7 版 医療情報システム編. 篠原出版新社. 2022.

2) 日本医療情報学会医療情報技師育成部会 編集：医療情報 第 7 版 情報処理技術編. 篠原出版新社. 2022.

3) 日本放射線技術学会 監修, 奥田保男, 小笠原克彦 編集：放射線システム情報学 改訂 2 版. オーム社. 2021.

4) 石田隆行 監修, 李 鎔範, 小笠原克彦 編集：よくわかる医用画像情報学. オーム社. 2018.

5) 藤田広志, 寺本篤史, 岡部哲夫 編集：医用画像情報工学. 医歯薬出版. 2018.

日本語索引

外国語索引

【編者略歴】

杜下淳次（もりしたじゅんじ）

1981 年立命館大学経済学部経済学科卒業，1984 年京都医療技術専門学校卒業，
1984 年京都大学医学部附属病院技官，1986 年山口大学医学部附属病院技官，
1991 年シカゴ大学放射線科カートロスマン放射線像研究所研究員（3 年間），
1994 年京都医療技術短期大学講師，1997 年岐阜大学工学部で博士（工学）取
得，1999 年京都医療技術短期大学助教授，2004 年九州大学医学部保健学科助
教授，2010 年九州大学大学院医学研究院保健学部門医用量子線科学分野教授，
現在に至る．

診療放射線技術選書
医用画像情報学

2002 年 9 月 6 日　1 版 1 刷	©2023
2020 年 3 月 1 日　4 版 1 刷	
2022 年 2 月 15 日　　2 刷	
2023 年 10 月 10 日　5 版 1 刷	

編　者
　もりしたじゅん じ
　杜下淳次

発行者
株式会社 南山堂　代表者 鈴木幹太
〒113-0034　東京都文京区湯島 4-1-11
TEL 代表 03-5689-7850　www.nanzando.com

ISBN 978-4-525-27935-6

A 2793510501-A